Toegepast communicatieonderzoek

Toegepast communicatieonderzoek

Greet van der Kaap

Boom onderwijs

Tweede oplage, 2008

Verzorging omslag en ontwerp
BuroLamp, Den Haag

Verzorging binnenwerk
H&R Communicatieve Vormgeving, Purmerend

ISBN 978 90 8506 217 2
NUR 810, 916

www.boomonderwijs.nl

Voorwoord

Toen het idee geopperd werd een boek te schrijven over communicatieonderzoek was mijn eerste reactie: alweer een boek over onderzoek? Er zijn er al zo veel. Toen ik wat langer over de vraag nadacht, realiseerde ik mij dat ik voor de vakken die ik geef drie verschillende boeken gebruikte en daarnaast nog een reader en handouts voor extra informatie. Misschien ontbrak er toch iets. Na een periode van verdieping in de onderzoeksliteratuur kwam ik tot de conclusie dat dit boek een aanvulling is. Veel boeken die tot nu toe geschreven zijn over onderzoek zijn logischerwijs uitgegaan van de kernactiviteit: het doen van onderzoek om nieuwe kennis te ontwikkelen. Voor een professionele onderzoeker is dat zeker relevant, immers het is zijn hoofdtaak. Dit boek richt zich op studenten die studeren voor bachelor of communications. Onderzoek is voor hen geen hoofdzaak. Onderzoek is voor hen een middel om onderbouwing te vinden voor het advies, voor de plannen. Hier en daar ben ik heel kort door de bocht gegaan. Ik leg bijvoorbeeld met betrekking tot centrummaten en spreidingsmaten geen formules uit. Ik heb geprobeerd statistische begrippen praktisch te maken: 'dit kun je berekenen met SPSS of Excel en daaruit kun je de volgende conclusie trekken'. De door mij gemaakte keuzes zijn discutabel. Daar ben ik mij terdege van bewust.

Mijn dank gaat vooral uit naar mijn broer Harry van der Kaap. Harry, zonder jou had ik dit vak waarschijnlijk nooit gekozen. Dank ook aan alle voltijd- en deeltijdstudenten die de afgelopen jaren kritische vragen hebben gesteld en kanttekeningen hebben gemaakt bij mijn uitleg. Ook alle studenten die in het derde jaar projecten met externe opdrachtgevers hebben gedaan. Jullie herkennen hier en daar vast je eigen werk. Opdrachtgevers, bedankt voor de inspiratie met betrekking tot de cases. Dank ook aan de afstudeerders van de afgelopen jaren en de huidige tweedejaars (2005-2006, voltijd en deeltijd). Zij waren proefkonijn en hebben mijn boek getest en gaven feedback. Ook collega's bedankt voor de input en de discussies. Vooral Anita Rietberg-Van den Broeke, want dankzij haar is hoofdstuk 7 tot stand gekomen en met haar heb ik veel gediscussieerd over de koppeling tussen het gebruik van de (communicatie)theorie en de probleemstelling.

Natuurlijk ook veel dank aan het thuisfront. Berend en Roos Anne zorgden tijdens het schrijfproces voor de soms zo broodnodige afleiding en ondersteuning. Tot slot wil ik één studente met naam noemen: Corrie Lalkens. Corrie, je moet af en toe gek van me geworden zijn. Had ik een versie gemaild om commentaar op te geven, was je halverwege en dan mailde ik alweer veranderingen! 's Avonds, in het weekend, steeds stak je tijd en energie in de nodige correcties. Mocht iemand nog een foutje vinden, dan is het niet jouw schuld, maar heb ik op het aller-laatste moment toch weer een zinnetje toegevoegd. Bedankt en veel succes met je toekomst als inmiddels afgestudeerde bachelor of communications.

Tot slot wil ik Bonneke Weber bedanken, zij heeft zorg gedragen voor de mooie illustraties.

Greet van der Kaap
Maart 2006

Inhoud

Inleiding

Voor de opleiding tot bachelor of communications is het doen van onderzoek geen kernactiviteit. Als je deze studierichting kiest heb je over het algemeen een heel ander doel. Je wilt deskundig worden op een bepaald terrein, bijvoorbeeld het terrein van de marketingcommunicatie, de interne communicatie of concerncommunicatie. Tijdens je studie kom je zijdelings in aanraking met onderzoek. Onderzoek is dus niet de hoofdactiviteit, maar een middel om te kunnen doen waar je voor wordt opgeleid: advies geven, plannen maken, teksten schrijven, communicatieproblemen oplossen. Door middel van onderzoek kun je achterhalen wat er leeft bij publieks- en doelgroepen. Op basis van die informatie kun je verantwoorde keuzes maken in het communicatiebeleid. Als het beleid is uitgevoerd moet je achterhalen of het beoogde effect is gerealiseerd. Ook bij de evaluatie van beleid speelt onderzoek dus een rol.

Als afgestudeerd communicatiedeskundige zul je op verschillende manieren in aanraking kunnen komen met het doen van onderzoek. Op welke manier precies hangt uiteraard af van het werkveld dat je kiest en van het niveau waarop je werkzaam bent. Als bachelor of communications kun je werkzaam zijn op drie beroepsniveaus (beroepsniveauprofielen: BNP). Per beroepsniveau is hieronder aangegeven wat je moet kunnen met betrekking tot het doen van onderzoek:

1 BNP-B: communicatiemedewerker/junior adviseur
   De junior communicatiemedewerker is degene die alles zelf moet doen, van probleemanalyse, uitvoering van onderzoek tot het formuleren van het advies en/of plan van aanpak. De communicatiemedewerker/junior adviseur:
   • weet wat communicatieonderzoek is en begrijpt de relevantie ervan voor de communicatieprofessie[2]
   • kent de elementaire methoden en technieken van zowel kwantitatief als kwalitatief onderzoek
   • kent elektronische verwerkingssystemen voor de verwerking van onderzoeksresultaten
   • kent elektronische verwerkingssystemen voor de analyse van onderzoeksresultaten
   • kan over onderzoeksgegevens communiceren in een rapport en/of presentatie.

2 BNP-C senior communicatiemedewerker/senior adviseur
De senior communicatiemedewerker is degene die het probleem analyseert,
die soms het onderzoek deels uitbesteedt (vooral de uitvoering van de gege-
vensverzameling), maar wel zelf analyseert om het vervolgens te gebruiken
in het advies. Deze senior communicatiemedewerker:
- weet wanneer een communicatieprobleem tot een onderzoeksvraag zou
  moeten leiden
- weet waarom en wanneer een onderzoek in eigen beheer kan worden uitgevoerd dan wel moet worden uitbesteed
- weet aan welke aspecten in een onderzoeksopdracht aandacht moet worden
  besteed (onder meer voor een adequate briefing, begeleiding en beoordeling)
- weet aan welke beoordelingscriteria de uitkomsten van onderzoek moeten
  worden getoetst
- heeft de (basis)kennis om onderzoeksresultaten te kunnen interpreteren
- heeft het inzicht om onderzoeksresultaten te kunnen hanteren als input
  voor beleidsaanpassingen op het strategische planningsniveau van geïntegreerde communicatie.

3 BNP-D communicatiemanager
De communicatiemanager stipt het probleem aan, maar besteedt de verdere
probleemanalyse tot en met het advies of plan van aanpak uit. De communicatiemanager:
- weet hoe je een onderzoeksprogramma opstelt
- heeft kennis van onderzoek[3] en van de beoordeling daarvan.

Afhankelijk van een bepaald beroepsniveauprofiel wordt dus op verschillende
niveaus aandacht besteed aan onderzoek. Van een communicatiedeskundige in
de rol van senior communicatiemedewerker (rol 2) mag meer verwacht worden
dan bijvoorbeeld van een junior communicatiemedewerker (rol 1). Een communicatiemanager (rol 3) heeft vooral een aansturende rol en doet vaak minder
aan de uitvoering. Voor alle drie de rollen is de hoofdcompetentie gelijk:

> Naar aanleiding van een communicatievraagstuk (A) een toegepast
> communicatieonderzoek kunnen ontwerpen (B), uitvoeren (C),
> analyseren (D) en rapporteren (E) om deze onderzoeksresultaten
> te kunnen hanteren als input voor beleidsaanpassingen (doel en
> strategie) op het strategische planningsniveau van geïntegreerde
> communicatie (F).

Deze hoofdcompetentie is op te delen in verschillende subcompetenties (A t/m F). Per subcompetentie geven we aan in welke mate deze competentie bij elke specifieke rol mag worden verwacht (zie schema op blz. 14).

A **Het onderkennen en analyseren van een communicatieprobleem**
Om een onderzoek te kunnen ontwerpen voor een specifiek *communicatie-vraagstuk* moet onderkend en geanalyseerd worden wat het probleem is (hoofd-stuk 1). Om dit te kunnen doen is kennis van communicatie noodzakelijk. Wanneer is een specifiek probleem een probleem op *communicatie*gebied? Wat is de definitie van een communicatievraagstuk?

B **Een toegepast communicatieonderzoek kunnen ontwerpen**
Om een toegepast communicatieonderzoek te kunnen ontwerpen, zijn er twee subcompetenties die moeten worden beheerst:
1 de communicatiedeskundige moet *een onderzoeksvraag kunnen definiëren* (hoofdstuk 2). Als het probleem helder is, zal snel duidelijk worden dat er informatie ontbreekt, oftewel: dat er iets moet worden onderzocht. Uit het probleem ontstaan een of meerdere vragen, die tevens leidraad van het onderzoek zijn. Maar hoe definieer je deze vragen? Wat wil je precies on-derzoeken?
2 de communicatiedeskundige moet *een toegepast communicatieonderzoek kunnen ontwerpen* (hoofdstuk 3). Welk soort onderzoek past het best bij dit specifieke probleem? Waar moet je aan denken om het uitvoerbaar en meetbaar te maken? Met welke regels moet je nog meer rekening hou-den?

C **Een toegepast communicatieonderzoek kunnen uitvoeren**
De vierde subcompetentie, een toegepast communicatieonderzoek kunnen uitvoeren (hoofdstuk 4), stelt de uitvoering centraal, oftewel: het verzamelen van de gegevens.

D **Een toegepast communicatieonderzoek kunnen analyseren**
De vijfde subcompetentie, een communicatieonderzoek kunnen analyseren (hoofdstuk 5), vereist kennis over enkele basistechnieken voor de analyse van gegevens.

E **Over een toegepast communicatieonderzoek kunnen rapporteren**
De zesde subcompetentie, over een toegepast communicatieonderzoek kun-nen rapporteren (hoofdstuk 6), resulteert in meerdere beroepsproducten. Denk hierbij aan een onderzoeksrapport, maar ook een mondelinge presentatie over

onderzoek en natuurlijk een artikel over het onderzoek in een krant of (vak)tijdschrift, het zogenoemde populariseren (toegankelijk maken) van onderzoeksgegevens.

F Onderzoeksresultaten kunnen hanteren als input voor beleidsaanpassingen (doel en strategie) op het strategische planningsniveau van geïntegreerde communicatie
Zoals we in het begin van de inleiding al aangaven, draait het voor de hbo-opgeleide beroepsbeoefenaar om het advies: *onderzoeksresultaten kunnen hanteren als input voor beleidsaanpassingen (doel en strategie) op het strategische planningsniveau van geïntegreerde communicatie* (hoofdstuk 7). Binnen dit kader gaan we niet in op de kennis, die noodzakelijk is voor het schrijven van een communicatieadvies, een ondernemingsplan of een marketing(communicatie)plan van aanpak. We gaan ervan uit dat deze kennis aanwezig is of in de opleiding aan de orde zal komen. Dit boek heeft alleen de intentie een bijdrage te leveren aan het koppelen van de onderzoeksresultaten aan communicatiestrategieën en/of plannen in het algemeen.

Vooral voor de senior communicatiemedewerker en de communicatiemanager wordt er nog een competentie toegevoegd:

G Een complex toegepast communicatieonderzoek intern of extern kunnen uitbesteden en begeleiden
Als een onderzoek wordt uitbesteed, welke afspraken moeten er dan worden gemaakt? Waar moet je bij de begeleiding op letten? Aan de orde komen zowel de kant van de opdrachtgever (communicatiemanager en senior communicatiedeskundige) als de kant van de opdrachtnemer (junior communicatiedeskundige) (hoofdstuk 8).

In het schema aan het eind van de inleiding vatten we de competenties samen. Studenten die de opleiding Communicatie volgen, denken bij het horen van de term onderzoek gelijk aan het maken van een vragenlijst. Je wilt aan de slag, oftewel mensen interviewen. Hiermee ga je echter voorbij aan belangrijke stappen die voorafgaan aan het maken van zo'n vragenlijst. Het is nog maar de vraag of bij het probleem waarvoor je onderzoek gaat doen wel een vragenlijst hoort. Aan de slag gaan met een onderzoek betekent het maken van allerlei keuzes.

In dit boek worden stapsgewijs de te maken keuzes en de bijbehorende *basisregels* van onderzoek aangestipt. Omdat je als student vaak maar kort de tijd hebt om onderzoek uit te voeren zijn er keuzes gemaakt met betrekking tot deze basisregels. Denk bijvoorbeeld aan een project van tien weken, waarbij je zowel een onderzoek moet doen als een plan moet schrijven. In het meest gunstige geval heb je twintig weken in de stage- of afstudeerfase, ook nu weer inclusief het schrijven van het plan van aanpak of het advies. Dit boek pretendeert daarom niet volledig te zijn; het is een handboek, specifiek geschreven voor de bachelor die in aanraking komt met *toegepast communicatieonderzoek*. Met betrekking tot het opzetten van onderzoek, maar ook op het terrein van de analysetechnieken geven we dus beperkte keuzes. Er zijn veel meer mogelijkheden dan hier beschreven, hiervoor verwijzen we naar de vele andere boeken op dit terrein. Als je als communicatiedeskundige onderzoek als kernactiviteit wilt ontwikkelen, moet je je realiseren dat er veel meer te lezen valt over dit onderwerp (zie bijvoorbeeld de literatuurlijst).

Zoals uit bovenstaande duidelijk mag zijn behandelt ieder hoofdstuk een bepaalde competentie. Verder volgt het boek het proces van het onderzoek. We beginnen met een overzicht van verschillende soorten communicatieonderzoek, gerelateerd aan de verschillende terreinen binnen de geïntegreerde communicatie (hoofdstuk 1). In hoofdstuk 2 begint het eigenlijke *onderzoeks*proces: de definitie van een probleemstelling. Vervolgens maak je een concreet ontwerp van het onderzoek (hoofdstuk 3). In hoofdstuk 4 wordt beschreven hoe je het onderzoek daadwerkelijk uitvoert, waarna in hoofdstuk 5 de analyse van de gevonden gegevens aan de orde komt. Over de gevonden uitkomsten rapporteer je (hoofdstuk 6), waarna je de resultaten verwerkt in een advies (hoofdstuk 7). Het ligt voor de hand dat de bachelor of communications kennis heeft van de uitvoering van een onderzoek om het te kunnen uitbesteden en begeleiden (hoofdstuk 8).

Competenties[4]		Junior communicatiemedewerker	Senior communicatiemedewerker	Communicatiemanager
A Het onderkennen en analyseren van een communicatieprobleem	H1	Weet wat communicatieonderzoek is en begrijpt de relevantie ervan voor de communicatieprofessie.	Weet wanneer een communicatieprobleem tot een onderzoeksvraag zou moeten leiden.	Weet hoe je een onderzoeksprogramma opstelt.
B1 Een onderzoeksvraag kunnen definiëren	H2	Kent de elementaire methoden en technieken van zowel kwantitatief als kwalitatief onderzoek.	Weet wanneer een communicatieprobleem tot een onderzoeksvraag zou moeten leiden.	Heeft kennis van onderzoek en van de beoordeling daarvan.
B2 Een toegepast communicatieonderzoek kunnen ontwerpen	H3	Kent de elementaire methoden en technieken van zowel kwantitatief als kwalitatief onderzoek.	Weet aan welke aspecten in een onderzoeksopdracht aandacht moet worden besteed (onder meer voor een adequate briefing, begeleiding en beoordeling).	Heeft kennis van onderzoek en van de beoordeling daarvan.
C. Een toegepast communicatieonderzoek kunnen uitvoeren	H4	Kent de elementaire methoden en technieken van zowel kwantitatief als kwalitatief onderzoek. Kent elektronische verwerkingssystemen voor de verwerking van onderzoeksresultaten.	Weet aan welke beoordelingscriteria de uitkomsten van onderzoek moeten worden getoetst.	Heeft kennis van onderzoek en van de beoordeling daarvan.
D Een toegepast communicatieonderzoek kunnen analyseren	H5	Kent de elementaire methoden en technieken van zowel kwantitatief als kwalitatief onderzoek. Kent elektronische verwerkingssystemen voor de analyse van onderzoeksresultaten.	Weet aan welke beoordelingscriteria de uitkomsten van onderzoek moeten worden getoetst. Heeft de (basis)kennis om onderzoeksresultaten te kunnen interpreteren.	Heeft kennis van onderzoek en van de beoordeling daarvan.
E Over een toegepast communicatieonderzoek kunnen rapporteren	H6	Kan over onderzoeksgegevens communiceren in een rapport en/of presentatie.	Weet aan welke beoordelingscriteria de uitkomsten van onderzoek moeten worden getoetst.	
F Onderzoeksresultaten kunnen hanteren als input voor beleidsaanpassingen op het strategische planningsniveau van geïntegreerde communicatie	H7		Heeft het inzicht om onderzoeksresultaten te kunnen hanteren als input voor beleidsaanpassingen op het strategische planningsniveau van geïntegreerde communicatie.	
G Een complex toegepast communicatieonderzoek intern of extern kunnen uitbesteden en begeleiden	H8		Weet aan welke beoordelingscriteria de uitkomsten van onderzoek moeten worden getoetst. Weet waarom en wanneer een onderzoek in eigen beheer kan worden uitgevoerd dan wel moet worden uitbesteed.	Heeft kennis van onderzoek en van de beoordeling daarvan.

Het onderkennen en analyseren van een communicatieprobleem

1

Als je begint aan een toegepast onderzoek is het allereerst van belang dat je het probleem duidelijk voor ogen hebt. Je begint dus met het onderkennen en analyseren van het communicatieprobleem. Daarover gaat dit hoofdstuk.

Allereerst moet je weten wat precies een communicatieprobleem is. We bespreken daarom welke vormen van communicatie er zijn en geven voorbeelden van communicatieproblemen voor alle vormen. Vervolgens bespreken we de vier stappen van de probleemanalyse. Met behulp van de probleemanalyse maak je duidelijk welk communicatieprobleem je gaat aanpakken en welke invalshoek je kiest om dit probleem te benaderen. Op basis van de probleemanalyse weet je waarover nog kennis ontbreekt oftewel waarnaar je onderzoek moet gaan doen.

Doelstellingen bij dit hoofdstuk:

- weten welke communicatievormen er zijn en deze kort kunnen beschrijven;
- communicatieproblemen kunnen indelen in een van de communicatievormen;
- weten welke stappen je moet doorlopen bij een probleemanalyse;
- weten welke problemen je als communicatiedeskundige wel en niet moet onderzoeken;
- een probleemanalyse kunnen uitvoeren voor communicatieproblemen.

Kader 1.1

1.1   Soorten communicatieproblemen

In dit boek staat *corporate communicatie* centraal. Corporate communicatie is:

corporate communicatie

> 'het managementinstrument waarmee, op een zo effectief en efficiënt mogelijke wijze, alle bewust gehanteerde vormen van interne en externe communicatie zodanig op elkaar worden afgestemd, dat een positieve uitgangspositie ontstaat met de doelgroepen waarmee men een afhankelijkheidsrelatie heeft'.[5]

Er zijn drie hoofdvormen van corporate communicatie:
1 interne communicatie
2 marketingcommunicatie
3 concerncommunicatie (organisatiecommunicatie)

Het is belangrijk dat deze drie vormen van communicatie op elkaar worden af-
gestemd. Externe communicatieactiviteiten hebben bijvoorbeeld gevolgen voor
de interne communicatie en andersom. Denk bijvoorbeeld aan marketingcommunicatie. Stel dat een energiebedrijf reclame maakt dat het altijd binnen een
uur een monteur stuurt als je verwarmingsketel kapot is. Dit stelt natuurlijk eisen
aan de interne communicatie: het callcenter dat de klachtentelefoontjes aanneemt
moet berichten onmiddellijk doorgeven en de monteurs moeten altijd bereikbaar
zijn.

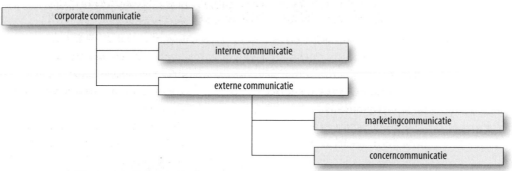

Figuur 1.1 Schematische weergave

Voordat je onderzoek gaat doen is het raadzaam eerst na te gaan binnen welke
communicatievorm het probleem zich afspeelt. Je plan en je uiteindelijke advies
moet passen binnen dit terrein. Eventueel kun je wel adviezen geven over mogelijk vervolgonderzoek binnen een ander terrein. Hieronder werken we de verschillende vormen van communicatie verder uit. We geven voorbeelden van verschillende communicatieproblemen: interne communicatie (casus 1: Basisschool
Roosje), marketingcommunicatie (casus 2: Dameskledingzaak For You) en concerncommunicatie (casus 3: Voorlichtingscampagne identificatieplicht). Daarnaast wordt een voorbeeld van corporate communicatieonderzoek gegeven (casus
4: Thuiszorgorganisatie Weltevreden). Het gaat hierbij om een willekeurige greep
uit veel voorkomende soorten communicatieonderzoek, het is niet de bedoeling
compleet te zijn. Voor een uitgebreider overzicht van allerlei soorten communicatieonderzoek verwijzen we naar Van den Brink en Hogendoorn.

1.1.1 Onderzoek naar interne communicatie

Onder *interne communicatie* verstaan we alle communicatie binnen een organi- *interne*
satie die gericht is op het functioneren van die organisatie. Van den Brink bij- *communi-*
voorbeeld definieert interne communicatie als: 'het uitwisselen van boodschap- *catie*
pen tussen zenders en ontvangers die deel uitmaken van dezelfde organisatie,
met als doel organisatorische doelen te verwezenlijken'.[6] Het gaat om de informatie van de directeur of manager naar de medewerker en omgekeerd en van
medewerkers en/of managers onderling. Interne communicatie heeft vooral als
doel de samenhang binnen de organisatie te verwezenlijken en bij te dragen aan
het zo goed mogelijk realiseren van de organisatiedoelen. In kader 1.2 geven we
een aantal voorbeelden van terreinen van interne communicatieonderzoek.

Voorbeelden van terreinen van interne communicatieonderzoek	
Onderzoek op het gebied van interne communicatie richt zich bijvoorbeeld op:	– informatiestromen, denk aan:
	– formele interne communicatie
	– informele interne communicatie
– soorten informatie, denk aan:	– persoonlijke interne communicatie
– taakinformatie	– netwerken.
– beheerinformatie	– de relatie tussen interne communi-
– beleidsinformatie	catie en de structuur en cultuur van
– sociale informatie.	de organisatie.

Kader 1.2

Een uitgebreid onderzoek naar interne communicatie wordt ook wel een communicatie-audit genoemd.[7] Een communicatie-audit is een onderzoek naar de
communicatie in een bedrijfsorganisatie waarbij de zender, de boodschap, het
medium en de ontvanger aan bod dienen te komen. Je brengt dan in kaart welke
factoren er een rol spelen in de interne communicatie. Een voorbeeld van een
specifieke communicatie-audit is de Amerikaanse Communication Survey Ques-
tionnaire (CAS), in het verleden ook wel bekend als de International Communication Association-audit (ICA-audit). De ICA-audit werd ontwikkeld door zo'n *ICA-audit*
honderd wetenschappers uit zes landen. Het onderzoek wordt volgens een bepaald
tijdschema in ruim dertien weken gedaan.

De audit bestaat uit vijf instrumenten:
1 vragenlijst
2 interviews
3 netwerkanalyse

4 critical incidents
5 communicatiedagboek.

Het onderzoek richt zich op acht communicatievariabelen:
1 de hoeveelheid informatie die organisatieleden nodig hebben
2 acties die mensen ondernemen op basis van ontvangen informatie
3 tijdigheid, accuraatheid en bruikbaarheid van informatie
4 informatiebronnen
5 kanalen voor het zenden en ontvangen van informatie
6 de kwaliteit van de communicatierelaties
7 formele en informele communicatienetwerken
8 de resultaten van communicatie in relatie tot de effectiviteit van de organisatie.

De audit is een onderzoeksmethode waarbij je veel informatie verzamelt over de interne communicatie. Zo kun je in kaart brengen welke formele en informele structuren er zijn, wat succesvolle en niet-succesvolle communicatie is en kun je een overzicht geven van de actuele communicatiegedragingen. Een nadeel is dat de audit een kostbare methode is, die veel tijd kost. Als tijd en geld een rol spelen, kun je je onderzoek richten op enkele van de bovengenoemde acht communica-tievariabelen, bijvoorbeeld formele en informele communicatienetwerken. Je maakt dan een keuze uit één van de vijf instrumenten, in dit geval bijvoorbeeld netwerkanalyse.

Van tijd tot tijd controleren veel bedrijven of medewerkers tevreden zijn over de interne communicatie. Het gaat daarbij om de tevredenheid over de huidige interne communicatie en de mogelijke knelpunten die medewerkers daarbij er-varen. Met behulp van een vragenlijst worden vragen gesteld over de volgende communicatievariabelen:
1 de hoeveelheid informatie die organisatieleden nodig hebben
2 tijdigheid, accuraatheid en bruikbaarheid van informatie
3 informatiebronnen
4 kanalen voor het zenden en ontvangen van informatie.

In kader 1.3 geven we een voorbeeld van een mogelijk probleem op het terrein van de interne communicatie.

Casus 1: Basisschool Roosje

Voorbeeld van een mogelijk probleem op het terrein van de interne communicatie

Op basisschool Roosje in Mooistad worden leerlingen vertrouwd gemaakt met het gebruik van computers. Daarom heeft de school een aantal jaren geleden fors geïnvesteerd in Informatie- en Communicatie Technologie (ICT). Hierbij is niet alleen gedacht aan ICT als onderdeel van de lessen, maar ook als communicatiemiddel binnen de school. Docenten kunnen elkaar mailen, informatie van de directie wordt verspreid via e-mail enzovoort. Nu is de school een paar jaar verder en er heerst een indruk dat niet alle docenten gebruikmaken van de verschillende mogelijkheden. Onduidelijk is wat de reden daarvan is. Het kan zijn dat niet iedereen alle mogelijkheden kent. Maar het is ook mogelijk dat mensen de mogelijkheden wel kennen, maar er niet mee kunnen werken. De directeur vraagt een communicatiedeskundige om in kaart te brengen of er optimaal gebruikgemaakt wordt van de ICT-mogelijkheden, en zo nee, waar dat dan aan ligt. Verder wil de directeur weten of de medewerkers tevreden zijn over de manier waarop informatie tegenwoordig ondermeer via ICT verspreid wordt.

ICT-gebruik: *'Ja, collega Jan, de knop voor 'aan' zit aan de voorkant van de computer...'*

Kader 1.3

1.1.2   Onderzoek naar marketingcommunicatie

Marketingcommunicatie wordt wel aangeduid als alle externe communicatie die een bedrijf inzet met als doel beïnvloeding van het aankoopproces. Marketingcommunicatieonderzoek is onderzoek naar consumentengedrag in de meest brede zin: de consumenten of klanten kunnen ook andere bedrijven zijn. Een definitie van marketingcommunicatie is:

marketing-communi-catie

> 'Het in contact treden met de handel en/of consumenten om hun kennis, attitude en gedrag te beïnvloeden in een voor het marketingbeleid gunstige richting.'[8]

Marketingcommunicatie met betrekking tot consumentengedrag kunnen we onderverdelen in drie soorten:

kennis 1 *Het vergroten van de kennis over het product/merk*
Het doel van communicatie is hier het informeren van de consument. Onderzoek gericht op dit doel houdt zich dan vooral bezig met de kennis die een consument heeft over een bepaald product. Hier wordt uitgegaan van de regel: hoe meer kennis een consument heeft, des te beter hij in staat is een keuze te maken. Maar meer kennis wil natuurlijk nog niet zeggen dat een consument een positieve attitude heeft.

2 *Het beïnvloeden van de mening over een product/merk*
attitude Het doel van communicatie is hier een positieve *attitude* creëren. Onderzoek is dan gericht op zowel de kennis als de houding van de consument ten opzichte van een bepaald product/merk.

koopgedrag 3 *Het rechtstreeks beïnvloeden van koopgedrag*
Het doel van communicatie is hier het beïnvloeden van het koopgedrag van de doelgroep, bijvoorbeeld door middel van probeeraankopen, bonnen of korting. Onderzoek naar koopgedrag richt zich dan dus op gedragsbeïnvloeding.

Bij marketingcommunicatie gaat het, naast het gedrag met betrekking tot een bepaald product/merk, vooral ook om de manier waarop de consument bereikt wil worden. Je vraagt je dan onder meer af welke marketingcommunicatie-instrumenten het meest geschikt zijn voor je doelgroepen. Bij strategische marketingcommunicatie zoek je naar de meest ideale mix van marketingcommunicatieactiviteiten. Je kunt bijvoorbeeld onderzoek doen naar de communicatiestrategie of concept-ontwikkelingsonderzoek doen. Je kunt bepaalde communicatie-uitingen pre- of posttesten en je kunt de communicatie evalueren. Een ander voorbeeld van marketingcommunicatieonderzoek is mediaonderzoek, oftewel: onderzoek naar het bereik en de effecten van reclame. In kader 1.4 geven we voorbeelden van terreinen van marketingcommunicatieonderzoek.

Voorbeelden van terreinen van marketing-communicatieonderzoek	
Onderzoek op het gebied van marketingcommunicatie richt zich bijvoorbeeld op:	– reclame
	– promotie
	– sponsoring
– marketingcommunicatie-instrumenten, denk aan:	– direct marketing
	– persoonlijke verkoop.

Kader 1.4

Vervolg	
– consumentengedrag, denk aan:	– naamsbekendheid
– wensen en behoeften	– doelgroepanalyse.
– aankoopbeslissingen	– concurrentieanalyse.

Een specifiek voorbeeld van marketingcommunicatieonderzoek is onderzoek naar doelgroepen en *doelgroepsegmentatie*. Eén soort consument bestaat niet. Consumenten zijn verschillend: er is verschil in koopgedrag. Wensen en behoeften komen niet bij iedereen overeen. We kunnen de markt dus indelen in verschillende doelgroepen of segmenten. Onderzoek moet uitwijzen of er voor een bepaald product of merk verschillende doelgroepen zijn en zo ja, in hoeverre je ze dan anders wilt benaderen. *doelgroepsegmentatie*

Zijn er daadwerkelijk verschillende doelgroepen, dan is het niet automatisch mogelijk ook een verschil in communicatie aan te brengen. Dit hangt mede af van het communicatie-instrument dat je inzet. Stel dat een fabrikant van cosmetica uit onderzoek weet dat er verschillende doelgroepen zijn, namelijk het 'romantische' type en het 'zakelijke' type. Deze types kunnen op verschillende manieren benaderd worden. Zo wordt de aandacht van het romantische type getrokken door een advertentie met bloemetjes, vlinders en krullende lettertypes, terwijl de zakelijke consument juist geen frutsels wil en zijn oog laat vallen op een advertentie die strak en zakelijk is. De verschillende types lezen waarschijnlijk verschillende bladen. Dat betekent dat je een romantische advertentie in het ene magazine moet plaatsen en de zakelijke advertentie in het andere tijdschrift. Je kunt dit allemaal te weten komen door het leesgedrag van de verschillende doelgroepen te onderzoeken. Maar als de fabrikant nu kiest voor internet als marketingcommunicatie-instrument, hoe kun je dan segmenteren? Je zou twee verschillende internetpagina's bedenken: één voor de romantische en één voor het zakelijke type. Maar de consument weet misschien van zichzelf niet wat hij of zij is. Je kunt dan op de website beginnen met een vragenlijstje, dat aangeeft wat voor soort consument het is. Maar weinig internetbezoekers zijn van tevoren bereid om eerst allerlei vragen te beantwoorden over zichzelf. Ze willen gewoon de internetsite bekijken. In dit geval is het dus lastiger een verschil aan te brengen in het communicatie-instrument.

Het is niet altijd verstandig je te richten op te veel verschillende doelgroepen, want dan voelt uiteindelijk niemand zich meer aangesproken. Het bedrijf moet een gerichte keuze maken voor een doelgroep. Dit geeft aan wat zijn *positionering* is, oftewel op welke doelgroep het zich wil richten. *positionering*

In kader 1.5 geven we een voorbeeld van een mogelijk probleem op het terrein van de marketingcommunicatie.

Casus 2 Dameskledingzaak For You

Voorbeeld van een mogelijk probleem op het terrein van de marketingcommunicatie

De damesmodezaak For You, gevestigd in Sterdorp, richt zich op klanten van 18 tot 75 jaar. Qua prijsklasse bevindt de winkel zich in het midden/hoog-segment. Goede kwaliteit en service en een juiste prijs-kwaliteitverhouding staan voorop. De zaak deelt haar klanten in op basis van kledingmerk:

- jong: merken als EDC., Esprit, Street One, Cecyl, Gafair
- modisch: merken als Esprit Collection, Sandwich, Summum, Just Be, Rosner, Elle
- klassiek: merken als Frankenwalder, Gradeur, Marcona, Roberto Sarto, Zerres.

Vroeger verkocht de winkel alleen de 'modisch klassieke' merken en bevond zich dus in het klassieke segment. Daardoor bestempelen veel consumenten de modezaak nu nog als 'duur'.

De snelheid waarmee de mode wisselt is sterk veranderd de laatste jaren. Wat betreft de jonge mode heeft de winkel bijvoorbeeld te maken met maandleveringen; dat betekent dat elke maand van bepaalde merken een nieuwe collectie in de rekken hangt. De vraag is of de bovengenoemde indeling nog wel actueel is, aangezien bijvoorbeeld de 'modisch klassieke' groep ook steeds meer 'modisch' en 'jong' draagt.

Sinds begin jaren negentig is de winkel bezig met direct mail-marketing. Eerst werden de mailingen op hun eigen kopieermachine gemaakt, maar sinds 1998 gebeurt dit in samenwerking met een reclamebureau. Doordat de verkopen per klant worden bijhouden, verzorgt de zaak ook deelmailings per doelgroep. De levensduur van een mailing wordt ook steeds korter. Algemeen adverteren doen ze bijna niet meer. Omdat de direct mail-marketing steeds meer toeneemt, vraagt de zaak zich af of zij wat dat betreft wel op de goede weg zit. De uitgaven aan direct mail-marketing worden zo langzamerhand wel erg hoog. Omdat daarnaast de klant in het algemeen steeds hogere eisen stelt, wil de eigenaar van de winkel graag weten hoe de klant tegen de collectie, de medewerksters en de service aankijkt.

Aan de communicatiedeskundige de vraag een oplossing te vinden voor het probleem van de kosten en baten met betrekking tot de direct mail. Daarnaast wordt gevraagd of de huidige doelgroepindeling nog adequaat is.

Kader 1.5

1.1.3   Onderzoek naar concerncommunicatie.

Concerncommunicatie wordt ook wel organisatiecommunicatie genoemd. Deze vorm van communicatie heeft als doel het verbeteren van de relatie van de organisatie met publieksgroepen. Het gaat hier om groepen waar de organisatie zowel direct als indirect van afhankelijk is. Dit in tegenstelling tot marketingcommunicatie, waar vooral de directe groepen (consumenten, waarvan de organisatie direct afhankelijk is) centraal staan. Er zijn verschillende soorten publieksgroepen, denk bijvoorbeeld aan politieke groeperingen, vakbonden, bedrijfsverenigingen, belangenverenigingen, omwonenden, buurtverenigingen en gesponsorde clubs. Bij concerncommunicatie staat de relatie met deze groepen centraal. Onderzoek naar concerncommunicatie richt zich op de manier waarop de boodschap naar het publiek moet worden gecommuniceerd en de instrumenten die daarvoor worden ingezet. In kader 1.6 staat een aantal voorbeelden van verschillende terreinen van concerncommunicatie.

concern-
communi-
catie

Voorbeelden van terreinen van concerncommunicatie	
– public relations	– financiële communicatie
– voorlichting	– arbeidsmarktcommunicatie
– corporate advertising	– media- en persrelaties.
– public affairs	

Kader 1.6

Een voorbeeld van concerncommunicatie kun je vinden bij de overheid. De overheid communiceert regelmatig met de burgers van Nederland (het publiek) met behulp van voorlichtingscampagnes. Deze campagnes worden geëvalueerd: het meten van de effecten van de gebruikte communicatiemiddelen in de campagne. Bij *effectonderzoek* is het belangrijk voor ogen te houden wat van tevoren het doel is geweest van een bepaalde communicatiemaatregel. Zo is het bij onderzoek naar een voorlichtingscampagne essentieel eerst te weten wat het doel van die campagne is geweest. We onderscheiden drie soorten voorlichting. Het onderwerp van onderzoek verschilt per soort voorlichting:

effect-
onderzoek

Soort voorlichting	Doel voorlichting	Onderwerp onderzoek
Informatieve voorlichting	Mensen te *informeren* ter ondersteuning van te nemen beslissingen.	Onderzoek naar het effect van deze voorlichting richt zich met name op de vraag of de boodschap is overgekomen (*kennis*).
Educatieve voorlichting	Mensen te 'onderwijzen', hun probleemoplossend vermogen vergroten.	Onderzoek naar het effect van deze voorlichting richt zich naast de vraag of de boodschap is overgekomen, ook op de houding van de ontvanger van de boodschap (*kennis* en *houding*).
Persuasieve voorlichting	Het gedrag en/of de opvattingen van mensen te *beïnvloeden*.	Onderzoek naar het effect van deze voorlichting richt zich vooral op veranderingen in de houding en/of het gedrag van de ontvanger van de boodschap (*kennis, houding* en *gedrag*).

Figuur 1.2   Schematische weergave voorlichting

In kader 1.7 geven we een voorbeeld van een mogelijk probleem op het terrein van de concerncommunicatie.

Casus 3 Voorlichtingscampagne Identificatieplicht

Voorbeeld van een mogelijk probleem op het terrein van de concerncommunicatie

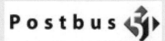

Op 1 januari 2005 is de Wet op de uitgebreide identificatieplicht in werking getreden. Vanaf die datum moet iedereen in Nederland van veertien jaar en ouder een geldig identiteitsbewijs kunnen tonen als de politie of een andere toezichthouder daar om vraagt. De identificatieplicht is één van de maatregelen die de overheid neemt om de (internationale) criminaliteit te bestrijden en de veiligheid te vergroten. De overheid wil dat burgers op de hoogte zijn van deze identificatieplicht.

Postbus 51 is onderdeel van de Rijksvoorlichtingsdienst (RVD) van het Ministerie van Algemene Zaken. Zij ontwikkelt op verschillende terreinen voorlichtingscampagnes, zo ook de campagne 'Identificatieplicht'. De campagne heeft van 1 november 2004 tot en met 12 december 2004 gelopen en maakt deel uit van de koepelcampagne Nederland Veilig. De campagne is een initiatief van het Ministerie van Justitie en het Ministerie van Binnenlandse Zaken en Koninkrijksrelaties.

Als de campagne is afgerond, wil het Ministerie van Algemene Zaken weten wat

Kader 1.7

Vervolg

het effect is geweest. Hierbij komen vragen naar boven als: 'Kan iedereen in Nederland zich straks identificeren?' en 'Wat is het effect van deze voorlichting op langere termijn?' 'We kunnen wel jaar in jaar uit geld pompen in voorlichtingscampagnes, maar als het effect nihil is, dan kunnen we misschien beter stoppen!', roept de minister van Binnenlandse Zaken. De communicatiedeskundige wordt gevraagd of deze campagne effect heeft gehad en wat er zo mogelijk verbeterd moet worden.

1.1.4   Onderzoek naar corporate communicatie

Corporate communicatie gaat om afstemming van de verschillende vormen: interne communicatie, marketingcommunicatie en concerncommunicatie. Een specifiek voorbeeld van een onderzoek waarbij afstemming van de verschillende rollen een belangrijke rol speelt is onderzoek naar de reputatie van een bedrijf. Met reputatie wordt bedoeld: het totaalbeeld dat diverse doelgroepen hebben van een organisatie.[9] Het gaat hier om zowel het beeld van de consument (oftewel: het terrein van de marketingcommunicatie), als het beeld van publieksgroepen (oftewel: het terrein van de concerncommunicatie), maar ook het beeld van medewerkers (oftewel: het terrein van de interne communicatie). In kader 1.8 geven we een voorbeeld van een mogelijk probleem op het terrein van de corporate communicatie.

corporate communicatie

Casus 4 Thuiszorgorganisatie Weltevreden

Voorbeeld van een mogelijk probleem op het terrein van de corporate communicatie
De thuiszorgorganisatie Weltevreden in Welzijnshuizen merkt dat het personeel de laatste tijd ontevreden is. Mensen mopperen over de matige betrokkenheid van het bestuur met het personeel. Medewerkers lopen af en aan, de gemiddelde diensttijd van een personeelslid is twee jaar, weinigen werken er langer. Niet alleen het personeel heeft een negatief beeld van de organisatie, ook extern is er onduidelijkheid. De thuiszorgorganisatie merkt dat mensen vaak niet weten wat ze precies doen, wat het 'eigen' gezicht is van de organisatie. De directie is van mening dat het zo niet verder kan en vraagt de communicatiedeskundige een communicatieadvies te geven met betrekking tot de beeldvorming.

Kader 1.8

Hoewel dit in eerste instantie een intern communicatieprobleem lijkt (het personeel is ontevreden), hebben ook externe groepen een onduidelijk beeld van de organisatie. Dit is misschien mede beïnvloed door de ontevredenheid van het personeel. Beeldvorming heeft te maken met reputatie en daarom is het toch een corporate communicatieprobleem.

Afhankelijk van het probleem kies je vaak voor interne communicatie, marketingcommunicatie, concerncommunicatie of de geïntegreerde aanpak, corporate communicatie. Je hebt vaak geen tijd om op alle terreinen onderzoek te doen. De keuze welk terrein je het beste kunt bestuderen, hangt sterk af van het probleem zelf. Om die keuze te kunnen maken voer je een probleemanalyse uit.

1.2 Een probleemanalyse in vier stappen

Een probleem kan gedefinieerd worden als een situatie die niet aan een bepaalde maatstaf of criterium voldoet. Vaak is er sprake van een probleem wanneer de situatie verslechtert. Gelukkig realiseren steeds meer bedrijven zich dat het voorkómen van problemen beter is dan het genezen. Het Amerikaanse bezorgbedrijf FedEx bijvoorbeeld benadrukt steeds de vinger aan de pols te houden om de reputatie goed te houden en niet te wachten met onderzoek doen als de reputatie slecht is.[10] Een aanleiding hoeft dus niet negatief te zijn, maar kan ook onderdeel van het beleid zijn.

briefings-
gesprek
Als je een communicatieprobleem analyseert, gaat het erom dat je een heldere beschrijving geeft van het verschil tussen de huidige en de gewenste situatie. Vaak begint een communicatieonderzoek met een *briefingsgesprek* van de opdrachtgever die een probleem gesignaleerd heeft. Daarna ga je als communicatiedeskundige het probleem herformuleren: wat maakt dit probleem een communicatieprobleem waarover je advies kunt geven? Dit onderkennen en analyseren van een probleem kunnen we opsplitsen in vier stappen:
- Stap 1: de aanleiding van het probleem
- Stap 2: het krachtenveld waarbinnen het probleem zich afspeelt
- Stap 3: de deskundigheid van de communicatiedeskundige
- Stap 4: de communicatieoplossing: wat moet nog worden onderzocht?

Met behulp van deze probleemanalyse kun je een globaal probleem herdefiniëren tot een specifiek te onderzoeken communicatieprobleem. In de rest van dit hoofdstuk zullen we aan de hand van de voorbeelden van communicatieproblemen die hiervoor besproken zijn de verschillende stappen toelichten. In de gebruikte voorbeelden wordt slechts een indicatie gegeven van de invulling per stap. De voorbeelden zijn dus niet helemaal uitgewerkt. De gegeven indicaties helpen je op weg om de stappen verder zelf concreet in te vullen.

1.2.1 Stap 1: De aanleiding van het probleem

Bij de eerste stap geef je aan wat de *aanleiding* is voor het inschakelen van de communicatiedeskundige. Informatie over de aanleiding krijg je van de opdrachtgever. Je beschrijft daarbij kort wat voor bedrijf het is en waarom er sprake is van een probleem. Je geeft dus aan wat de feitelijke situatie is en wat de gewenste situatie. In kader 1.9 werken we stap 1 uit voor de voorbeelden die eerder in dit hoofdstuk zijn gegeven.

Stap 1: De aanleiding van het probleem

Basisschool Roosje
Hier beschrijf je eerst kort het soort school, de structuur van de organisatie, het aantal medewerkers enzovoort. Vervolgens leg je uit dat de directie flink geinvesteerd heeft in ICT en dat zij wil weten of die investering effect heeft, oftewel of ICT doelmatig ingezet wordt. Verder bestaat er binnen de school onduidelijkheid over het functioneren van de algehele interne communicatie, waarbij ICT één van de communicatiemiddelen is waarnaar gekeken kan worden.

Damesmodezaak For You
Je beschrijft het soort winkels, de plaats van de winkel, de producten en diensten, het aantal medewerkers enzovoort. Je geeft aan dat de eigenaar van de winkel wil weten of het huidige beleid ten opzichte van de direct marketing en de door hen gekozen doelgroepsegmentering werkt. Aanleiding is immers dat de

kosten toenemen en er onduidelijkheid is over de effectiviteit van het middel. Daarnaast worden de toenemende wensen van de consument genoemd.

Voorlichtingscampagne identificatieplicht
Je beschrijft de organisatie die de voorlichting doet. De aanleiding is een afweging van kosten en baten. Wegen de mogelijke voorlichtingseffecten op tegen de kosten? Daarnaast kun je als aanleiding benoemen het continu verbeteren van effecten van voorlichtingscampagnes. In hoeverre is het gelukt door middel van voorlichting het gedrag van mensen werkelijk te veranderen?

Thuiszorgorganisatie Weltevreden
De organisatie breng je kort in kaart door aan te geven wat de producten en diensten zijn, hoeveel medewerkers er zijn enzovoort. Aanleiding van het pro-

Kader 1.9

bleem is de schijnbaar ontevreden hou-   de directie niet wat externe groepen
ding van het personeel. Daarnaast weet   vinden van het bedrijf.

In het briefingsgesprek kun je verschillende vragen stellen om de aanleiding in
kaart te brengen:
– Wat is de aard van het probleem?
– Waarin uit zich het probleem?
– Wat is de historie van het probleem?
– Wat is de directe context van het probleem?

Door de aanleiding in kaart te brengen, wordt duidelijk wat het probleem is. Deze
stap geeft nog niet aan of het een probleem is op het terrein van communicatie.
Niet elke aanleiding rechtvaardigt namelijk het doen van communicatieonderzoek. Het is niet voor niets dat in de eerder genoemde voorbeelden de termen
kosten en baten genoemd worden. Vaak is de aanleiding economisch van aard:
de kosten lopen op, maar de opbrengsten groeien niet evenredig mee. In dat geval
is het ook een probleem van bijvoorbeeld de commercieel econoom. Een economische recessie bijvoorbeeld, waardoor mensen minder kleding kopen, is niet
eenvoudig met alleen communicatie op te lossen.

1.2.2   Stap 2: Het krachtenveld waarbinnen het probleem zich afspeelt

Communicatie staat niet op zichzelf; er is sprake van een zogenaamd krachtenveld waarbinnen communicatie zich bevindt. Bij stap 2 beschrijf je dit krachtenveld en breng je dus in kaart welke factoren een rol spelen rondom het probleem
(zie figuur 1.3). Het is belangrijk hierbij ook aan te geven welke betrokkenen binnen de organisatie belang hebben bij het probleem, de zogenoemde *stakeholders*
(alle groepen en/of personen die een bepaald belang hebben in een bepaalde situatie). In figuur 1.3 is schematisch weergegeven hoe een dergelijk krachtenveld[11]
eruit kan zien.

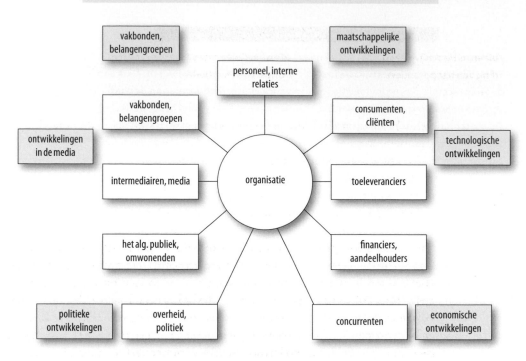

vakbonden, belangengroepen

maatschappelijke ontwikkelingen

personeel, interne relaties

vakbonden, belangengroepen

consumenten, cliënten

ontwikkelingen in de media

technologische ontwikkelingen

intermediairen, media

organisatie

toeleveranciers

het alg. publiek, omwonenden

financiers, aandeelhouders

politieke ontwikkelingen

overheid, politiek

concurrenten

economische ontwikkelingen

Figuur 1.3   Krachtenveld communicatieprobleem

In kader 1.10 werken we stap 2 uit voor de voorbeelden die eerder in dit hoofdstuk zijn gegeven.

Stap 2: Het krachtenveld

Basisschool Roosje
De aanleiding speelt al gelijk in op technologische ontwikkelingen: ICT als communicatiemiddel is van de laatste decennia en wordt nog dagelijks verder ontwikkeld. Denk aan het gebruik van intranet, e-mail enzovoort. Ook spelen economische ontwikkelingen een rol. Wie financiert de school? Moet de school verantwoording afleggen met betrekking tot gemaakte investeringen? Wat zijn de arbeidsmarktontwikkelingen: werken de

mensen er al lang of is er juist sprake van nieuwe aanwas? Is het moeilijk aan leraren te komen of willen veel mensen in het onderwijs werken? Dit is van belang als de tevredenheid van medewerkers centraal staat. De consument kun je de leerling noemen, of indirect de ouders die beslissen of een kind naar een bepaalde school gaat. Deze ouders willen natuurlijk weten of hun kind met behulp van de nieuwste methoden, zoals het gebruik van computers, wordt onderwezen.

Kader 1.10

Vervolg

Damesmodezaak For You
Denk bij economische ontwikkelingen aan een recessie die van invloed kan zijn op het koopgedrag van consumenten. De achterliggende aanleiding bij de winkeldirecteur kan de angst voor teruglopende verkoop zijn. Denk bij technologische ontwikkelingen bijvoorbeeld aan de toename van internetshops. Mensen zijn meer dan ooit in staat diverse producten via internet te kopen. Ook het personeel speelt een rol: slecht gemotiveerd personeel zal minder snel iets verkopen dan goed gemotiveerde medewerkers. Een andere ontwikkeling in de samenleving is de steeds veeleisender consument.

Voorlichtingscampagne identificatieplicht
Ook hier heb je te maken met de diverse ontwikkelingen. Specifiek spelen hier ook politieke ontwikkelingen, denk aan wetgeving op het terrein van de strafvervolging. Op het niet in het bezit zijn van een identificatiemiddel staat immers een straf. Dit zal zeker meespelen in het effect van de maatregel.

Thuiszorgorganisatie Weltevreden
Zeker als het gaat om beeldvorming van externe groepen, dan speelt het krachtenveld een grote rol: op welke manier brengen de media het bedrijf in de publiciteit? Welke rol spelen aandeelhouders in het bedrijf? Is het bedrijf mede afhankelijk van de beeldvorming van omwonenden? In elke peiler zitten stakeholders die een beeld hebben van het bedrijf.

Vragen die je kunt stellen om het krachtenveld in beeld te krijgen zijn:
- Wat is de indirecte context van het probleem?
- Wat zijn mogelijke factoren die aan het probleem bijdragen?
- Welke elementen, actoren, processen en producten zijn bij het probleem betrokken?
- Met welke andere problemen is het probleem verwant?

1.2.3 Stap 3: De deskundigheid van de communicatiedeskundige

Lang niet alle problemen zijn met communicatie op te lossen en vaak is communicatie alleen ook niet voldoende om een probleem op te lossen. In stap 3 ga je op zoek naar het met communicatie oplosbare deel van het probleem. Het gaat erom dat je het probleem dusdanig formuleert, dat duidelijk wordt waarom de opdrachtgever juist jouw deskundigheid, jouw advies en dus jouw onderzoek nodig heeft en niet die van bijvoorbeeld een commercieel econoom, een bedrijfskundige of een journalist.

In stap 2 heb je vastgesteld wat het krachtenveld is van het communicatieprobleem en of er nog andere factoren dan communicatie een rol spelen. Zo kun je ervoor waken je niet te mengen in 'niet-met-communicatie-oplosbare-problemen'. Als ten gevolge van economische ontwikkelingen een bedrijf moet reorganiseren, dan gaat een communicatiedeskundige immers niet over het ontslaan van medewerkers. Dat is het terrein van de directie of de personeelsfunctionaris. Aan de andere kant kan een communicatieadvies indirect wel leiden tot een organisatieverandering. Denk maar aan een advies over de communicatiestructuur, welke gevolgen heeft voor de structuur van de totale organisatie en dus ook voor de individuele positie van medewerkers. Maar wat zijn dan de 'niet-met-communicatie-alleen-oplosbare-problemen' en wat kun je als communicatiedeskundige wel oplossen?

Als communicatiedeskundige ben je *allereerst* geïnteresseerd in problemen die direct opgelost kunnen worden met communicatie. Kader 1.11 geeft een aantal voorbeelden van problemen waar logischerwijs de communicatiedeskundige voor wordt gevraagd omdat de oplossing duidelijk op het terrein van de communicatie ligt.

Voorbeelden van problemen die met communicatie kunnen worden opgelost

Communicatieprobleem
Nederlanders kijken dagelijks gemiddeld drie uur televisie en krijgen daardoor iedere dag duizenden prikkels van reclame. In reclame wordt veel geld geïnvesteerd en reclamemakers willen dan ook graag weten of hun commercial effect heeft gehad. Ze gaan dan bekijken of de boodschap is overgekomen, wat mensen hebben onthouden en wat ze kunnen navertellen.

Probleem dat breder is dan communicatie
In een bedrijf zijn mensen niet goed geïnformeerd over wie wat doet. Het gaat hier dus om een probleem dat communicatief van aard is. Maar dit probleem heeft gevolgen voor de gehele organisatie. Klanten worden bijvoorbeeld verkeerd doorverwezen, waardoor ze niet goed geholpen worden. Dat betekent dat het probleem breder is dan alleen communicatief. Goede communicatie kan het probleem oplossen: door medewerkers beter te informeren, zal de service uiteindelijk verbeteren.

Niet-communicatief probleem
Voorlichting is een communicatieoplossing om niet-communicatieve problemen onder de aandacht te brengen van mensen, denk bijvoorbeeld aan de voorlichtingscampagnes rond Oud en Nieuw over de gevolgen van verkeerd vuurwerkgebruik.

Kader 1.11

Vervolg

Natuurlijk probleem
De tsunami van 2004 was een natuurramp, waar op zich niets aan te doen is. Maar met een goed waarschuwingssysteem, communicatie dus, kunnen de gevolgen (het aantal slachtoffers) flink worden beperkt.

Daarnaast kun je je inzetten voor problemen waarbij communicatie als deeloplossing een rol kan spelen. In kader 1.12 geven we voorbeelden van problemen waarbij de communicatiedeskundige een deel van het probleem op gaat lossen. Maar daarmee is het hele probleem nog niet opgelost. Je kunt je voorstellen dat je alleen het communicatiedeel oplost, en anderen de rest. Of dat je onderdeel bent van een projectgroep waarbinnen een diversiteit aan deskundigheid aanwezig is.

Voorbeelden van problemen waarbij communicatie een deeloplossing is

Communicatieprobleem
In Nederland is op dit moment hier en daar sprake van negatieve beeldvorming tussen verschillende etnische of culturele groepen. Denk bijvoorbeeld aan allochtonen en autochtonen, moslims en niet-moslims. Negatieve beeldvorming is een communicatieprobleem, de oplossing kan liggen in voorlichting om deze beeldvorming om te buigen. Andere maatregelen om deze beeldvorming om te buigen kunnen liggen op sociaal en economisch vlak, bijvoorbeeld in de sfeer van werkgelegenheid.

Probleem breder dan communicatie
Twee bedrijven gaan fuseren en dat kan op meerdere gebieden problemen opleveren. Zo kan er sprake zijn van een organisatorisch probleem, er wordt immers een nieuwe bedrijfsstructuur ge-

vormd. Het gevolg is dat werknemers misschien ineens andere taken krijgen of zelfs ontslagen worden. Daarnaast zou het om een fusie kunnen gaan tussen twee bedrijven uit verschillende regio's, waardoor sommige medewerkers worden gedwongen te verhuizen. En als laatste kan er een probleem schuilen in de samenvoeging van twee verschillende bedrijfsculturen, als de ene onderneming vooral formeel te werk gaat, terwijl de andere organisatie juist een informele cultuur kent. In eerste instantie kan een communicatiedeskundige deze problemen niet oplossen: hij kan immers niet voorkomen dat er ontslagen vallen of dat mensen moeten verhuizen. Maar we kunnen het probleem wel herdefiniëren, zodat het een communicatieprobleem wordt. Een voorbeeld is de nieuwe bedrijfsstructuur, die gevolgen heeft voor

Kader 1.12

Vervolg

de communicatiestructuur. Ook kun je door middel van communicatie de werknemers informeren over de nieuwe situatie en zo meer begrip creëren.

Niet-communicatief probleem
Denk bijvoorbeeld aan de economische recessie. Dit is een economisch probleem en de oplossing moet veel meer gezocht worden op het terrein van de economie. Maar communicatie speelt wel een rol. Stel dat de directeur van de Nederlandse Bank zich erg somber uitlaat, dan zal het probleem alleen maar groter worden.

Natuurlijk probleem
De overstroming van de Rijn is een natuurlijk probleem, waarbij communicatie een rol kan spelen. Denk maar aan het informeren van omwonenden over eventuele evacuatie. Uiteraard zijn er ook andere maatregelen nodig, zoals het verhogen van de dijken.

Als communicatiedeskundige houd je je uiteraard níet bezig met problemen die niet met communicatie zijn op te lossen, maar bijvoorbeeld alleen met technische of economische oplossingen. Ook kan er sprake zijn van een probleem dat (nog) niet oplosbaar is, dus ook niet met andere middelen dan communicatie. Het spreekt voor zich dat je je daar niet mee bezig moet houden.

Behalve de aard van het probleem kan er ook een andere reden zijn om als communicatiedeskundige geen onderzoek te gaan doen, namelijk als je denkt dat de opdrachtgever *oneigenlijke redenen* heeft om een onderzoek te vragen. Voorbeelden daarvan zijn[12]:

oneigenlijke redenen

- koelkastonderzoek: om beleid uit te stellen
- rechtvaardigingsonderzoek: om reeds ingenomen standpunten te legitimeren
- het-moet-mislukken-onderzoek: om een reeds genomen besluit tot stopzetting van beleid te legitimeren
- het-geld-moet-op-onderzoek.

De oneigenlijke redenen om onderzoek te doen, kunnen voortkomen uit een aantal behoeften[13]:

- alibibehoefte: personeel wil uitbreiding omdat ze te hard moeten werken, de manager roept 'Daar gaan we onderzoek naar doen!'
- taakbehoefte: een communicatiemanager bedenkt een interne communicatie-audit om veel activiteiten te genereren
- boodschapbehoefte: als je onderzoek doet naar een bepaald onderwerp, dan kun je daar weer lezingen over organiseren en kun je 'free publicity' krijgen

- documentatiebehoefte: gegevensbestanden creëren zonder specifieke vragen
- manipulerende informatiebehoefte: je wilt een beslissing doordrukken en doet onderzoek om dit te onderbouwen, bijvoorbeeld het opheffen van het jaarverslag door onderzoek te doen naar de slechte leesbaarheid.

De manager in een bedrijf bepaalt vaak wat de aanleiding is voor het probleem waarvoor hij een communicatiedeskundige inschakelt. Het is echter aan de communicatiedeskundige om door een oneigenlijke reden heen te prikken. Je moet zelf de afweging maken of de motieven gegrond zijn. In kader 1.13 werken we stap 3 uit voor de voorbeelden die eerder in dit hoofdstuk zijn gegeven.

Stap 3: De deskundigheid van de communicatiedeskundige

Basisschool Roosje
Eventueel geef je aan dat je in dit geval geen oplossing gaat bedenken voor de manier waarop de docent ICT gaat leren aan de leerling, je bent immers geen pedagoog. Je beargumenteert dat het een probleem is op het terrein van de interne communicatie. Het gaat om zowel de communicatie met betrekking tot het gebruik van ICT als de interne communicatie in het algemeen. Je kunt hier aangeven dat het ook te maken heeft met de bedrijfscultuur en de organisatiestructuur.

Damesmodezaak For You
Je kunt aangeven dat je met communicatie alleen niet de verkoop van de kleding kunt verhogen. Je beargumenteert dat zowel het verkoopprobleem in het

Kader 1.13

Vervolg

algemeen als het specifieke probleem van de direct mail op het terrein van de marketingcommunicatie ligt. Je kunt hier al aangeven dat het probleem ook te maken heeft met afstemming op doelgroepen.

Voorlichtingscampagne identificatie-plicht
Dit probleem ligt op het terrein van de concerncommunicatie. Het advies gaat specifiek over de effectiviteit van de voorlichting. Je kunt hier ook al specifiek aangeven welk soort voorlichting hier gebruikt is.

Thuiszorgorganisatie Weltevreden
Belangrijk hierbij is aan te geven dat de mogelijke ontevredenheid van medewerkers door meer dan alleen beeldvorming beïnvloed wordt. Dat je eerst de beeldvorming in kaart wilt brengen, dat het een corporate communicatie probleem is, mede door ook de onduidelijkheid over de externe beeldvorming, maar dat vermoedelijk ook verder gekeken moet worden naar andere oorzaken voor de ontevredenheid.

Om helder te krijgen of het probleem wel communicatief van aard is, dan wel of de oplossing op het terrein van de communicatie gezocht kan worden, kun je de volgende vragen stellen:
– Is het probleem een communicatief en/of niet-communicatief probleem?
– Leent het probleem zich voor een communicatieve en/of niet-communatieve oplossing?
– Volgens wie is het een communicatieprobleem?
– Op welk terrein van de communicatie speelt het probleem?

In stap 3 geef je dus aan of er sprake is van een communicatieprobleem, op welk terrein van de communicatie het probleem speelt dan wel voor welk deel van het probleem je een communicatieve oplossing gaat zoeken.

1.2.4   Stap 4: De communicatieoplossing: wat moet worden onderzocht?

Je hebt op een rijtje gezet wat de aanleiding van het probleem is. Je hebt het krachtenveld in kaart gebracht en het probleem als een communicatieprobleem op een specifiek communicatieterrein geduid. Je weet al in welke richting de oplossing tot stand gaat komen (een intern communicatieadvies, een marketingcommunicatieplan, een advies over het gebruik van de voorlichting of een reputatiemanagementadvies). Met een beetje kennis over het onderwerp en logisch denken kun je nu al bedenken wat mogelijke concrete oplossingen zijn om het probleem in de aanleiding op te lossen. In feite kun je nu al een raamwerk van het marketingcommunicatieplan of het communicatieadvies maken. Denk aan een inhoudsopgave, of een opsomming van punten waarover je iets gaat zeggen. Bij een marketingcommunicatieplan bedenk je bijvoorbeeld dat je de concurrenten in beeld brengt. Wil je advies geven over de manier waarop de winkel met de klant gaat communiceren? Als je hierover nadenkt, dan kom je tot de ontdekking dat er zaken zijn waarover je onderzoek moet doen. In kader 1.14 werken we stap 4 uit voor de voorbeelden die eerder in dit hoofdstuk zijn gegeven.

Stap 4: De oplossing

Basisschool Roosje
De oplossing kan worden gezocht in het mogelijk verbeteren van de interne communicatie over zowel de ICT als de interne communicatie in het algemeen. Om een verdere oplossing te kunnen bedenken wil je eerst weten: hoe werkt het nu? Je mist kennis over de huidige interne communicatie. Je mist kennis over de manier waarop ICT gebruikt wordt, kortom je moet eerst onderzoek doen.

Damesmodezaak For You
Als een probleem zich voordoet op het terrein van de marketingcommunicatie dan kun je bij het bedenken van de oplossing een hulpmiddel gebruiken: het marketingcommunicatieplan. Om dit plan op te kunnen stellen mis je kennis over onder meer doelgroepen en over de doelmatigheid van de direct mail. Een marketingcommunicatieplan bevat

echter ook andere informatie, denk bijvoorbeeld ook aan de concurrentieanalyse en de Strengths, Weaknesses, Opportunities and Threats (SWOT).[14] Ook hiervoor heb je informatie nodig, moet je onderzoek doen.

Voorlichtingscampagne identificatieplicht
Je kunt advies geven over de doelmatigheid van de voorlichtingscampagne, maar daarvoor meet je eerst het effect van het middel.

Thuiszorgorganisatie Weltevreden
Je wilt het bedrijf adviseren over de beeldvorming, de mogelijke reputatieverbeteringen. Onderdeel van het vinden van de oplossing is onderzoek naar de huidige reputatie van het bedrijf om advies te kunnen geven met betrekking tot de manier waarop het bedrijf de reputatie waar nodig kan verbeteren.

Kader 1.14

Om een beeld te krijgen over mogelijke oplossingen kun je de volgende vragen stellen:
– Op welk terrein van de communicatie kan naar oplossingen worden gezocht?

– Welke factoren lenen zich voor beïnvloeding en welke niet?
– Welke functie vervult een mogelijke oplossing voor verschillende doelgroepen of deelnemers?
– Binnen welke randvoorwaarden zal een oplossing moeten worden gezocht?

Tip: praat met sleutelfiguren in de organisatie om je beter te oriënteren op het probleem.

1.2.5 Samenvatting van de probleemanalyse

Met de stappen 1 t/m 4 heb je een probleemanalyse gemaakt. De probleemanalyse maakt duidelijk welke zaken een rol spelen bij het probleem. Met de probleemanalyse baken je het probleem af in termen van communicatie en geef je aan op welk terrein van de communicatie dit specifieke probleem speelt. Binnen elke stap kun je hulpvragen gebruiken, in figuur 1.4 nog eens per stap weergegeven.

Stap 1	Stap 2	Stap 3	Stap 4
Wat is de aard van het probleem?	Wat is de indirecte context van het probleem?	Is het probleem een communicatief en/of niet-communicatief probleem?	Op welk terrein van de communicatie kan naar oplossingen worden gezocht?
Waarin uit zich het probleem?	Wat zijn mogelijke factoren die aan het probleem bijdragen?	Leent het probleem zich voor een communicatieve en/of niet-communicatieve oplossing?	Welke factoren lenen zich voor beïnvloeding en welke niet?
Wat is de historie van het probleem?	Welke elementen, actoren, processen en producten zijn bij het probleem betrokken?	Volgens wie is het een communicatieprobleem?	Welke functie vervult een mogelijke oplossing voor verschillende doelgroepen of deelnemers?
Wat is de directe context van het probleem?	Met welke andere problemen is het probleem verwant?	Op welk terrein van de communicatie speelt het probleem?	Binnen welke randvoorwaarden zal een oplossing moeten worden gezocht?

Figuur 1.4 Schematische weergave probleemanalyse

Een probleemanalyse is geen document op zich. De probleemanalyse bestaat ongeveer uit twee tot vier A4-tjes (afhankelijk van de complexiteit van het probleem). De probleemanalyse is onderdeel van zowel een projectcontract als een onderzoeksopzet (zie hoofdstuk 8).

Als je *wel* een projectcontract maakt, zul je de stappen 1 t/m 4 vrij uitgebreid in het projectcontract beschrijven waarna je in de onderzoeksopzet de stappen nog even kort aanstipt. Als je *geen* projectcontract hoeft te maken zal de probleem-analyse een centrale plaats innemen in de onderzoeksopzet. De onderzoeksopzet bestaat naast de probleemanalyse uit de probleemstelling en plan van aanpak met betrekking tot het uit te voeren onderzoek (zie hoofdstuk 2).

Met het projectcontract en/of de onderzoeksopzet controleer je of je probleem-analyse overeenkomt met het beeld dat de opdrachtgever daarvan heeft (zie ook hoofdstuk 8). Ook check je hiermee of de richting waarin je de oplossing zoekt overeenkomt met de mogelijkheden die de opdrachtgever zelf ziet.

Een onderzoeksvraag kunnen definiëren   2

In het vorige hoofdstuk heb je gezien hoe je een probleem kunt analyseren. Uit de probleemanalyse komt naar voren op welke punten er kennis ontbreekt. Dit zijn de punten waar onderzoek naar gedaan moet worden. Vaak wordt in de probleemanalyse nog vrij algemeen geformuleerd dat 'er onderzoek moet worden gedaan' naar het bereik van de communicatie, het effect van bepaalde middelen, het consumentengedrag van de doelgroep van een product of de reputatie van een bedrijf. Wat precies moet worden onderzocht, is in dat stadium dus nog niet duidelijk. Om concreet te maken wat je precies gaat onderzoeken formuleer je een probleemstelling. Dit vormt het fundament van elk onderzoek.

In dit hoofdstuk wordt eerst beschreven hoe je op basis van een probleemanalyse een probleemstelling kunt formuleren. We gaan dieper in op de structuur van de probleemstelling en verschillende soorten. Op basis van het soort probleem dat je onderzoekt, bepaal je wat voor type onderzoek je gaat doen en ook welke strategie of methode je het beste kan gebruiken. Worden het interviews of ga je een experiment doen? Over deze keuzes gaat dit hoofdstuk.

Kader 2.1

Doelstellingen bij dit hoofdstuk:

- weten wat de rol van onderzoek is in een communicatieadvies en welke stappen je moet doorlopen;
- weten hoe je een doelstelling formuleert en hoe je deze moet afbakenen;
- weten hoe je een hoofdvraag en deelvragen formuleert op basis van theorie;
- weten hoe je je vragen kunt operationaliseren in variabelen;
- weten wat beschrijvende en verklarende vraagstellingen zijn;

- weten hoe je kunt kiezen tussen beschrijvend, evaluatief, exploratief en toetsend onderzoek;
- weten wat kwalitatief en kwantitatief onderzoek is en onderzoeken kunnen typeren in deze termen;
- weten hoe je kunt kiezen tussen bureauonderzoek, een survey, kwalitatief (veld)onderzoek (interviews en observaties), een experiment of een combinatie van deze onderzoeksvormen.

2.1 De rol van onderzoek in communicatieadvies

Zoals gezegd in hoofdstuk 1 moet je om communicatieadvies te kunnen geven, eerst en vooral deskundigheid hebben op communicatiegebied. Je hebt bijvoorbeeld kennis over de werking van reclame nodig om daarover te kunnen adviseren.

Kun je zonder onderzoek een advies schrijven? Ja, dat kan en dat wordt ook veel gedaan. Is daar iets mis mee? Soms niet. Maar als je wilt adviseren en een plan bedenkt om een communicatieprobleem op te lossen, wil je dit graag goed onderbouwen met feiten. Je kunt natuurlijk gaan speculeren over wat er mogelijk aan de hand is en je advies bouwen op vermoedens en vage ideeën. Dit kan in de praktijk goed uitpakken. Maar het kan ook helemaal mis gaan (zie figuur 2.1).

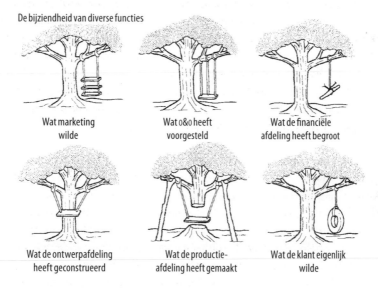

Figuur 2.1 De bijziendheid van diverse functies

Met behulp van onderzoek vind je dus onderbouwingen voor mogelijke oplossingen die je aandraagt in het communicatieadvies.

In kader 2.2 geven we een voorbeeld van een advies dat wordt gegeven zonder vooraf onderzoek te doen.

Voorbeeld advies zonder onderzoek

Een directeur van een regionale zender heeft een communicatiebureau gevraagd advies te geven over het aantrekken van meer kijkers en luisteraars. De communicatiedeskundige schrijft een advies waarbij hij aangeeft:

'Als de regionale zender de hier beschreven adviezen opvolgt zal er binnen twee jaar een naamsbekendheid van 80 procent zijn.'

De directeur is flink teleurgesteld want de zender had drie jaar geleden een naamsbekendheid van 95 procent. De communicatiedeskundige komt hier uiteraard niet erg deskundig over. Hij had zelf ook kunnen achterhalen hoe hoog de naamsbekendheid drie jaar geleden was en eventueel kunnen onderzoeken hoe hoog die op dit moment is. Daarnaast is het van belang te weten hoe hoog de naamsbekendheid van soortgelijke organisaties is, voordat je kunt oordelen of het gevonden percentage hoog of laag is. Zo werd de naamsbekendheid van tien procent voor een drie jaar oude opleiding getypeerd als 'laag' terwijl achteraf soortgelijke beginnende opleidingen na drie jaar een naamsbekendheid hadden van acht procent. Bovendien is het de vraag of het verhogen van de naamsbekendheid het probleem van het geringe aantal kijkers en luisteraars zal oplossen. Misschien moet de oplossing meer in de richting van de programmering of de bekendheid van de programma's worden gezocht, of misschien is er sprake van een negatief imago.

Kader 2.2

Of je onderzoek doet hangt af van de aard van het probleem en de mogelijke oplossingen voor dat probleem. Als het goed is heb je bij de probleemanalyse vastgesteld of je bijvoorbeeld te maken hebt met een probleem met bijvoorbeeld een geringe naamsbekendheid of een negatief imago. Deze problemen vragen om heel verschillende oplossingen en dus ook om heel verschillende onderzoeken. Bij een naamsbekendheidsonderzoek ga je na hoeveel procent van je doelgroep een product of bedrijf kent en bijvoorbeeld of er verschillen zijn tussen deelgroepen. Als blijkt dat de naamsbekendheid lager is bij mannen dan bij vrouwen, kun je adviseren om een reclamecampagne vooral op mannen te richten. Dit kan bijvoorbeeld door te adverteren in bladen die vooral door mannen worden gelezen of door reclamespotjes uit te zenden op zenders of tussen programma's die vooral door mannen worden beluisterd of bekeken. Bij een imago-onderzoek ga je na op welke punten het imago positief is en op welke punten juist negatief. Het kan ook zijn dat een merk of bedrijf helemaal geen uitgesproken imago heeft. Als blijkt dat het bedrijf een stoffig imago heeft, kun je bijvoorbeeld adviseren om in reclame-uitingen te laten zien dat het juist een heel dynamisch bedrijf is.

Je moet dus al een beeld hebben van de richting waarin je oplossingen gaat zoeken voordat je onderzoek kunt gaan doen. Let op: de precieze inhoud van het advies hangt af van de uitkomsten van het onderzoek. In het geval van een naamsbekendheidsonderzoek weet je dus van tevoren dat je advies gaat geven over een campagne om de naamsbekendheid te vergroten. Op basis van het onderzoek weet je op welke groepen je je moet richten. Op basis van je deskundigheid en beschikbare gegevens van tijdschriften en radio- en televisiezenders weet je hoe je die groepen het best kan bereiken. In het geval van een imago-onderzoek weet je van tevoren dat je gaat adviseren over een campagne om het imago te verbeteren of te verhelderen. Op basis van het onderzoek weet je op welke onderdelen van het imago je je moet richten, en misschien ook bij welke groepen het imago het slechtst is. Op basis van deze informatie en je eigen deskundigheid kun je advies geven over de inhoud van de campagne.

In figuur 2.2 wordt het proces van onderzoek en advisering schematisch weergegeven. Centraal staat de probleemanalyse uit hoofdstuk 1. Dit is het uitgangspunt.

- Stap 1: op basis van de probleemanalyse in hoofdstuk 1 maak je een globaal *raamwerk* van het communicatieplan of het advies. Je geeft aan in welke richting je oplossingen aan gaat bieden. Vervolgens schrijf je een onderzoeksopzet over de ontbrekende gegevens, die nodig zijn voor je advies.
- Stap 2: je voert de dataverzameling uit.
- Stap 3: je verwerkt en analyseert de data.
- Stap 4: je rapporteert over het onderzoek (het verslag).
- Stap 5: de rapportage is weer input voor je communicatieplan/advies.

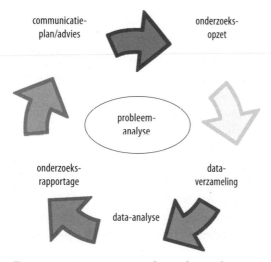

Figuur 2.2 *Proces van onderzoek en advisering*

Stap 1 is de moeilijkste stap in het proces. Als je helder hebt waarover je advies gaat geven, dan kun je concreet onderzoek doen. De resultaten uit je onderzoek sluiten dan naadloos aan bij de te geven adviezen. In de praktijk van alledag blijkt echter vaak aan het eind van een project dat je ook nog andere zaken had moeten onderzoeken. Je begint vaak met het onderzoek zonder helder te hebben waarover je advies concreet zal gaan. Gedeeltelijk is dit ook logisch: je weet nog niet precies wat het probleem is, dat ga je toch nog onderzoeken? Zeker de eerste keer kan het erg frustrerend zijn er achteraf achter te komen wat je eigenlijk had moeten onderzoeken. Door regelmatig onderzoek te doen en advies te geven herken je steeds sneller wat een logische richting zou zijn voor je advies en dus voor je onderzoek. Oefening baart ook hier kunst.

Het proces van probleem naar oplossing verloopt in een soort zandlopervorm: eerst breed, dan smal, dan breed (zie figuur 2.3). Je begint met een breed probleem. Een deel van dit probleem heeft te maken met communicatie. Het te onderzoeken probleem is nog weer wat smaller. De resultaten van het onderzoek zijn onderdeel van het bredere advies met betrekking tot de oplossing. De conclusies van het onderzoek alleen zijn niet voldoende, de expertise van de communicatiedeskundige is nodig om het advies en mogelijk het plan van aanpak verder te kunnen schrijven.

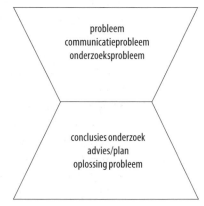

Figuur 2.3 Van probleem tot oplossing

In figuur 2.4 hebben we het proces van probleem naar oplossing uitgewerkt voor thuiszorgorganisatie Weltevreden uit hoofdstuk 1. Het probleem is hier onduidelijke beeldvorming. De beeldvorming is een algemeen probleem dat eerst vertaald wordt naar een communicatieprobleem: de reputatie van Weltevreden. Vervolgens wordt aan de hand van de corporate communicatietheorie over reputatie het probleem verder aangescherpt en kunnen we het probleem definiëren tot een onderzoeksprobleem. Dit onderzoeksprobleem is dus smaller. De conclusies uit het onderzoek gaan over de huidige reputatie van Weltevreden. Het advies dat je geeft zal gaan over het brede proces van reputatiemanagement, waarbij de gegevens uit je onderzoek over de huidige reputatie slechts een onderdeel zijn.

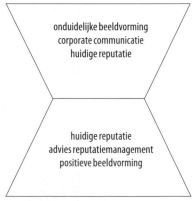

Figuur 2.4 Voorbeeld Thuiszorgorganisatie Weltevreden

2.2   De onderzoeksopzet

Onderzoek levert dus slechts kennis op; het levert onderbouwingen voor het advies. We hebben het hier over empirisch onderzoek, gegevens die door middel van zintuiglijke waarneming kunnen worden verzameld, dus door middel van zien, ruiken, voelen, proeven en horen. Om een onderzoek te starten, schrijf je eerst een plan (voor de uitleg over de inhoud van een onderzoeksopzet, zie hoofdstuk 6).

In de onderzoeksopzet beschrijf je het *doel* en de *middelen* van je onderzoek. Het doel van je onderzoek beschrijf je in de probleemstelling. De middelen die je voor je onderzoek gaat gebruiken beschrijf je bij de gekozen strategieën. De keuze van deze strategieën wordt bepaald door de probleemstelling, dit is het hart van je onderzoek.

2.3   De probleemstelling

Je hebt nu geleerd hoe je een probleemanalyse doet en welke rol onderzoek speelt bij het geven van een communicatieadvies. De volgende stap is het opstellen van *probleem-* een *probleemstelling*. Een probleemstelling is een definitie van je onderzoekspro-
stelling bleem en bestaat uit een doelstelling en één of meerdere vraagstellingen.[15]

Figuur 2.5   Probleemstelling: definitie van het onderzoeksprobleem

2.4   De doelstelling

doelstelling Het doel van het onderzoek, de doelstelling, is het antwoord op de vraag *waarom* het onderzoek wordt uitgevoerd. Wat wil je met het onderzoek bereiken? Wat wil de opdrachtgever met het onderzoek? Zoals het woord al zegt is een doelstelling geen vraag, maar een stelling. Als communicatiedeskundige adviseer je onder meer over hoe een organisatie de communicatie kan verbeteren. Maar dit is nog geen doel op zich. Je vraagt je dus bijvoorbeeld ook af *waarom* de communicatie moet worden verbeterd, wat het doel van die verbeterde communicatie kan zijn. In de doelstelling van het onderzoek moet dus duidelijk zijn wat het nut is van die verbeterde communicatie.

Voorbeeld doelstellingen met 'grote beloftes'

Er zitten grenzen aan wat met onderzoek mogelijk is. Enkele doelstellingen die bijna onmogelijk met alleen het doen van onderzoek gehaald kunnen worden zijn:
– Dit onderzoek verbetert de interne communicatie van tandpastafabrikant Dental Pro.

– Dit onderzoek heeft tot doel de verkoopcijfers van Dental Pro te verhogen met 10 procent.
– Met dit onderzoek zal de reputatie van tandpastafabriek Dental Pro verbeterd worden.

Kader 2.3

Kader 2.3 geeft een aantal voorbeelden van wel heel ambitieuze doelstellingen. Dit kunnen wel doelstellingen van een bepaald project zijn, maar door middel van alleen onderzoek kun je bijvoorbeeld de verkoopcijfers van een product niet verhogen. Soms kunnen zulke doelstellingen wel als neveneffect optreden bij een onderzoek. Door vragen te stellen over Dental Pro wordt dit product bij meer mensen onder de aandacht gebracht en daardoor bestaat er een kans dat er meer verkocht wordt. Een onderzoek naar de naamsbekendheid van Dental Pro heeft als neveneffect een vergroting van de naamsbekendheid, je spreekt er immers over met mensen die voordien nog nooit van Dental Pro gehoord hebben. Dit effect is echter geen *doelstelling* van een onderzoek. Het doel van een onderzoek is altijd om inzicht te krijgen, meer kennis te vergaren, meer informatie te verzamelen. Deze kennis, dit inzicht en deze informatie gebruik je vervolgens in een advies of plan van aanpak. In een plan van aanpak kun je wel stellen dat de verkoopcijfers van Dental Pro verhoogd kunnen worden, *als* het bedrijf je plan uitvoert.

In de probleemanalyse heb je een keuze gemaakt op welk terrein van de communicatie een bepaald probleem moet worden onderzocht. In de doelstelling specificeer je dit terrein. In kader 2.4 staan de voorlopige doelstellingen van de voorbeeldproblemen uit hoofdstuk 1 uitgewerkt.

Voorbeelden *voorlopige* doelstellingen

Basisschool Roosje
Dit onderzoek heeft als doel in kaart te brengen welke rol ICT in de interne communicatie speelt in basisschool Roosje om daarmee advies te geven over mogelijke verbetering van de effectiviteit van ICT in de interne communicatie.

Damesmodezaak For You
Het doel van dit onderzoek is inzicht te krijgen in de behoeften van bestaande klanten van dameskleding van damesmodezaak For You en de effecten van de direct mail. De uitkomsten van het onderzoek worden gebruikt voor een plan van aanpak ter verbetering van de marketingcommunicatie.

Voorlichtingscampagne identificatieplicht
Dit onderzoek biedt inzicht in de effecten van de voorlichtingscampagne identificatieplicht om advies te geven over voortgang en verbetering van soortgelijke voorlichtingscampagnes.

Thuiszorgorganisatie Weltevreden
In dit onderzoek wordt de huidige reputatie van de thuiszorgorganisatie Weltevreden in kaart gebracht om op basis daarvan maatregelen te nemen ter vergroting van de reputatie.

Kader 2.4

De hierboven beschreven doelstellingen zijn nog niet volledig. Binnen een doelstelling dient duidelijk te zijn wat de afbakening van het onderzoek is. Hierbij kun je denken aan afbakening in plaats (in dorp A, in de provincie B, een vergelijking tussen landen C en D), of in tijd (heden, in de periode 2000-2005, in de twintigste eeuw), maar ook in personen (consumenten, medewerkers, publieksgroepen) oftewel de populatie waarover je uitspraken doet (zie voor meer over het begrip populatie hoofdstuk 3).

In een probleemstelling worden vaak begrippen gebruikt die voor meerdere uitleg vatbaar zijn, zoals 'interne communicatie', 'consumentengedrag', 'reputatie' en 'voorlichting'. Deze begrippen worden in het dagelijkse leven vaak vrij algemeen gebruikt. Als je met je buurman of buurvrouw praat over de reputatie van een bedrijf dan wordt daar van alles en nog wat bij gehaald. Dat is ook logisch want reputatie wordt niet voor niets omschreven als het totaalbeeld van de diverse groepen. Maar als je onderzoek wilt doen naar dit begrip moet je wel helder krijgen wat onder dat totaalbeeld verstaan wordt en hoe je dat kunt onderzoeken. In de communicatietheorie is geprobeerd deze begrippen te duiden; definities te geven wat het betekent en wat er onder wordt verstaan. In je probleemstelling maak je dus gebruik van deze definities om toe te lichten wat je onder bepaalde begrippen verstaat. Ook niet 'communicatie-eigen' begrippen, zoals 'bestaande klant', moet je omschrijven. Is iemand een 'bestaande klant' als zij eens in een ver verleden een T-shirt in de betreffende winkel heeft gekocht?

In het onderzoek wordt een onderscheid gemaakt tussen fundamenteel en toegepast of praktijkgericht onderzoek. Een belangrijk verschil tussen deze vormen van onderzoek zit in het type doelstellingen dat wordt gebruikt.

2.4.1 Fundamenteel versus toegepast onderzoek

Een onderzoek kunnen we typeren als fundamenteel (theoretisch) of praktijkgericht (toegepast), oftewel we willen 'weten om te weten' (kennen) of 'weten om te doen' (kunnen). Fundamenteel wetenschappelijk onderzoek wil de algemene kennis van de werkelijkheid vergroten. Praktijkgericht wetenschappelijk onderzoek wil een bijdrage leveren, in de vorm van kennis en inzicht, aan de oplossing van een praktisch probleem.

Praktijkgericht onderzoek wordt ook wel *toegepast* onderzoek genoemd; er wordt onderzoek gedaan met de bedoeling de inzichten *toe te passen* op de praktijk van alledag. In tegenstelling tot fundamenteel onderzoek gaat het hier om direct oplosbare problemen, meestal in opdracht van een organisatie. In dit boek staat het toegepaste communicatieonderzoek centraal en daarom wordt deze term vanaf nu gebruikt in plaats van praktijkgericht onderzoek.

Verschil in doelstelling

Bij *toegepast onderzoek* is de opdrachtgever vaak een organisatie in de meest brede zin van het woord. De doelen van deze organisaties zijn zeer divers. Een commercieel bedrijf wil winst maken, een vrijwilligersorganisatie wil bijvoorbeeld andere mensen helpen. Wanneer deze organisaties communicatiedeskundigen inschakelen willen ze vooral een probleem opgelost zien. Jij als communicatiedeskundige bedenkt dat je, om het probleem op te lossen, eerst onderzoek gaat doen. In de doelstelling van toegepast onderzoek wordt altijd beschreven wat de relevantie is voor het oplossen van een *specifiek* probleem (inzicht krijgen in… om met behulp van deze inzichten een oplossing te bieden voor…). De onderzoeker wil dus weten om te *doen*, je wilt met de gevonden gegevens oplossingen aandragen voor het op te lossen probleem. *toegepast onderzoek*

Fundamenteel onderzoek kan ook oplossingen voor problemen bieden, maar dit type onderzoek wordt vooral uitgevoerd vanuit een bepaalde nieuwsgierigheid, vanuit 'onze behoefte om te weten'. Dit betekent niet dat fundamenteel onderzoek buiten 'de problemen van alledag' staat. Ook bij deze vorm van onderzoek wordt *fundamenteel onderzoek* gevraagd om maatschappelijke verantwoording; de onderzoeker moet aangeven wat het maatschappelijke belang is van zijn onderzoek. Maar meestal is er geen sprake van een direct oplosbaar probleem.

Vaak is de opdrachtgever van fundamenteel onderzoek een universiteit of een onderzoeksinstituut. Deze hebben ondermeer als doel de kennis over de samenleving te vergroten. Het verschil tussen fundamenteel en toegepast onderzoek is zichtbaar in de doelstelling van het onderzoek. De doelstelling van fundamenteel onderzoek beperkt zich meestal tot 'inzicht krijgen in' bepaalde processen. De onderzoeker wil 'weten om te weten'. Als anderen er wat mee gaan doen is dat prima, maar dat is niet het primaire doel van de onderzoeker. Fundamenteel onderzoek levert dus inzicht in bepaalde processen op. Je maakt als communicatiedeskundige gebruik van communicatietheorieën die vaak oorspronkelijk ontstaan zijn uit fundamenteel onderzoek.

Verschil in gebruik theorie

Naast het verschil in doelstelling (weten om te weten of weten om te doen) is er nog een verschil tussen beide doelstellingen: de benadering van de theorie zelf. Bij fundamenteel onderzoek staat de theorie *centraal*. De wetenschapper vraagt zich af of de theorie wel klopt, scherpt een theorie aan of ontwerpt een nieuwe theorie. Bij toegepast onderzoek wordt de theorie vooral als *uitgangspunt* gebruikt om het probleem te omschrijven en waar mogelijk op te lossen. Natuurlijk kan op basis van de uitkomsten van toegepast onderzoek de theorie wel weer aangepast worden, maar dat is niet direct het doel van toegepast onderzoek. We zullen

---

Fundamenteel (theoretisch) onderzoek, een doelstelling

Een voorbeeld van fundamenteel onderzoek is onderzoek naar de werking van voorlichting.[16] In dit onderzoek staat de invloed van 'angstcommunicatie' op gezondheidsvoorlichting centraal. Een doelstelling hierbij is inzicht krijgen in de manier waarop het gebruik van angstaanjagende boodschappen (angstcommunicaties) invloed heeft op overtuigingsprocessen in gezondheidsvoorlichting.

Dit onderzoek levert dus een bijdrage aan verdere theorievorming rond de werking van gezondheidsvoorlichting zoals de voorlichting over aids. Hoe kunnen mensen ervan overtuigd worden dat ze een condoom moeten gebruiken? In hoeverre werkt een spotje met een ernstig zieke aids-patiënt (een vorm van angstcommunicatie)?

Kader 2.5

het verschil in doelstelling en gebruik van theorie toelichten aan de hand van voorbeelden. In kader 2.5 geven we een voorbeeld van een doelstelling van fundamenteel onderzoek.

Natuurlijk kunnen makers van voorlichtingscampagnes hun voordeel doen met de uitkomst van dit fundamenteel onderzoek. Het fundamentele onderzoek heeft immers meer inzicht in de werking van voorlichting opgeleverd. Het aanpassen van de campagne is echter niet het *primaire doel* van de onderzoeker. Bij hem of haar staat namelijk de nieuwsgierigheid voorop: hoe werkt voorlichting en de rol van angstcommunicatie daarbij? In kader 2.6 geven we nu een voorbeeld van een doelstelling van toegepast onderzoek.

Toegepast onderzoek, een doelstelling

Een voorbeeld van toegepast onderzoek is onderzoek waarbij je theorie *gebruikt* om het probleem helder te krijgen en om vervolgens aan de hand van de onderzochte gegevens advies te geven over mogelijke verbeteringen.

Stel, een bedrijf levert slechte prestaties en de manager heeft het idee dat dit te maken heeft met de manier waarop de medewerkers zich betrokken voelen bij de organisatie. De manager schakelt een communicatiedeskundige in om dit probleem op te lossen.

Hierbij kun je bijvoorbeeld uitgaan van een theorie van Van Riel[17]:
'Interne communicatie is van invloed op de mate waarin medewerkers zich identificeren met de organisatie. Hoe sterker werknemers zich identificeren, des te beter het is voor de prestaties van een bedrijf. Een voorbeeld van toepassing van deze theorie over organisatie-identificatie is een onderzoek waarbij je met behulp van de ROIT-schaal[18] binnen een bedrijf aangeeft in welke mate de medewerkers zich identificeren met het bedrijf. Medewerkers beantwoorden 225 stellingen over onder meer organisatie-identificatie, prestige, baantevredenheid, tevredenheid met de bedrijfscultuur, het communicatieklimaat, de verschillende communicatiekanalen en het oordeel over ontvangen informatie vergeleken met achtergrondkenmerken zoals leeftijd, geslacht, functie, salarisniveau enzovoort. De stellingen kunnen 'zeer van toepassing' tot 'totaal niet van toepassing' op de organisatie zijn.'

Een doelstelling bij dit onderzoek kan zijn:

Doel van dit onderzoek is in kaart te brengen hoe hoog de organisatie-identificatie van de medewerkers in organisatie X is, om te adviseren op welke manier met behulp van interne communicatie de organisatie-identificatie waar mogelijk kan worden vergroot, zodat organisatie X optimale prestaties levert.

Kader 2.6

Dit is een voorbeeld van toegepast communicatieonderzoek omdat het begint met een probleem van een organisatie: slechte prestaties. Er wordt vermoed dat de slechte prestaties te maken kunnen hebben met de mate van betrokkenheid van het personeel. Daarom wordt bij dit onderzoek gebruikgemaakt van een theorie uit de interne communicatie: de theorie over organisatie-identificatie. De doelstelling geeft aan dat het onderzoek een bijdrage moet leveren aan de oplossing: een communicatieadvies over de interne communicatie met als doel vergroting van de organisatie-identificatie. Ten gevolge van een grotere organisatie-identificatie moet het bedrijf op langere termijn dus beter gaan presteren.

Bij elk probleem 'hoort' dus een bepaalde theorie. Op basis van deze theorie worden kaders van het probleem aangegeven. Het verschil tussen fundamenteel en toegepast onderzoek zit in de manier waarop je de theorie gebruikt: als uitgangspunt (toegepast) of juist als onderwerp van onderzoek (fundamenteel). We lichten dit toe aan de hand van een paar voorbeelden. Kader 2.7 gaat over basisschool Roosje.

Casus 1: Basisschool Roosje

Voorbeeld theoriegebruik voor de formulering van de doelstelling

Basisschool Roosje
Randvoorwaarden voor een goede interne communicatie zijn helderheid over de structuur van een organisatie, duidelijkheid over taken en bevoegdheden van medewerkers en directie en duidelijkheid over de formele communicatielijnen.[19] Onder formele communicatielijnen worden alle vastgelegde communicatie-uitingen verstaan. Naast formele communicatielijnen bestaat er binnen de organisatie ook een informeel circuit. Informele communicatie beïnvloedt formele communicatie en andersom. In dit onderzoek wordt daarom ook aandacht besteed aan informele communicatielijnen. De doelstelling wordt als volgt aangescherpt: 'Inzicht krijgen in de huidige (voorjaar 2006) formele en informele communicatielijnen en de rol van ICT tussen medewerkers van basisschool Roosje om advies te geven ter verbetering van de effectiviteit van ICT in de interne communicatie.'

Kader 2.7

Een ander voorbeeld van evaluatief onderzoek is het onderzoek dat Postbus 51 zelf uitvoert tijdens en na hun voorlichtingscampagnes (zie kader 2.8).

Casus 3: Voorlichtingscampagne identificatieplicht

Voorbeeld theoriegebruik voor de formulering van de doelstelling

In dit onderzoek wordt de campagne-waardering gemeten en de campagne-doelstellingen geëvalueerd. Omdat alle campagnes sinds 1999 op een standaard manier geëvalueerd worden, kunnen de campagnes door de jaren heen met el-

kaar vergeleken worden. Op basis van de resultaten van het onderzoek stelt Publiek en Communicatie aanbevelingen op voor volgende campagnes.[20]

De Dienst Publiek en Communicatie maakt voor het campagne-effectonderzoek gebruik van het volgende communicatiemodel[21]:

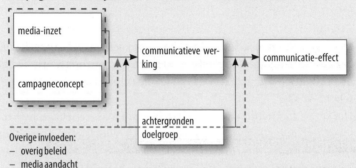

Overige invloeden:
– overig beleid
– media aandacht
– incidenten

Figuur 2.6   Communicatiemodel Postbus 51

Het campagne-effectonderzoek voor Postbus 51 campagnes bestaat uit een voormeting, wekelijkse tussenmetingen en een nameting. Zo worden de daadwerkelijke campagne-effecten op kennis, houding en gedrag(sintenties) geëvalueerd door de situatie voorafgaand aan de campagne (voormeting) te verge-

lijken met die na afloop van de campagne (nameting).

De doelstelling is als volgt:
'Inzicht krijgen in de campagne-effecten van de voorlichtingscampagne identificatieplicht op kennis en houding onder Nederlanders in 2005.'

Kader 2.8

Sommige vragen zijn erg moeilijk te onderzoeken. Als je bijvoorbeeld de veranderingen in *gedrag* wilt meten na een voorlichtingscampagne dan is dat lastig. Het gedrag kan wel aanwezig zijn; iedereen heeft misschien een identificatiemiddel bij zich, maar als je wilt onderzoeken of de voorlichtingscampagne dit veroorzaakt heeft, of er oorzaak en gevolg is, dan heb je een probleem. Misschien dragen mensen bijvoorbeeld een paspoort bij zich omdat ze van iemand anders gehoord hebben dat deze daar een boete voor kreeg. De communicatie-uitingen van de campagne hebben ze dan niet eens gezien en de campagne heeft hier dus geen invloed gehad op het gedrag. Kader 2.9 geeft nog een voorbeeld.

Kader 2.9

Casus 4: Thuiszorgorganisatie Weltevreden

Voorbeeld theoriegebruik voor de formulering van de doelstelling

Thuiszorgorganisatie Weltevreden
Binnen reputatiemanagement worden verschillende groepen onderscheiden: de consument, de investeerder, de werkgever, de werknemers, het publiek.[22] In ons onderzoek beperken we ons tot de reputatie volgens de werknemers en de consument.

'Inzicht krijgen in de huidige (voorjaar 2006) reputatie volgens werknemers en consumenten van thuiszorgorganisatie Weltevreden om advies te geven over de te nemen maatregelen ter vergroting van de reputatie onder deze groepen.'

De doelstellingen in de voorbeelden zijn nog steeds te algemeen en moeten afgebakend worden in tijd, plaats enzovoort. Deze afbakening heeft gevolgen voor de populatie en de steekproef van je onderzoek.

Het soort doelstelling geeft dus aan of we te maken hebben met fundamenteel of toegepast onderzoek. Weten om te weten: een doelstelling gericht op meer kennis-/theorievorming dus fundamenteel onderzoek; of weten om te doen: een doelstelling gericht op het oplossen van een specifiek probleem dus toegepast onderzoek.

2.5 De vraagstelling

vraagstelling

hoofdvraagstelling

Als je de doelstelling hebt vastgelegd kun je verdergaan met het uitwerken van de *vraagstelling*. Bij de vraagstelling gaat het om de vraag *wat* je precies wilt weten, het doel *in* het onderzoek. In feite kan de hoofdvraagstelling de doelstelling in vraagvorm zijn. De vraagstelling moet in elk geval logisch afgeleid zijn van de doelstelling. Er zit dus dezelfde afbakening in. Er is vaak één *hoofdvraagstelling* met verschillende deelvragen. In kader 2.10 geven we voorbeelden van hoofdvraagstellingen voor de voorbeeldproblemen uit hoofdstuk 1.

Hoofdvraagstellingen

Basisschool Roosje
Wat zijn de huidige (voorjaar 2006) formele en informele communicatielijnen en de rol van ICT daarbinnen bij basisschool Roosje?

Thuiszorgorganisatie Weltevreden
Wat is de huidige (voorjaar 2006) reputatie van thuiszorgorganisatie Weltevreden volgens werknemers en consumenten?

Kader 2.10

Maar hiermee zijn we er nog niet. Nadat we ons verder verdiept hebben in de communicatietheorie, gaan we *deelvragen* formuleren. In kader 2.11 werken we   *deelvragen* de deelvraagstellingen uit.

Deelvraagstellingen

Basisschool Roosje

Op basis van de communicatietheorie onderscheiden we vier hoofdfuncties van communicatie-uitingen[23]:

– Verstrekken van taakinformatie
– Verstrekken van beleidsinformatie
– Motiveren en (ver)binden van mede-
  werkers
– Kennismanagement

We onderscheiden daarom de volgende deelvragen:

– Welke formele communicatiemiddelen worden gebruikt op basisschool
  Roosje voor het verstrekken van taakinformatie?
– Welke formele communicatiemiddelen worden gebruikt op basisschool
  Roosje voor het verstrekken van beleidsinformatie?
– Welke formele communicatiemiddelen worden gebruikt op basisschool
  Roosje voor het motiveren en
  (ver)binden van medewerkers?
– Welke formele communicatiemiddelen worden gebruikt op basisschool
  Roosje voor het verstrekken van kennismanagement?

Reputatieonderzoek: *'En dan hebben we het niet alleen over de keuze van de stropdas van medewerkers.'*

Thuiszorgorganisatie Weltevreden.
Op basis van de communicatietheorie weten we dat reputatie gemeten kan wor-den met het reputatiequotiënt.[24] Reputa-tie wordt daarbij onderscheiden op zes di-mensies. Eén van deze dimensies is ar-beidsomgeving. Deze *driver* speelt een rol bij de beeldvorming van de medewerkers.

We onderscheiden de volgende deel-vraag:

– Wat is het beeld van de medewerkers
  over de arbeidsomgeving van thuiszorgorganisatie Weltevreden?

Kader 2.11

Er kunnen nog veel meer vragen bedacht worden dan in de voorbeelden is be-schreven. Het is afhankelijk van de verdiepende communicatietheorie die je gebruikt. Als hier gesproken wordt over communicatietheorie dan worden daar allerlei theorieën mee bedoeld op het terrein van de communicatie. Het gaat hier dus niet alleen om de zender-ontvangertheorieën, maar ook theorieën over consumentengedrag, over beslissingsprocessen, kortom, over allerlei gedragingen die te maken hebben met het vakgebied van de communicatie. Naast deze theorieën zul je voor je vraagstellingen ook theorieën gebruiken die uit andere vakgebieden komen. Denk bij consumentengedrag bijvoorbeeld aan psychologie of sociologie. Wanneer je onderzoek doet in een bedrijf dan krijg je ook te maken met cultuuraspecten, dus gebruik je theorieën over organisatieculturen enzovoort. Welke theorieën je gebruikt heeft ook te maken met de begrippen in de vraagstellingen. Op basis van de theorie operationaliseer je deze begrippen naar te meten variabelen.

2.6 Operationalisatie

Je probleemstelling is nu compleet: je hebt een doelstelling en vraagstellingen geformuleerd. Voordat je echt aan de slag kunt gaan met het uitvoeren van het onderzoek, moet je de vraagstellingen meetbaar maken, oftewel *operationaliseren*. Net zoals je bij de doelstelling moet afbakenen over welke groepen in welke periode je het precies hebt, moet je de vraagstelling operationaliseren in termen van de te stellen vragen aan een respondent of de te onderzoeken variabelen in een gegevensbestand (bijvoorbeeld een database met registratiegegevens van studenten).

operationaliseren

Een *variabele* is: 'iedere eigenschap of ieder kenmerk van een persoon, omgeving of (experimentele) situatie die van persoon tot persoon, van omgeving tot omgeving of van situatie tot situatie kan variëren'.[25] In veel toegepast communicatieonderzoek gaat het om kenmerken van personen, om variabelen die betrekking hebben op de respondenten die je ondervraagt. Persoonskenmerken zijn bijvoorbeeld haarkleur, opleiding, geslacht. Andere variabelen hebben te maken met de mening van de respondent. In kader 2.12 geven we een aantal variabelen die relevant kunnen zijn voor de probleemvoorbeelden uit hoofdstuk 1.

variabele

Voorbeelden van variabelen

Basisschool Roosje
Geslacht, leeftijd, opleiding, afdeling, taakomschrijving, informatiebehoefte, leesgedrag

Damesmodezaak For You
Geslacht, leeftijd, opleiding, koopgedrag, naamsbekendheid product Y

Kader 2.12

Vervolg	
Voorlichtingscampagne identificatie-plicht	*Thuiszorgorganisatie Weltevreden*
Geslacht, leeftijd, opleiding, IQ, kijk- en luistergedrag	Geslacht, leeftijd, opleiding, afdeling, beeldvorming, tevredenheid arbeidsomstandigheden

Hoe bepaal je welke variabelen je gaat onderzoeken? Je kunt zelf op goed geluk aspecten bedenken die je wilt gaan vragen aan de mensen. Als het gaat over interne communicatie en je wilt weten welke middelen de medewerkers gebruiken voor het verkrijgen van informatie over de organisatie, dan denk je aan begrippen als informatiebehoefte en leesgedrag. Bij marketingcommunicatie kun je bedenken dat mensen een product eerst moeten kennen voordat ze dat product kopen. Je gaat je dan dus richten op naamsbekendheid. Voorlichting van Postbus 51 vindt onder meer plaats op tv en radio: je wilt dan dus weten waar de mensen naar kijken en luisteren.

Bedenk je zelf willekeurig variabelen, dan loop je het gevaar dat je essentiële variabelen vergeet te vragen. Een voorbeeld is naamsbekendheid. Je kunt daarbij de vraag bedenken: 'Kent u automerk Z?' Daarmee ga je echter voorbij aan een belangrijk onderscheid bij naamsbekendheid, namelijk de geholpen en de spontane naamsbekendheid (zie ook kader 2.13). Deze voorbeeldvraag is een voorbeeld van geholpen naamsbekendheid, je helpt de respondent immers door het automerk al te noemen. Je loopt daarmee het risico dat iemand die het bedrijf eigenlijk niet kent, dan toch 'ja' antwoordt omdat hij bijvoorbeeld niet dom wil lijken. Spontane naamsbekendheid onderzoek je door te vragen: kunt u automerken noemen? Zit merk Z regelmatig bij de genoemde antwoorden, dan kun je concluderen dat de spontane naamsbekendheid hoog is. Dit verschil in twee soorten naamsbekendheid haal je uit de marketingcommunicatietheorie. De theorie is dus essentieel bij het vertalen van je vraagstellingen naar de te onderzoeken variabelen.

Voorbeeld van operationalisatie met behulp van marketingcommunicatietheorie	
Vraagstelling: 'Hoe groot is de naamsbekendheid van automerk Z?'	kunt drie soorten herinnering onderscheiden:
Naamsbekendheid heeft te maken met het zich herinneren van merknamen. Je	1 Herinnering: waarbij een lijst merknamen wordt voorgelegd en de consument moet aangeven welke mer-

Kader 2.13

Vervolg

ken hij kent.

2 (Half)geholpen herinnering: waarbij de consument geholpen wordt door bijvoorbeeld een deel van de advertentie of een logo te laten zien, maar niet de merknaam.

3 Ongeholpen herinnering: waarbij de consument zelf actief een merk moet noemen, zonder geholpen te worden.

In de eerste twee gevallen is sprake van herkenning, we noemen dit ook wel geholpen naamsbekendheid. De ongehol-

pen herinnering wordt ook wel spontane naamsbekendheid genoemd.[26]

Vragen die je kunt stellen aan respondenten zijn:

– Ongeholpen herinnering: Kunt u automerken opnemen? Welke automerken kent u allemaal?

– (Half)geholpen herinnering: Van welk automerk is deze reclame? Kent u dit logo?

– Geholpen herinnering: Kent u de volgende automerken? Kent u automerk Z?

Operationaliseren houdt dus in dat je begrippen uit je vraagstellingen met behulp van de theorie vertaalt naar variabelen, bijvoorbeeld enquêtevragen die je wilt onderzoeken. Het begrip zoals bedoeld in de vraagstelling vertaal je naar het begrip zoals bepaald in de variabele. Het is uiteraard heel belangrijk dat je met je *begrips-* variabele meet wat je had willen meten. Dit wordt door Swanborn *begripsvalidi-* *validiteit* *teit*[27] genoemd. Hij geeft het volgende voorbeeld. Om de gezondheidstoestand te peilen wordt de volgende vraag gesteld: 'Hoe vaak bent u het afgelopen jaar naar de dokter geweest?' Dat respondenten hier een laag getal noemen, wil niet zeggen dat ze erg gezond zijn. Misschien zijn er heel andere oorzaken geweest waarom ze niet naar de dokter gegaan zijn: angst voor de dokter, geen geld, geen dokter in de buurt enzovoort. Het begrip dat je gemeten hebt is de frequentie van het doktersbezoek terwijl je de gezondheidstoestand wilde meten. We spreken in dit *indicatoren* geval ook wel over *indicatoren*. Is de vraag over de frequentie van het doktersbezoek een goede indicator voor het te meten begrip 'gezondheidstoestand'?

Sommige begrippen moet je zelf operationaliseren, andere begrippen zijn al door andere onderzoekers geoperationaliseerd. Je kunt je voorstellen dat indicatoren die door andere onderzoekers herhaalde malen gebruikt zijn om een bepaald begrip te meten waarschijnlijk meer valide zijn dan begrippen die je zelf bedenkt. In de theorie ga je dus op zoek naar meetinstrumenten, naar indicatoren zodat je deze kunt gebruiken in je onderzoek. Als er geen indicatoren zijn dan ga je ze zelf bedenken.

Niet alle begrippen kun je eenvoudig vertalen van het in de vraagstelling genoemde begrip naar de te meten variabele. Een begrip als 'gemiddelde leeftijd' is
een gemakkelijk te operationaliseren begrip. Je vraagt bijvoorbeeld naar iemands
geboortedatum en de bijbehorende variabele is leeftijd. Het begrip zoals bedoeld
(gemiddelde leeftijd) is hiermee gelijk aan het begrip zoals bepaald (geboortedatum). In kader 2.14 geven we een voorbeeld.

Voorbeeld eenvoudige operationalisatie

Kader 2.14

**Vraagstelling: 'Wat is de gemiddelde
leeftijd van voetbalsupporters?'**

**Vraag aan respondent: 'Wanneer bent u
geboren?'**

Variabele: leeftijd voetbalsupporters

Helaas is het niet altijd zo eenvoudig. Een begrip als 'de kwaliteit van het onderwijs' is moeilijker te operationaliseren. Wat is *goed* onderwijs? Je kunt de respondenten rechtstreeks vragen naar de 'kwaliteit van het onderwijs', maar is het
daarmee opgelost? Als je tien studenten vraagt een cijfer te geven voor de kwaliteit van het onderwijs, dan zullen ze de cijfers allemaal baseren op verschillende
aspecten. Zo kan de ene student een 8 geven, omdat hij vindt dat de docenten zo
leuk zijn, terwijl de andere student misschien een 5 geeft, omdat de organisatie
van de colleges een puinhoop is. Je moet dan dus eerst op basis van theorie 'kwaliteit van onderwijs' uitleggen en opsplitsen in verschillende te meten variabelen.
In kader 2.15 werken we dit uit.

Noodzaak operationalisatie: 'Ze hebben gewoon hele goede leraren!'

Voorbeeld complexe operationalisatie

Vraagstelling: 'Wat vinden studenten van de kwaliteit van het onderwijs?'

Complexe variabele: kwaliteit van het onderwijs

Deze complexe variabele is weer onder te verdelen in verschillende variabelen, zoals:
– didactische kwaliteiten van de docenten*
– organisatie van de lessen
– inhoud van de lessen
– communicatie over de opleiding.

* Ook het begrip didactisch operationaliseren in: manier van lesgeven, manier waarop de docent vragen van studenten beantwoordt enzovoort.

Vragen aan respondent, zoals:
– Hoe beoordeel je de manier waarop docent Jansen vragen van studenten beantwoordt?
– Wat vind je van de inhoud van de colleges Marketingcommunicatie?
– Wat vind je van de communicatie met betrekking tot de roosters?

Kader 2.15

Zoals gezegd maak je bij voorkeur gebruik van al geteste indicatoren. Een voorbeeld hiervan is het eerder genoemde reputatiequotiënt. In kader 2.16 werken we dit uit voor een voorbeeldprobleem uit hoofdstuk 1.

Voorbeeld complexe operationalisatie op het terrein van reputatie

Thuiszorgorganisatie Weltevreden

Vraagstelling: 'Wat is de reputatie volgens medewerkers van thuiszorgorganisatie Weltevreden?'

Reputatie is het totale beeld dat doelgroepen hebben van een organisatie. Reputatie kunnen we indelen in zes dimensies. Een van deze dimensies is arbeidsomgeving (zie Fombrun en Van Riel, 2004), de subvraagstelling wordt dus: 'Wat vinden medewerkers van de arbeidsomgeving van thuiszorgorganisatie Weltevreden?'

De dimensie 'arbeidsomgeving' wordt gemeten met behulp van de volgende kenmerken:
– prettige arbeidsomstandigheden
– goede werknemers
– goede beloningen.

Het reputatiequotiënt wordt bepaald door respondenten deze aspecten te laten beoordelen op een zevenpuntsschaal (7 = zeer mee eens, 1 = zeer mee oneens).

Kader 2.16

Vervolg	
Voorbeelden van enquêtevragen aan de respondent:	– Geef een cijfer voor de andere medewerkers.
– Geef een cijfer voor de arbeidsomstandigheden bij Weltevreden.	1 2 3 4 5 6 7
1 2 3 4 5 6 7	– Geef een cijfer voor de beloningen in het bedrijf.
	1 2 3 4 5 6 7

In figuur 2.7 zie je de zes dimensies en twintig kenmerken van het reputatiequotiënt. De onderzoekers hebben deze dimensies en kenmerken op duizenden mensen getest en hebben van daaruit dit gestandaardiseerd instrument ontwikkeld.[28] Dit zorgt ervoor dat je ook vergelijkingsmateriaal hebt van andere organisaties als je voor je onderzoek gebruikmaakt van het reputatiequotiënt. Het zal je opvallen dat dit overzicht nog veel vage begrippen bevat. In het voorbeeld van de dimensie 'arbeidsomgeving' wordt bijvoorbeeld 'prettige arbeidsomstandigheden' genoemd. Maar wat verstaan we onder arbeidsomstandigheden? Dit begrip kun je zelf verder uitwerken.

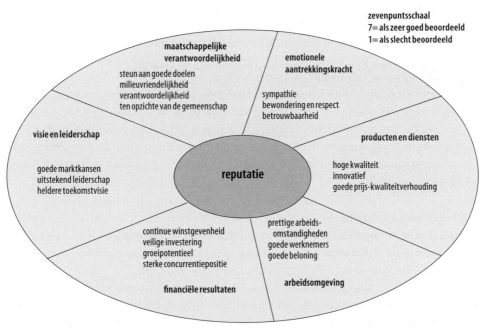

Figuur 2.7   De zes dimensies en twintig kenmerken van het reputatiequotiënt

In figuur 2.8 hebben we samengevat hoe je van de probleemstelling naar je variabelen komt.

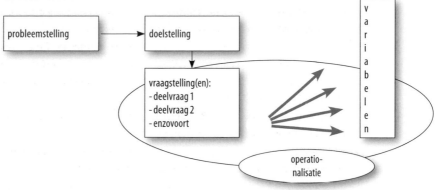

Figuur 2.8   Van probleemstelling tot variabele

2.7   Soort onderzoek

Nu je weet wat je doelstelling en vraagstellingen zijn moet je nog bedenken hoe je het onderzoek precies gaat uitvoeren. Ga je een enquête houden? Of wordt het een experiment? Welke methode het meest geschikt is hangt af van het soort probleem dat je onderzoekt. Op basis van de vraagstelling kun je vaststellen wat voor soort onderzoek je moet gaan doen en welke strategie (methode) het beste bij je vraag past. Zo kan er sprake zijn van *beschrijvende* problemen, met bijpassende beschrijvende vraagstellingen, maar ook van *verklarende* problemen, met bijpassende verklarende vraagstellingen. Het soort probleem herken je dus aan de vraagstellingen.

beschrijvende vraagstelling   Met behulp van een *beschrijvende vraagstelling* wordt de werkelijkheid *beschreven*. Beschrijvende vraagstellingen beginnen vaak met woorden als wat, waar, wanneer, wie, welke en hoeveel. Kader 2.17 geeft een aantal voorbeelden.

verklarende vraagstelling   Met een *verklarende vraagstelling* wordt een mogelijke *verklaring* gezocht voor het probleem. Meestal begint de vraagstelling met waarom, maar ook welke (oorzaken zijn er) en hoe (kan het dat) zijn mogelijk. In kader 2.18 geven we een aantal voorbeelden.

Beschrijvende vraagstellingen

Basisschool Roosje

Welke formele communicatiemiddelen worden gebruikt in basisschool Roosje voor het verstrekken van taakinformatie?

Andere voorbeelden van beschrijvende vraagstellingen

Wat zijn de effecten van het beleid?

Wat is het oordeel van de medewerkers over de informatievoorziening van de gemeente?

Waar wordt het meest naar de radio geluisterd?

Waar wonen de meeste voetbalsuppor-

ters?

Wanneer kijken de meeste mensen tv?

Wanneer gaan de meeste mensen op vakantie?

Hoeveel mensen kopen product X?

Hoeveel mensen eten spaghetti?

Wie luisteren er naar een regionale omroep?

Wie kijken vaker naar soaps, mannen of vrouwen?

Welke communicatiemiddelen worden er gebruikt?

Welke kledingmerken worden door jongeren gedragen?

Kader 2.17

Verklarende vraagstellingen

Basisschool Roosje

- Waarom wordt er bij basisschool Roosje meer van informele dan van formele communicatiemiddelen gebruikgemaakt?

Andere voorbeelden van verklarende vraagstellingen

- Waarom kijken mensen naar bepaalde tv-programma's?
- Waarom sporten mensen?

- Welke oorzaken bestaan er voor het mislukken van een voorlichtingscampagne?
- Welke oorzaken zijn van invloed op de informatieverwerking van de medewerkers?
- Hoe kan het dat vrouwen sneller de studie doen dan mannen?
- Hoe kan het dat bepaalde mensen minder gebruikmaken van internet dan anderen?

Kader 2.18

Soms wordt er ook gesproken over een *voorspellend probleem*. Dit type probleem kan vaak alleen beantwoord worden door beschrijvende vraagstellingen *of* verklarende vraagstellingen (zie kader 2.19).

voorspellend probleem

Voorspellen op basis van beschrijvende vraagstellingen

Een manager van een opleiding wil inzicht krijgen in de studentenaantallen in de toekomst. Met die kennis kan hij namelijk het personeelsbeleid daarop afstemmen. Er moet dus worden voorspeld hoeveel studenten de opleiding zullen kiezen in 2010. Een *beschrijvende* vraagstelling hierbij is:
'Hoeveel studenten kozen de studie Communicatie bij Hogeschool EduWell in 2000, in 2002, in 2004, in 2006 en in 2008?'
Op basis van vergelijkingen van cijfers over een bepaald aantal jaren kun je de 'trend' doortrekken. In de figuur zijn de verschillende trends zichtbaar: een voorspelling uitgaande van een con-

stante stijging, een constante daling en een schommeling. Door de voorgaande jaren te *beschrijven*, kun je het aantal voor 2010 'voorspellen'. Er is dus sprake van een *beschrijvende* vraagstelling en niet van een *voorspellende* vraagstelling.

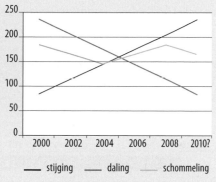

Kader 2.19

In het voorbeeld in kader 2.19 wordt voorspeld op basis van beschrijvende vraagstellingen. Je kunt ook voorspellen op basis van verklarende vraagstellingen. Daarvan geven we een voorbeeld in kader 2.20.

Voorspellen op basis van verklarende vraagstellingen.

Je kunt ook voorspellen door op zoek te gaan naar oorzaken van gedrag. De *verklarende* vraagstelling luidt dan:
'*Waarom* kiezen studenten de studie Communicatie?'

Door middel van bijvoorbeeld diepte-interviews kun je huidige studenten Communicatie vragen waarom ze voor deze opleiding gekozen hebben. Wanneer je inzicht hebt in dit keuzepatroon, kun je

een voorspelling maken. Stel dat veel studenten aangeven dat de zekerheid van een baan de reden is geweest voor hun keuze. Dan kun je voorspellen dat er een toename van het aantal studenten zal plaatsvinden wanneer er veel banen zijn, maar ook dat het aantal studenten zal afnemen wanneer er weinig banen zijn. Omdat we hier op zoek gingen naar oorzaken van gedrag, spreken we van een *verklarende* vraagstelling.

Kader 2.20

Je weet nu met wat voor soort probleem en wat voor soort onderzoeksvragen je te maken hebt. In figuur 2.9 is schematisch weergegeven wat dit betekent voor het type onderzoek dat je gaat doen en voor de onderzoeksstrategie (methode).

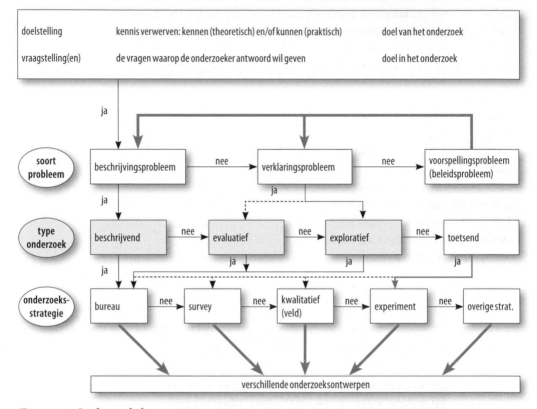

Figuur 2.9 *Onderzoekskeuzes*

Binnen één onderzoek kunnen zowel beschrijvende als verklarende vraagstellingen voorkomen. De uiteindelijke keuze voor een bepaald soort onderzoek en strategie wordt bepaald door de *meest essentiële* vraagstelling (beschrijvend *of* verklarend). Wat de belangrijkste vraagstelling is, hangt af van het probleem. Is het de bedoeling het probleem vooral verder in kaart te brengen en vooral op zoek te gaan naar de oorzaken van het probleem? Dan is er vooral sprake van een *verklarend* probleem. Of is het de bedoeling vooral aan te tonen dat het probleem veel voorkomt, wanneer het voorkomt of hoe vaak het voorkomt? In dat geval is het vooral een *beschrijvend* probleem. Je zult misschien bij een beschrijvend onderzoek ook op zoek gaan naar mogelijke verklaringen, maar dit is niet de kern van het onderzoek. In dit geval zijn mogelijke verklaringen een soort toegift bij het onderzoek.

Natuurlijk zijn combinaties mogelijk en zul je vaak beschrijven *en* verklaren. Om een keuze te kunnen maken, vraag je jezelf af: als ik straks het communicatieadvies of -plan moet schrijven, wat moet ik dan in elk geval weten? De vraagstelling die je dan in ieder geval moet beantwoorden, is de vraagstelling die bepaalt welk soort onderzoek je gaat doen. In kader 2.21 geven we een voorbeeld van een keuze voor een vraagstelling.

Voorbeeld van een keuze

Je hebt de opdracht gekregen onderzoek te doen naar het kijk- en luistergedrag van een regionale omroep. Je hebt een probleemstelling bedacht met bijbehorende vraagstellingen.

De bedoeling is dat je een marketingcommunicatieplan schrijft voor Omrop Fryslân. Je moet dus voor deze omroep bedenken op welke manier het best met het (potentiële) publiek gecommuniceerd kan worden. Vanuit de marketingcommunicatietheorie weet je dat mensen op de hoogte moeten zijn van het aanbod (kennis). Ze dienen positief te staan tegenover het product (houding) en vervolgens wil je dat ze werkelijk gaan kijken en luisteren (gedrag). Je gaat het AIDA-model in je marketingcommunicatieplan gebruiken. Deze theorie gebruik je ook om vraagstellingen te bedenken. Vervolgens komen uit de theorie de volgende vraagstellingen naar voren:

1 Hoeveel mensen in de provincie Friesland zijn op de hoogte van het aanbod van Omrop Fryslân (kennis)? (beschrijvend)

2 Waarom zijn mensen in de provincie Friesland niet op de hoogte van het aanbod van Omrop Fryslân (kennis)? (verklarend)

3 Wat vinden mensen in de provincie Friesland van het aanbod van de Omrop Fryslân (houding)? (beschrijvend)

4 *Wat* vinden huidige en potentiële kijkers en luisteraars van de ingezette communicatiemiddelen van Omrop Fryslân (houding)? (beschrijvend)

5 Hoeveel mensen in de provincie Friesland kijken en luisteren naar Omrop Fryslân (gedrag)? (beschrijvend)

6 *Waarom* kijken en luisteren mensen in de provincie Friesland *niet* naar Omrop Fryslân (gedrag)? (verklarend)

De beschrijvende vraagstelling als meest essentiële vraagstelling

Als je in je marketingcommunicatieplan wilt adviseren welke middelen het beste ingezet kunnen worden, met welk doel en voor welke doelgroep, dan moet je vooral weten wie wanneer wat kijkt en luistert, of zou willen kijken en luisteren (de beschrijvende vraagstellingen: 1, 3, 4 en 6). Je wilt ook wel weten waarom mensen wel of niet kijken, maar dat komt op de tweede plaats. Je onderzoek

Kader 2.21

Vervolg

is dus in de kern vooral beschrijvend.

De verklarende vraagstelling(en) als meest essentiële vraagstelling(en)
Als je wilt achterhalen waarom mensen kijken of waarom mensen juist niet kijken stel je de verklarende vraagstelling(en) centraal (2 en 5). Met die kennis kun je vervolgens bedenken hoe de omroep potentiële kijkers en luisteraars kan

trekken. Zo kan bijvoorbeeld uit je onderzoek blijken dat zowel de huidige als de potentiële kijkers en luisteraars dol zijn op uitzendingen van regionale sportwedstrijden. Maar het potentiële publiek blijkt niet te weten dat Omrop Fryslân dit uitzendt, dus kun je met het marketingcommunicatieplan deze uitzendingen onder de aandacht brengen.

Let op, je blijft wel alle zes de vraagstellingen onderzoeken, je maakt alleen een keuze voor het soort probleem (beschrijvend of verklarend, en daarmee voor een type onderzoek en een onderzoeksstrategie) op basis van *belangrijkheid* van je vraagstellingen.

Als je hebt vastgesteld of je onderzoek voornamelijk beschrijvend of verklarend van aard is, kun je bepalen wat voor soort onderzoek je gaat doen. We onderscheiden de volgende vier soorten onderzoek: beschrijvend, evaluatief, exploratief of toetsend onderzoek.

Een *beschrijvend onderzoek* is een inventarisatie van gegevens. Het Centraal Bureau voor Statistiek beschrijft bijvoorbeeld veel kenmerken van 'de Nederlanders'. Ook het Kijk- en luisteronderzoek is een voorbeeld van beschrijvend onderzoek: het geeft beschrijvingen van het kijk- en luistergedrag van de Nederlanders. Veel sociaal-wetenschappelijk onderzoek, zoals communicatieonderzoek, is beschrijvend van aard. Het ligt voor de hand dat bij beschrijvende vraagstellingen een beschrijvend onderzoek past. De beschrijvende vragen uit het voorbeeld van Omrop Fryslân lenen zich bijvoorbeeld goed voor beschrijvend onderzoek.

beschrijvend onderzoek

Figuur 2.10 Beschrijvende vraagstelling

evaluatief Bij een beschrijvende vraagstelling kun je ook kiezen voor *evaluatief onderzoek*.
onderzoek Dit kan alleen als er doelstellingen zijn die je met onderzoek kunt evalueren. Er moet dus sprake zijn van geformuleerd beleid van een organisatie. Binnen dat beleid zijn doelstellingen geformuleerd en met je onderzoek evalueer je deze doelstellingen. In kader 2.22 geven we een voorbeeld.

Voorbeeld evaluatief onderzoek

Stel dat Omrop Fryslân ooit een marketingplan gemaakt heeft. Hierin is beleid geformuleerd met als doel het krijgen van een bepaalde hoeveelheid kijkers en luisteraars in de regio. In het plan is misschien ook beschreven welke middelen er worden ingezet om dit doel te bereiken. In het onderzoek kan dan worden geëvalueerd of de ingezette middelen het doel bereikt hebben. In het beleid kan bijvoorbeeld geformuleerd zijn

dat in twee jaar tijd 60% van de inwoners van de provincie Friesland een positieve houding moet hebben over het aanbod van Omrop Fryslân. Dan kun je onderzoeken/evalueren of dit percentage gehaald is:

3   Wat vinden mensen in de provincie Friesland van het aanbod van de Omrop Fryslân (houding)? (beschrijvend)

Kader 2.22

---

exploratief *Exploratief onderzoek* gebruik je als er van tevoren nog maar erg weinig bekend
onderzoek is over het probleem. Het woord exploratief kunnen we herleiden naar het Engelse 'to explore', wat vrij vertaald 'ontdekken' betekent. De werkelijkheid is bedekt/onzichtbaar en wordt door middel van onderzoek 'ont'-dekt.

'Ont'-dekken: exploratief

Exploratief onderzoek is een type onderzoek dat bij een verklarende vraagstelling kan passen: waarom werkt het zoals het werkt? Je gaat bijvoorbeeld op zoek naar oorzaken voor bepaald gedrag of opvattingen over gedrag. Doel is dan te onderzoeken wat mogelijke oorzaken kunnen zijn. Je kunt dan nog niet echt bewijzen of iets oorzaak en gevolg is (zie toetsend onderzoek).

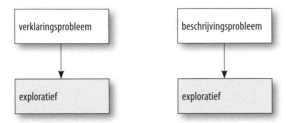

Figuur 2.11   Verklarende vraagstelling

Exploratief onderzoek kan ook geschikt zijn voor beschrijvende vraagstellingen, maar ook dan moet er van tevoren weinig of niets bekend zijn over het terrein dat je gaat ontdekken. Je moet je dus eerst goed verdiepen in het onderwerp en op zoek gaan naar bestaande kennis en theorieën. Vooral bij fundamenteel (wetenschappelijk) onderzoek wordt veel exploratief onderzoek gedaan. In kader 2.23 geven we een voorbeeld van exploratief onderzoek.

Voorbeeld exploratief onderzoek

Thuiszorgorganisatie Weltevreden. Een voorbeeld van een exploratief onderzoek is een onderzoek naar de betekenis die mensen in het kader van de reputatie geven aan het begrip sympathie. Je gaat nu niet het reputatiequotiënt uitrekenen, maar je wilt weten hoe het

werkt. Je gaat onderzoeken wat mensen verstaan onder sympathie.

'Wat betekent sympathie voor mensen in relatie tot de reputatie van thuiszorgorganisatie Weltevreden?'

Kader 2.23

Bij *toetsend onderzoek* is van tevoren al bedacht hoe iets zou kunnen werken. De onderzoeker formuleert dan een hypothese en toetst vervolgens of die veronderstelling door empirische gegevens kan worden onderbouwd. Net als bij exploratief onderzoek spelen bij toetsend onderzoek oorzaak en gevolg een rol. Bij exploratief onderzoek wil men vooral weten: hoe werkt het eigenlijk? Bij toetsend onderzoek ga je op zoek naar 'bewijzen' voor je vooronderstellingen en formuleer je hypothesen over oorzaak en gevolg. Toetsend onderzoek past bij verklarende

toetsend onderzoek

vraagstellingen en wordt veel op de universiteit gedaan: er wordt getoetst of iets werkt zoals we denken dat het werkt. Als communicatiemedewerker kom je in de praktijk van alledag niet vaak tegen dat je een toetsend onderzoek gaat doen. Wel zul je er vaak over lezen, zeker als je theorieën uit de wetenschap (bijvoorbeeld de psychologie) gebruikt in je onderzoek.

Figuur 2.12   Toetsend onderzoek

Toetsend onderzoek

Toetsend onderzoek wordt vaak gebruikt bij fundamenteel onderzoek. Als we kijken naar het onderzoek van Das[29] dan kan daarbij de volgende hypothese geformuleerd worden: 'Angstaanjagende boodschappen (angstcommunicaties) in een voorlichtingscampagne verhogen het effect van gezondheidsvoorlichting.'

Je gaat toetsen of een spotje met een ernstig zieke aids-patiënt (een vorm van angstcommunicatie) een groter effect heeft op het gedrag van mensen dan bijvoorbeeld een spotje waarbij alleen verteld wordt wat aids is en hoe je het krijgt.

Kader 2.24

Samengevat maak je de keuze voor het type onderzoek als volgt:
- Heb je vooral *beschrijvende* vraagstellingen, dan kies je voor *beschrijvend* onderzoek.
- Heb je *beschrijvende* vraagstellingen *en* is er sprake van beleid met vooraf door het bedrijf geformuleerde *doelstellingen*, dan evalueer je deze doelstellingen en doe je dus *evaluatief onderzoek*.
- Zoek je een *verklaring* voor bepaald gedrag *en* is er *weinig* over de situatie *bekend*, dan kies je voor *exploratief* onderzoek.
- Wil je een *verklaring* geven voor bepaald gedrag en 'bewijzen' dat het werkt zoals je denkt (kortom heb je een duidelijke *theorie* met een te toetsen *hypothese*), dan doe je *toetsend* onderzoek.

Het soort onderzoek dat je kiest zegt iets over de aard van de te vinden gegevens: beschrijvingen (beschrijvend onderzoek), evaluaties van doelstellingen (evaluatief onderzoek), verklaringen hoe het zou kunnen werken (exploratief onderzoek) of 'bewijzen' dat het zo werkt (toetsend onderzoek). Het meeste toegepast communicatieonderzoek is beschrijvend of evaluerend van aard, maar ook exploratief of toetsend onderzoek kan voorkomen in de praktijk van de communicatiemedewerker.

2.8   Kwalitatief of kwantitatief?

Opdrachtgevers willen nog wel eens aansturen op bepaalde onderzoeksstrategieën. Tijdens de briefing wordt dan al geroepen 'Ik wil kwantificeerbare gegevens' of 'Dit onderzoek moet kwalitatief zijn'. Wat betekenen deze termen eigenlijk? Welke strategieën zijn kwalitatief dan wel kwantitatief? Sommige opdrachtgevers vragen bijvoorbeeld om kwalitatief onderzoek, waarbij ze bedoelen dat het 'kwalitatief goed' moet zijn. Maar beide soorten onderzoek moeten 'kwalitatief goed' zijn, oftewel wetenschappelijk verantwoord.

In het onderzoek wordt dus vaak een tweedeling gemaakt: *kwalitatief* versus *kwantitatief* onderzoek. Deze indeling is eigenlijk een vereenvoudiging van de werkelijkheid. Bij veel onderzoek wordt gebruikgemaakt van zowel kwantitatieve als kwalitatieve gegevens.

Kort gezegd wordt *kwantitatief onderzoek* vertaald in 'te kwantificeren', oftewel het 'toekennen van getallen'. Je wilt bijvoorbeeld aantonen dat een bepaald percentage van de door jou onderzochte groep een bepaalde opvatting heeft. Bij deze onderzoeksvorm werken we met aantallen en percentages en gaat het meestal over *grote* aantallen onderzoekseenheden. Onderzoeksverslagen van kwantitatieve aard bevatten vaak grafieken, tabellen en statistische toetsen (zie hoofdstuk 6). Daarentegen kenmerkt *kwalitatief onderzoek* zich door onderzoek gericht op *kleine* groepen waarbij de diepte ingegaan wordt. Je wilt gedrag observeren (experiment) of mensen open vragen stellen met behulp van een diepte-interview over een tot dan toe vrij onbekend probleem. Hoewel je ook bij kwalitatief onderzoek kunt werken met getallen, zal een onderzoeksverslag van kwalitatieve aard veel minder gebaseerd zijn op grafieken, tabellen en statistische toetsen (zie hoofdstuk 6).

kwantitatief onderzoek

kwalitatief onderzoek

Welk soort onderzoek het meest geschikt is, hangt ook hier weer van de vraagstelling af. Een eenvoudige manier om te bepalen welk soort onderzoek je gaat doen, is de vraag: 'Heb ik veel of weinig voorkennis over het probleem?' De vereiste voorkennis is niet per se dat wat je in je hoofd hebt, maar voorkennis waarover je kunt beschikken. Je beantwoordt deze vraag dus nadat je de probleemanalyse en het formuleren van de probleemstelling hebt afgerond. Je hebt je dan verdiept in de achterliggende problematiek en de relevante theorie. Als je op dat moment veel voorkennis hebt, ben je al in staat gesloten enquêtevragen te bedenken met verschillende antwoordmogelijkheden voordat je verder onderzoek doet. Hierbij kun je de optie 'anders' toevoegen voor mogelijke antwoorden van respondenten, waar je zelf nog niet aan had gedacht. Deze vorm van vragen stellen komt voor bij een survey, een kwantitatieve vorm van onderzoek. Als je echter weinig voorkennis hebt (ook nadat je je hebt verdiept in het probleem en de theorieën), dan kun je open vragen bedenken of zelfs alleen maar bepaalde onderwerpen waar je verder onderzoek naar wilt doen. Deze vorm van dataverzameling komt voor bij interviews en observaties. In kader 2.25 geven we een voorbeeld van de keuze tussen kwalitatief en kwantitatief onderzoek.

Kwantitatief of kwalitatief: veel of weinig voorkennis?

Voorbeeld veel voorkennis:
Als we willen weten wat de kleur is die in voedingswaren moet worden gebruikt, dan kunnen we een schriftelijke enquête ontwerpen met de volgende vraag: 'Wat is uw favoriete kleur met betrekking tot voedsel?'

Mogelijke antwoorden waaruit de respondent kan kiezen zijn: zwart, wit, bruin, blauw, groen, rood, roze, paars, oranje, geel, anders.

Voorbeeld weinig voorkennis
Stel dat we de relatie tussen kleur, geur en herinnering willen onderzoeken en er blijken geen bestaande theorieën te zijn waarbij dit verband is onderzocht, dan weten we nog niet precies wat we willen vragen. Afhankelijk van de antwoorden van de respondent kunnen we zelf nieuwe vragen bedenken.

Kader 2.25

Op basis van de grootte van de te onderzoeken groep kunnen we de vier onderzoeksstrategieën grofweg onderverdelen in kwalitatieve en kwantitatieve strategieën.

bureauonderzoek	zowel grote als kleine groepen	zowel kwantitatief als kwalitatief
survey	vaak grote groepen	vooral kwantitatief
kwaliteit (veld)onderzoek	vaak kleine groepen	vooral kwalitatief
experiment	vaak kleine groepen	vooral kwalitatief

Figuur 2.13 Typering strategieën in kwalitatieve en/of kwantitatieve strategieën

2.7   Kiezen van de onderzoeksstrategie (methode)

Als je weet welk soort onderzoek het beste past bij de vraagstellingen, ben je er nog niet. Je weet dan het *soort* gegevens dat je gaat onderzoeken, maar je weet daarmee nog niet hoe je het onderzoek concreet aan moet pakken, oftewel welke strategie(en) je gaat kiezen. Net als bij soorten onderzoek kun je ook verschillende strategieën onderscheiden. We maken hier weer een vierdeling, maar deze is niet uitputtend. Er zijn allerlei combinaties denkbaar en vaak zelfs wenselijk. We zullen per soort onderzoek aangeven welke combinaties het meest logisch zijn. Tijd en geld zijn belangrijke factoren waardoor een onderzoeker meestal maar één of twee strategieën gebruikt.

We besteden kort aandacht aan de volgende strategieën:
– bureauonderzoek
– survey
– kwalitatief (veld)onderzoek
– experiment.

Een strategie die ook wel eens wordt genoemd is een *case study*. In feite betekent *case study* het woord case geval, het gaat dus om gevalstudies. De term wordt vaak gebruikt om aan te geven dat één specifiek geval, één specifieke case, bijvoorbeeld één bepaald bedrijf onderzocht wordt. Dit kan echter met behulp van alle vier hierboven genoemde strategieën. De 'case study' wordt hier daarom niet als aparte strategie behandeld.

De verschillende strategieën worden in het volgende hoofdstuk uitgebreid beschreven.

Het is raadzaam *altijd* eerst een of andere vorm van bureauonderzoek te doen. Het is zonde om tijd en energie in onderzoek te steken als het al eerder gedaan is. We hoeven immers niet steeds opnieuw het wiel uit te vinden. Daarnaast is het gemakkelijker, sneller en vaak goedkoper om gegevens die al geregistreerd staan uit een database te halen, dan zelf het onderzoek uit te voeren. Kader 2.26 geeft een voorbeeld van een situatie waarin bureauonderzoek handig is.

Voorbeeld bureauonderzoek

Stel, je wilt weten wat de gemiddelde leeftijd van communicatiestudenten van een bepaalde hogeschool is. Dan kun je de leeftijdsgegevens van de centrale administratie opvragen en heb je vrij snel het antwoord. Het gaat in elk geval een stuk sneller dan wanneer je alle communicatiestudenten gaat vragen hoe oud ze zijn, om vervolgens de gemiddelde leeftijd te berekenen. Daarnaast loop je bij de tweede methode meer risico op fouten. Studenten kunnen immers verkeerde antwoorden geven (per ongeluk of met opzet), je kunt fouten maken bij het noteren van het antwoord en het lukt je misschien niet om alle studenten te ondervragen.

Kader 2.26

Bureauonderzoek

Sommige vraagstellingen die je hebt geformuleerd vragen om bureauonderzoek. Doe je bijvoorbeeld een onderzoek naar naamsbekendheid dan wil je ook graag weten hoe groot de naamsbekendheid in het algemeen is bij vergelijkbare producten of bedrijven. Je kunt dan je bevindingen in een context plaatsen. Kader 2.27 geeft hiervan een voorbeeld.

Voorbeeld context onderzoeksresultaten

Een beginnende opleiding vraagt drie jaar na de start een onderzoeksbureau om onderzoek te doen naar de naamsbekendheid van de opleiding. Het onderzoeksbureau concludeert het volgende:
'De naamsbekendheid van de opleiding is erg laag: 40 procent.'

Maar is dat wel zo? In relatie tot wat? Hoe hoog is bijvoorbeeld de naamsbekendheid van andere opleidingen die even jong zijn? Of hoe hoog is de naamsbekendheid van opleidingen die al vijftig jaar bestaan? Als deze een naamsbekendheid van 50 procent hebben dan doet de beginnende opleiding het niet slecht! Dit soort vragen kun je beantwoorden met behulp van bureauonderzoek.

Variabelen worden dus niet alleen onderzocht met behulp van enquêtevragen. Je kunt van bepaalde variabelen gegevens al zelf verzamelen met behulp van bureauonderzoek. Als je bijvoorbeeld een naamsbekendheidsonderzoek wilt doen naar automerk Z, dan ga je eerst op zoek naar gegevens uit eerder onderzoek over de geholpen en ongeholpen herinnering van dit automerk en andere merken. Elk toegepast communicatieonderzoek wordt meestal dus ook voor een deel uitgevoerd door middel van bureauonderzoek. Maar met bureauonderzoek heb je meestal nog niet alle gegevens. Je moet dan zelf nog aanvullend onderzoek doen. Er is een aantal voor de hand liggende keuzes als je wilt bepalen wat voor soort onderzoek dat moet zijn.

Bij *beschrijvend* onderzoek en *evaluerend* onderzoek wordt naast bureauonderzoek vaak gebruikgemaakt van een *survey*. Bij een beschrijvend onderzoek wil je bijvoorbeeld aangeven hoeveel mensen iets wel of niet vinden of doen (kwantiteit). Bij een evaluerend onderzoek is er beleid ontwikkeld en er zijn doelstellingen geformuleerd, waarover je vragen wilt gaan stellen.   *survey*

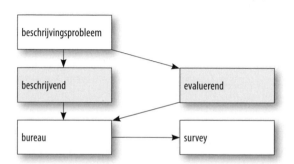

Figuur 2.14 Beschrijvend én evaluerend onderzoek

kwalitatief Bij een *exploratief* onderzoek wordt vaak *kwalitatief (veld)onderzoek* gedaan. Als
(veld)- je er achter wilt komen waarom mensen iets doen of vinden, dan ga je vaak de
onderzoek diepte in: je wilt kunnen doorvragen op de antwoorden die mensen geven *(diep-*
te-interviews). Soms wil je zelfs 'bij de mensen thuis' kijken, oftewel mensen in
observeren hun directe omgeving *observeren* om te zien wat ze doen en hoe bepaalde situaties
werken. Denk hierbij ook aan werksituaties, zoals werkoverleg enzovoort.

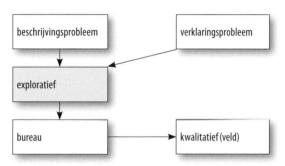

Figuur 2.15 Exploratief onderzoek

experiment Een *toetsend* onderzoek vraagt soms om een *experiment*. Als je op basis van
theorie een hypothese wilt toetsen en je werkelijk wilt zien of mensen zich gedragen zoals je hebt voorspeld, dan is een experiment een voor de hand liggende
strategie. Veel toetsend onderzoek wordt ook met behulp van een *survey* gedaan.
Door het gebruik van toetsende statistiek kun je ondermeer aantonen dat bepaald
gedrag of bepaalde opvattingen bij bepaalde groepen veel voorkomen (zie hoofdstuk 5).

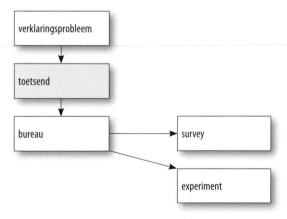

Figuur 2.16 Toetsend onderzoek

Bovengenoemde keuzes zijn het meest voor de hand liggend. Als je van dit schema afwijkt, moet je wel kunnen motiveren waarom je een minder voor de hand
liggende keuze maakt. Als je bijvoorbeeld beleid wilt evalueren maar je kunt van
tevoren al bedenken dat er waarschijnlijk een onbekend probleem achter ligt,
dan kun je kiezen voor diepte-interviews. De motivatie is dan: ik evalueer wel
beleid, maar heb een vermoeden dat het probleem complexer is, dus wil ik graag
de diepte in kunnen gaan, door kunnen vragen. Het gaat erom dat je kunt onderbouwen waarom je het onderzoek doet zoals je het doet. Onderzoek begint dus
niet met het blind maken van een vragenlijst en deze op mensen loslaten. Het
begint met het ontwerpen van je onderzoek en het maken van verantwoorde
keuzes.

3   Een toegepast communicatieonderzoek kunnen ontwerpen

In dit hoofdstuk staat het ontwerpen van een toegepast communicatieonderzoek centraal. Dit doe je op basis van de probleemstelling en het soort onderzoek dat je wilt doen. We beginnen dit hoofdstuk met een algemene uitleg van wetenschappelijke criteria voor verantwoord onderzoek. Per strategie (bureauonderzoek, survey, kwalitatief (veld)onderzoek en experiment) leggen we vervolgens uit wie, wat, waar en hoe je gaat onderzoeken. Aan het eind van het hoofdstuk komt aan de orde hoe je de meest passende strategie kiest.

Doelstellingen bij dit hoofdstuk:

- weten aan welke criteria wetenschappelijk onderzoek moet voldoen;
- de begrippen controleerbaarheid, betrouwbaarheid, generaliseerbaarheid en validiteit kunnen uitleggen met voorbeelden;
- weten welke soorten bureauonderzoek er zijn, wanneer je ze kunt toepassen en hoe je ervoor kunt zorgen dat bureauonderzoek zo goed mogelijk aan de wetenschappelijke criteria voldoet;
- weten welke soorten surveys er zijn, wanneer je ze kunt toepassen, wat voor steekproef je moet gebruiken (grootte en manier van trekken), wat van belang is voor de respons en hoe je er verder voor zorgt dat surveys zo goed mogelijk aan de wetenschappelijke criteria voldoen;
- weten welke soorten kwalitatief (veld)onderzoek er zijn, wanneer je ze kunt toepassen en hoe je ervoor kunt zorgen dat kwalitatief (veld)onderzoek zo goed mogelijk aan de wetenschappelijke criteria voldoet;
- weten welke soorten experimentele ontwerpen er zijn, wanneer je ze kunt toepassen en hoe je ervoor kunt zorgen dat experimenten zo goed mogelijk aan de wetenschappelijke criteria voldoen.

Kader 3.1

3.1 Wetenschappelijk onderzoek

Dit boek gaat over *wetenschappelijk onderzoek*: onderzoek dat voldoet aan bepaalde regels en criteria. In de praktijk van alledag is er ook sprake van niet-wetenschappelijk onderzoek. Een organisatie wil bijvoorbeeld snel een beeld van wat er leeft onder de medewerkers en neemt zonder onderzoeksopzet, probleemstelling of verantwoording een enquête af onder enkele medewerkers. Op internet zien we opinieonderzoek: er staat een stelling op een website en mensen krijgen een bepaalde tijd te reageren op die stelling. Vervolgens wordt geconcludeerd dat 70 procent van 'de Nederlanders' een bepaalde mening heeft. Bovenstaande voorbeelden voldoen vaak niet aan de vereiste regels en kwaliteitscriteria. Daarom kunnen we ze classificeren als 'niet-wetenschappelijk'.

wetenschappelijk onderzoek

De term 'wetenschappelijk' heeft te maken met de regels waaraan onderzoek moet voldoen om bepaalde conclusies te kunnen trekken: de methodologie van het doen van onderzoek. Je onderzoek moet dus voldoen aan bepaalde criteria. Hoe belangrijk die criteria zijn hangt af van wat je met de gevonden uitkomsten wilt doen. Een voorbeeld is generaliseerbaarheid. Als je alleen iets wilt vertellen over de mensen die je gesproken hebt dan hoeft je onderzoek aan minder eisen te voldoen dan wanneer je wel wilt generaliseren naar een groep die groter is dan de groep die je hebt gesproken. We bespreken hier eerst in het algemeen enkele criteria om vervolgens per strategie concreter in te gaan op de toepassing ervan.

3.1.1 *Controleerbaarheid/intersubjectiviteit*

Eén van de kenmerken van wetenschappelijk onderzoek is dat de uitkomsten los staan van de onderzoeker. Onderzoek moet *controleerbaar* zijn. Je beschrijft de verschillende keuzes en afwegingen die je hebt gemaakt zodat een andere onderzoeker kan controleren of dit logische keuzes en afwegingen zijn. Controleerbaarheid is van belang in verschillende fases van het onderzoek. Van tevoren beschrijf je wat je van plan bent te gaan doen in een onderzoeksopzet. De opdrachtgever kan op basis van de opzet beoordelen of het onderzoek de kant op gaat die hij verwacht en eventueel kan hij het nog bijstellen. In het onderzoeksrapport zelf vertel je hoe je het onderzoek hebt uitgevoerd. Door te beschrijven wat je precies hebt gedaan kan worden gecontroleerd of je onderzoek voldeed aan de verschillende criteria. Hiermee laat je zien of het onderzoek werkelijk los staat van jou als onderzoeker.

controleerbaar

Objectiviteit? 'Vindt u ook niet dat een verzorgd uiterlijk onbelangrijk is?'

Het onderzoek moet dus los staan van de opvattingen van de onderzoeker zelf. Met andere woorden: het moet zo 'objectief' mogelijk zijn. Objectiviteit is een lastige term, daarom wordt ook wel gesproken van *intersubjectiviteit*. Als een andere onderzoeker het onderzoek op dezelfde manier, dezelfde tijd en dezelfde plaats uitvoert, dan moeten dezelfde feiten boven tafel komen. Het onderzoek moet dus 'herhaalbaar' zijn. Daarom neem je in het onderzoeksverslag het onderdeel *onderzoeksverantwoording* op. Als je stap voor stap beschrijft wat je hebt gedaan, kan een andere onderzoeker in theorie het onderzoek herhalen. In de praktijk schuilt hier wel een addertje onder het gras. Want hoe realiseer je dat andere onderzoekers op precies hetzelfde tijdstip hetzelfde onderzoek onder precies dezelfde mensen doen? Als een andere onderzoeker het onderzoek slechts een uur nadat jij het onderzoek hebt gedaan herhaalt, dan zullen er al andere uitkomsten te verwachten zijn. De respondenten hebben de vragen immers al een keer gehoord. Ook als een andere onderzoeker andere respondenten benadert kun je verschillen verwachten. De kern van de wetenschappelijke methode is wel dat wanneer je het onderzoek op ongeveer hetzelfde moment met vergelijkbare respondenten zou herhalen, je met een bepaalde zekerheid kunt zeggen dat er ongeveer hetzelfde uit zal komen.

intersubjectiviteit

onderzoeksverantwoording

3.1.2 Betrouwbaarheid

toevallige fouten Betrouwbaarheid kun je omschrijven als de mate waarin het onderzoek vrij is van *toevallige fouten*. Het is van belang van tevoren zo veel mogelijk uit te sluiten

dat je onbewust en/of bewust fouten maakt. Bij betrouwbaarheid spelen globaal vier factoren een rol:
– de onderzoeker
– de onderzochte
– de omgeving
– het instrument.

De *onderzoeker* kan bijvoorbeeld onbewust sturend optreden of gegevens op een bepaalde manier willen interpreteren. Beide gevallen vormen een gevaar voor de objectiviteit. De *onderzochte* kan bijvoorbeeld moeite hebben met het geven van zijn of haar mening. Dit noemen we sociaal wenselijkheid. De *omgeving* kan ook invloed hebben op de betrouwbaarheid. Als andere mensen meeluisteren, kan dat van invloed zijn op het antwoord dat iemand geeft. Ook hier is sprake van sociaal wenselijkheid. Als laatste kan het gebruikte *instrument* de betrouwbaarheid verstoren. Als in een vraag een moeilijk woord of begrip staat, dat niet voor iedereen hetzelfde betekent, dan kan dat het antwoord van de respondent beïnvloeden. In de onderzoeksverantwoording leg je uit welke aspecten op welke manier een rol kunnen spelen. Daarbij gaat het er vooral om dat je uitlegt hoe je van plan bent de kans op toevalsfouten zo klein mogelijk te houden.

3.1.3 Generaliseerbaarheid

Een onderzoek is generaliseerbaar als de gevonden resultaten niet alleen gelden voor de specifieke groep of het specifieke verschijnsel dat je hebt onderzocht. Als de gevonden resultaten ook gelden voor andere groepen en andere verschijnselen wordt dat generaliseren genoemd. Niet ieder onderzoek hoeft generaliseerbaar te zijn. Zo zei een manager communicatie van een grote fabriek in Zwolle eens: 'Het maakt me niet uit of de uitkomsten van het onderzoek generaliseerbaar zijn. Het feit dat uit jullie onderzoek blijkt dat er mensen zijn die ontevreden zijn, is voor mij belangrijk genoeg om er wat aan te doen.' Toch roepen veel opdrachtgevers meteen dat het onderzoek 'representatief' moet zijn. Daarbij bedoelen ze dat de gevonden uitkomsten niet alleen gelden voor de mensen die zijn onderzocht, maar dat die mening verhoudingsgewijs in het hele bedrijf in dezelfde mate leeft. Om te mogen generaliseren moet je onderzoek voldoen aan bepaalde voorwaarden.

Generaliseren kun je doen op verschillende manieren. Bij veel onderzoek is er sprake van *indicatieve generalisatie*. Dit houdt in dat de gegevens gevonden in de steekproef een indicatie zijn voor wat vermoed wordt over de populatie. In dit geval worden er dus geen harde uitspraken over de populatie gedaan, alleen sug-

indicatieve generalisatie

nauwkeurige generalisatie
gesties. Indicatieve generalisatie zie je vaak bij kwalitatief (veld)onderzoek. Soms is een *nauwkeurige generalisatie* nodig. Wanneer je precies wilt aangeven wat de populatie vindt op basis van gegevens uit de steekproef, dan moet je steekproef aan meer voorwaarden voldoen dan bij de indicatieve generalisatie. Immers, je wilt nu wel harde uitspraken over de populatie doen. Bij kwantitatief onderzoek zie je vaker nauwkeurige generalisatie.

3.1.4   Validiteit

systematische fouten
Bij betrouwbaarheid gaat het om toevallige fouten, maar bij (interne) validiteit gaat het om *systematische fouten*. De gemaakte fout zit dan consequent door het gehele onderzoek heen. Een onderzoek is valide als het onderzoek die gegevens heeft opgeleverd die de onderzoeker wilde meten. Er zijn verschillende vormen van interne validiteit. 'Many forms of validity are mentioned in the research literature, and the number grows as we expand the concern for more scientific measurement.'[30] Oftewel, in de onderzoeksliteratuur kun je verschillende vormen van interne validiteit vinden omdat we in de samenleving steeds meer zaken wetenschappelijk willen meten. Wij beperken ons tot begripsvaliditeit en de interne validiteit van causale verbanden.

Een vorm van interne validiteit is de *begripsvaliditeit*: het begrip dat je van plan bent te meten wordt ook werkelijk onderzocht. Als je begrippen niet goed operationaliseert, gaat er systematisch iets in je onderzoek fout. Begripsvaliditeit kun je verhogen door het zorgvuldig formuleren van begrippen en door vooraf de vragenlijst of observatie-instructies te testen. Verder is de begripsvaliditeit meestal hoger als het begrip uit de vraagstelling door middel van bestaande communicatietheorieën geoperationaliseerd is naar meetbare variabelen. Ook kun je gebruikmaken van al gebruikte meetinstrumenten door andere gerenommeerde onderzoekers, denk bijvoorbeeld aan het gebruik van het reputatiequotiënt van Van Riel.

causale verbanden
Een andere vorm van interne validiteit is de mate waarin je goede conclusies kunt trekken over oorzakelijke verbanden (ook wel *causale verbanden* genoemd). Er zijn drie voorwaarden waaraan een verband moet voldoen om oorzakelijk (causaal) genoemd te worden:

1 co-variatie (statistisch verband): als de ene variabele varieert, varieert ook de andere variabele
2 tijdsvolgorde: oorzaak komt voor het gevolg
3 geen storende derde variabele (schijnverband).

In kader 3.2 geven we een voorbeeld van een onderzoek naar een causaal verband.

Voorbeeld van causaal verband

In onderstaand krantenartikel *Een op drie kinderen onnodig op dieet*[31] wordt door middel van een experiment aangetoond of koemelk werkelijk de oorzaak is van bepaalde uitslag of diarree bij jonge kinderen.

Een op drie kinderen onnodig op dieet

Door Arend van Wijngaarden

GRONINGEN ■ Minstens 30 procent van de kinderen van wie wordt aangenomen dat ze allergisch zijn voor voedsel, blijken helemaal geen echte voedselallergie te hebben. Die kinderen zijn vaak jarenlang onnodig op een streng dieet gezet. Dat concludeert scheidend kinderarts Charles Bijleveld, een van de oprichters van de voedselprovocatie-unit van het Universitair Medisch Centrum Groningen.

Veel ouders wijten het huilen van hun kind, uitslag of diarree aan het eten of drinken van koemelk, pinda's of kippeneieren. Dergelijke voedselallergie komt steeds meer voor onder kinderen en dat kan erg lastig zijn. Probeer maar eens helemaal geen producten met melk of eieren meer te eten. Het hele leven van de kinderen en hun ou-

ders kan er door beheerst worden.

Of een kind echt voedselallergie heeft, is moeilijk vast te stellen. "Terwijl het juist erg belangrijk is om zekerheid te hebben, bestond er geen goede wetenschappelijk onderbouwde manier om het aan te tonen", zegt Bijleveld.

Kindergastro-enteroloog dr. Bijleveld en internist-allergoloog dr. Ewoud Dubois richtten daarom in 2001 het Centrum voor Kinderallergologie op in het toenmalige AZG. In dat centrum krijgen kinderen allerlei verschillende voedingsmiddelen te eten waarvoor ze vermoedelijk allergisch zijn. Het bijzondere is dat dit dubbelblind gebeurt. De voedings-

middelen waarvoor het kind mogelijk allergisch is, zijn verstopt in iets anders. Het kind krijgt eenmaal de testvoeding met bijvoorbeeld ei of koemelk, en eenmaal zonder. Zowel de onderzoeker als het kind weet niet wanneer de allergie-veroorzakende stof er in zit. Zo kan er een eerlijker en betrouwbaarder vergelijking worden gemaakt.

De recepten die worden gegeven zijn uitgebreid onderzocht. Op geen enkele manier mogen de kinderen kunnen proeven of er bijvoorbeeld eieren in de pannenkoeken zitten. "We hebben zeventien recepten voorgelegd aan een ervaren smaakpanel in het Smaakcentrum van de Hanzehogeschool. Die proevers wisten zeven van die recepten toch nog te ontmas-

keren", vertelt Bijleveld. "Dat was een openbaring. Blijkbaar was de manier waarop wij daarvoor allergie testten niet goed genoeg."

Het centrum test nu zo'n honderd kinderen per jaar, en krijgt medici uit alle delen van Nederland op bezoek. "De grote winst is dat we vermeende voedselallergie nu betrouwbaarder kunnen aantonen of uitsluiten", zegt Bijleveld: "Bij de kinderen die niet allergisch blijken te zijn, moeten de klachten door iets anders dan voeding worden veroorzaakt."

■ VERTREK

Dr. Charles Bijleveld heeft afscheid genomen van het UMCG na een carrière van 26 jaar als maag-, darm- en leverfarts voor kinderen. Naast de voedselallergie is vooral het programma voor levertransplantaties bij kinderen een van zijn wapenfeiten. Hij gaat op 61-jarige leeftijd met vervroegd pensioen.

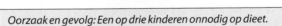

Oorzaak en gevolg: Een op drie kinderen onnodig op dieet.

Het gaat hier om een causaal verband, immers, er is sprake van:

1. Co-variatie (statistisch verband)
Sommige kinderen zijn allergisch voor bepaalde voedselsoorten. In dit voorbeeld werd als volgt gevarieerd: kinderen krijgen testvoeding met en zonder koemelk. Er wordt dus in de voeding ge-

varieerd met koemelk om te achterhalen of dit de allergie veroorzaakt.

2. Tijdsvolgorde
De oorzaak komt voor het gevolg. In dit geval voor de hand liggend: eerst wordt er koemelk geconsumeerd, daarna heeft een kind wel of niet een allergische reactie.

Kader 3.2

Vervolg	
3. Geen storende derde variabele (schijnverband) In dit voorbeeld wordt een storende variabele (het 'herkennen van een product') geneutraliseerd. De gedachtegang is: als kinderen 'weten' dat ze aller-	gisch zijn voor koemelk, dan krijgen ze een reactie door het drinken van melk. De kinderen in dit voorbeeld kregen echter testvoeding waarbij ze niet konden zien of proeven of er koemelk in zat of niet.

Alledrie de voorwaarden moeten aanwezig zijn om te kunnen spreken van een causaal verband. Soms hangen variabelen wel samen (er is dus co-variatie), maar de tijdsvolgorde speelt geen rol en je kunt geen richting geven aan het verband. Een voorbeeld hiervan is een onderzoek naar de relatie tussen luisteraars die naar gewelddadige muziekteksten luisteren en het wel of niet hebben van agressieve gedachten.[32]

Figuur 3.1 Verband muziekteksten en agressie

Juist de tweede voorwaarde, de tijdsvolgorde, is hierbij lastig aan te tonen. Zullen mensen die vaker agressieve gedachten hebben, sneller naar muziek luisteren met gewelddadige teksten? Of heeft het luisteren naar gewelddadige teksten agressieve gedachten tot gevolg? Het is moeilijk hierbij aan te geven wat eerst komt, de kip of het ei. Hooguit kan worden aangetoond of mensen die naar gewelddadige teksten in muziek luisteren vaker agressieve gedachten hebben.

De derde voorwaarde is vaak de lastigste voorwaarde bij het aantonen van verbanden. Een simpel 'oorzaak-gevolgmodel' kan daarmee geheel onderuitgehaald worden. We zullen dit illustreren met een voorbeeld. Op dit moment (2006) kiezen meer meisjes dan jongens de opleiding Communicatie. Bij de opleiding Techniek zie je het omgekeerde: meer jongens dan meisjes melden zich aan voor een technische studie. Hieruit kun je concluderen dat de keuze voor een bepaalde opleiding 'samenhangt' met het geslacht van de student.

Figuur 3.2 Verband geslacht en opleiding

Maar is dit ook een causaal verband? Is hier sprake van oorzaak en gevolg? Het lijkt er wel op, aan voorwaarde 1 en 2 is immers voldaan. Als het geslacht varieert dan varieert ook de opleidingskeuze en je bent eerst een jongen of een meisje om vervolgens een opleiding te kiezen. Vooral de derde voorwaarde is in dit voorbeeld een groot probleem: is het een biologische bepaaldheid, bijvoorbeeld het idee dat meisjes op biologische gronden (bijvoorbeeld door de hormoonhuishouding) communicatiever ingesteld zijn dan jongens? Of is het cultureel bepaald? Worden meisjes bijvoorbeeld zó opgevoed dat ze communicatiever zijn dan jongens? Dan speelt opvoeding dus ook een rol. Opvoeding is in dat geval een storende derde variabele. We spreken in dat geval van samenhang en niet van causaliteit.

Het *experiment* wordt vaak gezien als de meest zuivere vorm waarmee je oorzaak en gevolg kunt aantonen. In kader 3.2 wordt door middel van een experiment aangetoond of koemelk werkelijk de oorzaak is van bepaalde uitslag of diarree bij jonge kinderen. Naast het experiment als strategie om oorzakelijke verbanden op te sporen wordt ook wel *kwalitatief (veld)onderzoek* gebruikt. Het is bij deze strategie de bedoeling te achterhalen waarom mensen zelf denken dat ze bepaalde keuzes maken. Je gaat op zoek naar het waarom van gedrag. Met kwalitatief (veld)onderzoek kun je mogelijke verklaringen vinden, maar je kunt ze nog niet 'bewijzen'. Daarvoor onderzoek je meestal een te kleine groep. Ook een survey en een bureauonderzoek zijn strategieën die ingezet kunnen worden voor het onderzoeken van een verband. Met behulp van een *survey* kun je de eerste voorwaarde (co-variatie) aantonen. Hiervoor maak je gebruik van toetsende statistiek (zie ondermeer de Chi^2-toets in hoofdstuk 5), Wel moet je dan nog zelf goed nadenken over de twee andere voorwaarden (tijd en storende derde variabelen). Tot slot gebruik je vaak bureauonderzoek om bestaande theorieën over oorzakelijke verbanden te bestuderen.

3.1.5   *Kenmerken van de verschillende onderzoeksstrategieën*

Je weet nu aan welke criteria een wetenschappelijk verantwoord onderzoek moet voldoen. Nu kun je beginnen aan het echte onderzoeksontwerp. Op basis van het soort probleem dat je onderzoekt heb je een strategie (methode) gekozen. De gemaakte keuzes en praktische uitwerking van de strategie komen in je onderzoeksopzet, dit vormt de eerste onderzoeksfase. In de onderzoeksopzet beschrijf je wat je van plan bent te gaan doen. Je vertelt dus welke strategieën je concreet kiest en hoe je het gaat aanpakken. In de uiteindelijke rapportage neem je een hoofdstuk 'methodologische verantwoording' op. Hierin beschrijf je wat je hebt gedaan. Per strategie leggen we nu uit waar je op moet letten bij het ontwerpen van je onderzoek. Dit doen we aan de hand van vier punten: wat, wie, waar en hoe. Verder geven we bij elke strategie aan hoe de begrippen betrouwbaarheid, generaliseerbaarheid en interne validiteit concreet werken.

	Wie	Wat	Waar	Hoe
Bureauonder-zoek	grote en kleine groepen	cijfers en bestaan-de kennis over gedrag	bureau, bibliothe-ken, databanken, internet	secundaire analyse
Survey	vooral grote groe-pen	opvattingen over gedrag	bureau, veld	vraagmethoden
Kwalitatief (veld)onder-zoek	vooral kleine groepen	opvattingen over gedrag + gedrag zelf	veld	vraagmethoden + observaties
Experiment	vooral kleine groepen	gedrag zelf	laboratorium, veld	vooral observaties, maar ook vraagme-thoden

Figuur 3.3   Schematische weergave kenmerken strategieën

3.2   Bureauonderzoek

secundaire analyse Bureauonderzoek noemen we ook wel deskresearch of *secundaire analyse*. Het is onderzoek waarbij je gebruikmaakt van bronnen uit de tweede hand: door andere onderzoekers 'neergeslagen'. Het gaat om gegevens 'neergeslagen': opge-schreven, opgenomen, getekend door anderen. Denk aan tekst, tekeningen, schil-derijen, foto's, beeld- en geluidsopnames. Het gaat dus om bestaande gegevens. Anderen hebben gegevens verzameld in databanken, bij onderzoeksbureaus en-zovoorts. Een voorbeeld van gegevens door anderen verzameld, zijn de gegevens van het Centraal Bureau voor Statistiek.[33] Hier wordt allerlei informatie verzameld over de Nederlander. Jij als onderzoeker kunt van deze gegevens gebruikmaken om bijvoorbeeld iets te zeggen over de doelgroep 'de Nederlander' in het algemeen of over 'de Amsterdammer' enzovoort.

3.2.1.   Bureauonderzoek: wat onderzoek je?

Bij bureauonderzoek onderzoek je gegevens die door anderen zijn verzameld en vastgelegd. Hierbij moet je denken aan tekst, tekeningen, schilderijen, foto's, beeld- en geluidsopnames et cetera. In kader 3.3 geven we voorbeelden van gege-vens die met behulp van bureauonderzoek kunnen worden onderzocht.

Voorbeelden van gegevens die met behulp van bureauonderzoek kunnen worden onderzocht

Basisschool Roosje

- gegevens medewerkers: opbouw naar geslacht, leeftijd, functie
- visie/missie bedrijf
- beleidsplannen: organisatiestructuur, intern communicatieplan
- vergaderstukken en dergelijke
- bestaand onderzoek over interne communicatie.

Dameskledingzaak For You

- gegevens medewerkers: opbouw naar geslacht, leeftijd, functie
- visie/missie bedrijf: ondernemingsplan
- beleidsplannen: marketingplan, marketingcommunicatieplan, vergaderstukken en dergelijke
- gegevens over bestaande klanten: opbouw naar geslacht, leeftijd, koopgedrag
- concurrentieanalyse: andere soortgelijke winkels
- omgevingsfactoren/krachtenveld denk bijvoorbeeld aan de locatie van de winkel
- bestaand onderzoek over consumentengedrag en marketingcommunicatie.

Voorlichtingscampagne identificatieplicht

- visie/missie bedrijf: de doelen van Postbus 51
- gegevens over de doelgroep: opbouw naar geslacht, leeftijd, opleidingsniveau
- concurrentieanalyse: andere soortgelijke campagnes
- omgevingsfactoren: omschrijving krachtenveld, aspecten van invloed op de campagne (bijvoorbeeld wetgeving en boetes)
- bestaand onderzoek over andere voorlichtingscampagnes.

Thuiszorgorganisatie Weltevreden

- visie/missie bedrijf: welk beeld wil het bedrijf uitstralen?
- gegevens over de doelgroepen: opbouw naar geslacht, leeftijd, opleidingsniveau
- concurrentieanalyse: reputaties van andere bedrijven
- bestaand onderzoek over reputaties van andere bedrijven.

Kader 3.3

3.2.2 Bureauonderzoek: wie onderzoek je?

Bureauonderzoek is een strategie waarbij je zowel grote als kleine aantallen onderzoekseenheden kunt onderzoeken.

Groot/kwantitatief: De gegevens van het cbs gaan over 'alle Nederlanders', de gegevens die bij een gemeente staan geregistreerd betreffen 'alle inwoners' van die gemeente en de consumentgegevens van een bepaalde winkelketen is informatie over alle aankopen die de consument over een bepaalde periode heeft gedaan. Het gaat dus steeds om grote aantallen mensen waarvan je kwantitatieve gegevens hebt. Ook een inhoudsanalyse (zie verderop in dit hoofdstuk) van documenten kan kwantitatief zijn, bijvoorbeeld als je telt hoe vaak bepaalde woorden voorkomen.

Klein/kwalitatief: Een inhoudsanalyse kan ook kwalitatief zijn. Wanneer je dagboeken analyseert en bekijkt hoe de opvattingen van mensen over een periode van vijftig jaar veranderd zijn, dan spreken we van een kwalitatieve inhoudsanalyse. Door de jaren heen analyseer je steeds enkele dagboeken; kleine groepen dus.

3.2.3 Bureauonderzoek: waar onderzoek je?

Bureauonderzoek, de naam zegt het al, doe je vanachter je bureau. Veel onderzoek wordt vandaag de dag gedaan via internet. Hierover zijn verschillende praktische handboeken geschreven welke je kunt raadplegen voor tips.[34] Veel hogescholen geven trainingen aan studenten over waar je wat kunt vinden.

Alle studenten hebben in principe toegang tot mediacentra met specifieke databases en naslagwerken (zie ook figuur 3.4). Via het mediacentrum kunnen studenten gratis gebruikmaken van databanken, zoals Lexis Nexis NewsPortal. Via deze databank kan bijvoorbeeld in (regionale) kranten en tijdschriften gezocht worden op artikelen. Je hebt ook toegang tot Picarta: een database met materiaal van wetenschappelijke en openbare bibliotheken. De artikelen kunnen niet bekeken worden. Wel wordt aangegeven waar het artikel te vinden is en via de mediatheek kun je het artikel of boek opvragen. Ook kun je zoeken via de digitale bibliotheken van de instelling zelf, met online artikelen. Op de website van je hogeschool vind je online cursussen, die je zelf kunt volgen om meer kennis op te doen over het zoeken naar literatuur. Zo kunnen studenten van de Hogeschool Windesheim bijvoorbeeld de webcursus hit Online volgen. Dit is een computercursus waarmee je stapsgewijs verschillende informatievaardigheden leert oefenen, zoals de kwaliteit van de informatie op het internet.

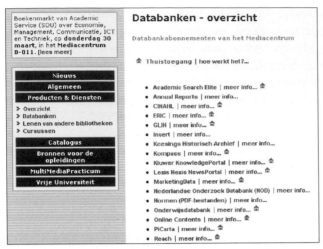

Figuur 3.4 Inhoudsopgave Mediacentrum

Om boeken te krijgen, zul je toch vaak een bibliotheek inlopen. Veel bibliotheken hebben elektronische databases, waarin je het boek kunt opzoeken. Maar het zoeken in de bibliotheek ter plaatse brengt ook voordelen met zich mee. Je ziet de boeken op de plank staan per onderwerp; het ene boek brengt je zo weer bij andere exemplaren die je misschien via de elektronische manier niet gevonden had. Daarnaast kunnen niet alle boeken uitgeleend worden en zul je ze dus in de bibliotheek moeten bekijken. Ook mag je in archieven niet altijd kopietjes maken. Bestudering van materiaal ter plaatse is dus, ook in het huidige digitale tijdperk, een interessante optie.

3.2.4 Bureauonderzoek: hoe onderzoek je?

Hoe je bureauonderzoek gaat uitvoeren hangt af van de te zoeken gegevens. We kunnen verschillende vormen van bureauonderzoek onderscheiden:
- literatuuronderzoek
- databestanden, archieven, registraties en dossiers
- inhoudsanalyse.

De eerste vorm van bureauonderzoek is *literatuuronderzoek*. Bij elke vorm van onderzoek zoals we die bespreken in dit boek wordt wel gebruikgemaakt van literatuur. Denk maar aan het bestuderen van de communicatietheorie voor het formuleren van de probleemstelling. Je bekijkt het probleem bijvoorbeeld vanuit de marketingcommunicatie, dus je gebruikt theorieën over hoe marketingcommunicatie werkt, bijvoorbeeld hoe consumenten aankoopbeslissingen nemen.

literatuur-onderzoek

De bestudering van literatuur om een probleemstelling te definiëren, wordt eigenlijk zelf niet als onderzoek gezien, maar hoort bij het werk dat je doet om een onderzoeksopzet te schrijven. Op het moment dat je theorieën gaat vergelijken, verschillende invalshoeken gaat bestuderen en de inzichten tegen elkaar afweegt spreek je van literatuuronderzoek. Je hebt dan ook vraagstellingen over de theorie geformuleerd. Je zet dan verschillende theoretische inzichten naast elkaar en vergelijkt theorieën op bepaalde aspecten. Het bureauonderzoek begint dus pas als je daarmee antwoorden wilt vinden op je vraagstellingen.

Bij literatuuronderzoek kun je allerlei bronnen gebruiken. Het gaat dus niet alleen om vakliteratuur of om theorieën over communicatie, cultuur of gedrag. Allerlei soorten schriftelijk materiaal kunnen van belang zijn, denk bijvoorbeeld aan de beleidsnota's van een bedrijf, eerdere communicatieplannen, vergaderstukken enzovoort. In kader 3.4 geven we voorbeelden van literatuur die je kunt gebruiken voor bureauonderzoek.

Voorbeelden van bureauonderzoek met behulp literatuuronderzoek

Basisschool Roosje
- theorieën over interne communicatie
- bestaand onderzoek over interne communicatie en ICT
- beleidsplannen over de organisatiestructuur, over interne communicatie, een intern communicatieplan
- vergaderstukken en dergelijke.

Dameskledingzaak For You
- theorieën over marketingcommunicatie
- bestaand onderzoek over consumentengedrag en marketingcommunicatie
- ondernemingsplan, marketingplan, marketingcommunicatieplan, vergaderstukken en dergelijke.

Voorlichtingscampagne identificatieplicht
- theorieën over concerncommunicatie
- bestaand onderzoek over voorlichting
- beleidsstukken met daarin de doelen van Postbus 51.

Thuiszorgorganisatie Weltevreden
- theorieën over concerncommunicatie
- bestaand onderzoek over voorlichting
- beleidsplannen, bijvoorbeeld over de visie/missie van een bedrijf over de gewenste beeldvorming.

Kader 3.4

Een tweede vorm van bureauonderzoek is de studie van *databestanden*, archie-   *databestan-*
ven, registraties en dossiers. Deze vorm komt veel vaker voor bij toegepast com-   *den*
municatieonderzoek. Enkele voorbeelden van databestanden die je kunt gebruiken zijn de bestanden van het Centraal Bureau voor Statistiek (cbs), het Sociaal
Cultureel Planbureau (scp) enzovoort. Denk hierbij ook aan gegevens die je kunt
vinden bij een gemeente over de burgers (geslacht, leeftijd, burgerlijke staat, aantal kinderen enzovoort). Een voorbeeld van gegevens die geregistreerd worden
zijn de registratiegegevens van consumentengedrag. Veel winkels gebruiken
klantenkaarten, waarop elke aankoop van de consument geregistreerd wordt.
Deze gegevens zijn vaak niet openbaar, maar doe je onderzoek voor een dergelijke winkelketen dan zou je daar gebruik van kunnen maken. Verder worden bij
allerlei instanties dossiers gemaakt: van patiënten, van uitkeringsgerechtigden
enzovoort. Ook hier geldt weer de openbaarheid: niet alle gegevens zijn door
iedere onderzoeker op te vragen. Kader 3.5 geeft voorbeelden van vragen die je
met behulp van databestanden en dergelijke kunt beantwoorden.

**Voorbeelden van bureauonderzoek met behulp van
databestanden, archieven, registraties en dossiers**

Basisschool Roosje
- Wat is de opbouw naar geslacht van
  de medewerkers bij basisschool
  Roosje?
- Wat is de opbouw naar leeftijd van de
  medewerkers bij basisschool Roosje?
- Wat is de opbouw naar functie van de
  medewerkers bij basisschool Roosje?

Dameskledingzaak For You
- Wat is de opbouw naar geslacht van
  de medewerkers van dameskleding-
  zaak For You?
- Wat is de opbouw naar leeftijd van de
  medewerkers van dameskledingzaak
  For You?
- Wat is de opbouw naar leeftijd van de
  consumenten van dameskledingzaak
  For You?
- Welke concurrenten zijn er in een
  straal van 30 kilometer rond dames-

kledingzaak For You?

*Voorlichtingscampagne identificatie-
plicht*
- Wat is de opbouw naar geslacht van
  de doelgroep van de voorlichtingscampagne identificatieplicht?
- Wat is de opbouw naar leeftijd van de
  doelgroep van de voorlichtingscampagne identificatieplicht?

Thuiszorgorganisatie Weltevreden
- Wat is de opbouw naar geslacht van
  de doelgroep van de thuiszorgorganisatie Weltevreden?
- Wat is de opbouw naar leeftijd van de
  doelgroep van thuiszorgorganisatie
  Weltevreden?
- Wat zijn de reputaties van andere
  soortgelijke bedrijven?

Kader 3.5

inhouds- *Inhoudsanalyse*, waarbij je teksten inhoudelijk analyseert, is de derde vorm van
analyse bureauonderzoek. Denk aan het analyseren van kranten, tijdschriften, reclame-
materiaal, foto's, schilderijen, muziek, films, brieven, dagboeken en dergelijke.
Kortom: er is een diversiteit aan materiaal dat je op inhoud kunt analyseren. Het
analyseren van uitgeschreven interviews is in feite ook een vorm van inhoudsanalyse (zie hoofdstuk 5). Kader 3.6 geeft een voorbeeld.

Voorbeeld inhoudsanalyse: humor in commercials gericht op kinderen, tieners en volwassen[35]

Drie onderzoekers hebben onderzoek gedaan naar aard en voorkeur van humor in televisiecommercials gericht op kinderen (2-12 jaar), tieners (12-18 jaar) en volwassenen (> 18 jaar). De spotjes werden uitgezonden vanaf de herfst van 1998 tot en met de lente van 1999 op Nederland 1, Nederland 3, RTL4, Veronica en TMF. Een van de doelen van dit onderzoek was typen humor te onderscheiden per leeftijdsgroep om te kunnen voorspellen en begrijpen welke reclame-effecten te verwachten zijn bij de verschillende doelgroepen. Enkele onderzochte vraagstellingen zijn:

Welke typen humor komen het meest voor in televisiereclames?

Hoe verschillen deze typen humor in reclames gericht op verschillende leeftijds- en seksegroepen?

Twee beoordelaars moesten eerst bepalen of 601 verschillende commercials humoristisch bedoeld waren. Vervolgens werden de commercials aan de hand van een lijst met 41 humortechnieken beoordeeld.

Kader 3.6

Het voorbeeld in kader 3.6 gaat om een analyse van beelden, namelijk reclamespotjes. In hoofdstuk 4 wordt aan de hand van dit voorbeeld dieper ingegaan op
de manier waarop de gegevens verzameld zijn. In kader 3.7 geven we nog een
aantal voorbeelden van inhoudsanalyse.

Voorbeelden van bureauonderzoek met behulp van inhoudsanalyse

Basisschool Roosje
- formele middelen inhoudelijk beoordelen op ....criteria voor formele middelen...

Dameskledingzaak For You
- de direct mails van de afgelopen twee jaar inhoudelijk beoordelen op...criteria voor een direct mail...

Kader 3.7

Vervolg	
Voorlichtingscampagne identificatie-plicht	*Thuiszorgorganisatie Weltevreden*
– de voorlichtingscampagne zelf in-houdelijk beoordelen op… criteria voor een voorlichtingscampagne…	– advertenties van het bedrijf in bij-voorbeeld dagbladen inhoudelijk be-oordelen op …criteria voor adverten-ties…

Inhoudsanalyse richt zich dus op de inhoud van communicatiemiddelen. Per middel moet je eerst vaststellen wat criteria zijn waarop je het middel inhoudelijk kunt beoordelen. Deze criteria haal je uit de (communicatie)theorie. Een inhoudsanalyse bevat dus meestal ook literatuuronderzoek; namelijk de (communicatie)literatuur die je moet bestuderen om criteria vast te stellen.

3.2.5   Betrouwbaarheid van een bureauonderzoek

Bij betrouwbaarheid van een bureauonderzoek spelen de vier factoren op verschillende manieren een rol:

De onderzoeker – Bij bureauonderzoek is het de onderzoeker die een schifting maakt in het te gebruiken materiaal. Er kunnen toevallige fouten ontstaan, doordat een onderzoeker een zoekterm niet goed gebruikt. In het geval van de inhoudsanalyse van humor in commercials speelt de achtergrond van de beoordelaar een rol, vandaar dat bijvoorbeeld gekozen wordt voor twee beoordelaars. Ook door te beschrijven op basis van welke criteria een schifting gemaakt wordt kun je de rol van de individuele onderzoeker kleiner maken.

De onderzochte – In dit geval gaat het om secundaire analyses. Dat betekent dat iemand anders het materiaal bijvoorbeeld heeft opgeschreven, gefilmd of gefotografeerd. De toevallige fouten die hierbij gemaakt zijn, kun je niet altijd controleren.

De omgeving – Dit is bijvoorbeeld het bedrijf waar je de gegevens vandaan haalt. Is het bedrijf betrouwbaar? Is er openheid van zaken? Als er geen openheid van zaken is, als gegevens achtergehouden worden, dat kun je niet gebruiken in je onderzoek. Je kunt de organisatie op zogenoemde instantiekenmerken beoordelen:
– Wie is de eigenaar? (bijvoorbeeld overheid versus particulier)
– Wat is het belang? (bijvoorbeeld publiek belang versus verkoopcijfers)
– Wat is de manier waarop gegevens tot stand komen? (bijvoorbeeld onderzoek

volgens regels versus journalistieke 'roddel')
– Wat is de reputatie van het bedrijf als 'betrouwbare bron'?

Het instrument – Hierbij gaat het om de waarde en de geloofwaardigheid van de informatie. Je kunt de informatie beoordelen op informatiekenmerken (inhoud) en mediumkenmerken (vorm).
Bij de beoordeling van informatiekenmerken kun je denken aan:
– Welke soorten publicaties zijn er, wat is de waarde ervan?
– Is het een weerspiegeling van de werkelijkheid?
– Is er sprake van weergave van feiten of interpretaties van feiten?
Bij de beoordeling van mediumkenmerken spelen de volgende factoren een rol:
– snelheid informatie (internet/zakboekje/tijdschrift/dagblad)
– toegankelijkheid informatie (publiek versus beschermd/privé)
– beschikbaarheid (wegen kosten op tegen opbrengsten?).

Er zijn nog meer aspecten te bedenken die mogelijk een rol spelen bij je specifieke bureauonderzoek. Bedenk welke aspecten in je eigen specifieke onderzoek een rol spelen en geef in je onderzoeksopzet aan hoe je probeert de betrouwbaarheid zo hoog mogelijk oftewel de kans op toevallige fouten zo laag mogelijk te houden.

De keuze van de weergegeven cijfers speelt ook een rol in de mogelijkheden die je hebt. Zo is in de definitie van het cbs[36] een allochtoon iemand van wie tenminste één ouder in het buitenland geboren is. Als je vergelijkingen zou willen maken tussen allochtonen van wie één van de ouders geboren is in Engeland, en allochtonen van wie één van de ouders geboren is in België, dan heb je een probleem.

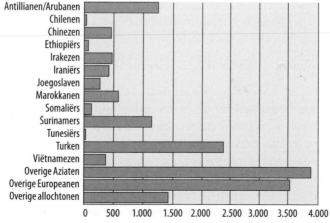

Figuur 3.5 Allochtonen naar etniciteit (per 1-1-2004)

In figuur 3.5 worden sommige allochtone groeperingen ingedeeld naar het land waar één van de ouders geboren is (Chilenen, Chinezen, Surinamers enzovoort), terwijl andere allochtone groeperingen alleen per werelddeel worden weergegeven (overige Aziaten, overige Europeanen). Allochtonen van wie één van de ouders geboren is in Engeland of België zullen vermoedelijk vallen onder overige Europeanen. Maar op basis van deze gegevens kun je geen vergelijkingen maken tussen Belgische en Engelse allochtonen.

Met de eerder genoemde online cursussen leer je waar je specifiek op moet letten bij bronnen via internet. Een bron, waarvan duidelijk is wie het geschreven heeft, is bijvoorbeeld betrouwbaarder dan een anonieme bron. Daarnaast kan het internetadres iets zeggen over de betrouwbaarheid. Een adres eindigend op .com is afkomstig van commerciële bedrijven. Zij hebben andere belangen dan overheidsinstanties (.org) of onderwijsinstellingen (.edu). Staat er een tilde (~) in de naam, dan gaat het om persoonlijke websites. Ook weblogs kun je gebruiken, op deze pagina's beschrijven mensen allerlei zaken die hen bezighouden (adressen eindigen bijvoorbeeld met .web-log.nl). Dit 'bloggen' levert informatie op over de eigen beleving. Lastig is echter de accuraatheid van de gegevens te achterhalen. Een informatie op een internetsite van een universiteit waarbij tevens de bron (een professor) wordt meestal betrouwbaarder geacht dan een weblog van een onbekend persoon. Voor het beoordelen van informatie op internet zijn de volgende punten van belang:
- geldigheid
- actualiteit
- accuraatheid
- status
- volledigheid
- dekking.

3.2.6 *Generaliseerbaarheid van een bureauonderzoek*

Bureauonderzoek is secundaire analyse, dus het hangt van het soort gegevens af of je kunt generaliseren. Veel gegevens van het CBS gaan bijvoorbeeld over alle Nederlanders. Er is dan dus geen sprake van een steekproef en je uitspraken gaan automatisch over alle Nederlanders. Andere gegevens gaan maar over een beperkte groep. Het hangt dan af van de manier waarop deze gegevens oorspronkelijk verzameld zijn, bijvoorbeeld via een survey of een kwalitatief (veld)onderzoek. Het hangt dan van deze strategie af op welke manier generalisaties mogelijk zijn (zie betreffende strategieën) Je kunt dus in zijn algemeenheid niet zeggen dat een bureauonderzoek altijd generaliseerbaar is.

3.2.7   Validiteit van een bureauonderzoek

Zoals gezegd vraag je je bij interne validiteit af: meet ik wat ik wil meten? Het gaat om *interne* validiteit, dus: meet ik wat ik in mijn probleemstelling heb omschreven op een adequate manier? Stel, je vergelijkt in je onderzoek criminaliteitscijfers van verschillende landen. Het begrip criminaliteit heb je geoperationaliseerd naar het aantal mensen dat in de gevangenissen zit van verschillende landen. Uit je onderzoek zou bijvoorbeeld kunnen blijken dat er verhoudingsgewijs meer criminaliteit is in Schotland dan in België. Je onderzoek is dan echter niet valide, omdat per land de leeftijd verschilt waarop strafvervolging plaatsvindt:
–   Schotland vanaf acht jaar
–   Engeland vanaf tien jaar
–   Nederland vanaf twaalf jaar
–   Duitsland vanaf veertien jaar
–   België vanaf zestien jaar.

Dit voorbeeldonderzoek wordt meer valide als je alleen een vergelijking maakt tussen gevangenen in de twee landen *vanaf* zestien jaar. Je probleemstelling pas je dus ook aan. Eerst was je doelstelling een vergelijking maken tussen de twee landen met betrekking tot het aantal gevangenen. De aangepaste doelstelling zal gaan over een vergelijking tussen de twee landen met betrekking tot het aantal gevangenen vanaf zestien jaar.

3.3   Survey

In dit deel staat de survey centraal. Vrij vertaald verstaan we onder een survey een enquête waarbij het geven van een *overzicht* centraal staat. Een survey is een strategie waarbij je grote aantallen onderzoekseenheden op diverse kenmerken onderzoekt. Er is bij een survey daarom meestal sprake van kwantitatief onderzoek. Je kwantificeert de uitkomsten en kunt dan bijvoorbeeld concluderen dat een meerderheid (80 procent) van de medewerkers tevreden is over de interne communicatie.

3.3.1   Survey: wat onderzoek je?

Bij een survey gaat het om het in kaart brengen van opvattingen over gedrag. Je wilt graag weten hoe mensen zich gedragen (in het verleden en in de toekomst), maar je kunt ze er alleen naar vragen en niet zien of ze daadwerkelijk doen wat ze zeggen. Daarom spreek je van het meten van *opvattingen over gedrag* in plaats van gedrag. Kader 3.8 geeft een voorbeeld van een vraag over opvattingen over gedrag.

Hoe vaak leest u per jaar het maandelijkse personeelsblad *'TeleVision'*?

1   12 t/m 10 keer per jaar
2   6 t/m 9 keer per jaar
3   5 keer per jaar of minder
4   nooit.

Kader 3.8

Je weet bij dit voorbeeld niet zeker of respondenten het personeelsblad zo vaak lezen als ze zeggen. Dit soort vragen zijn daardoor minder betrouwbaar. We stellen dit soort vragen wel, maar houden min of meer rekening met een zekere mate van sociaal wenselijkheid.

Andere vragen die je kunt stellen gaan juist over de opvattingen. In dat geval wil je juist weten wat de mening is van de mensen. Het gaat bij die vragen niet om gedrag, maar om meningen, om wat mensen vinden (opinieonderzoek). Kader 3.9 geeft hiervan een voorbeeld.

In hoeverre bent u het eens met de volgende uitspraken over de informatiepagina's van organisatie Telex in het personeelsblad *'TeleVision'*.

'Ik vind dat de informatiepagina's van de organisatie voldoende opvallen.'

1 zeer mee eens   2 mee eens   3 mee oneens   4 zeer mee oneens

'Ik vind de informatiepagina's van de organisatie nuttig.'

1 zeer mee eens   2 mee eens   3 mee oneens   4 zeer mee oneens

'Ik vind dat de informatiepagina's van de organisatie goed te begrijpen zijn.'

1 zeer mee eens   2 mee eens   3 mee oneens   4 zeer mee oneens

Kader 3.9

Kader 3.10 geeft een aantal voorbeelden van zaken die met een survey kunnen worden onderzocht.

Voorbeelden van gegevens die met behulp van survey kunnen worden onderzocht

Basisschool Roosje

- opvattingen van medewerkers over de frequentie van de gebruikte formele communicatiemiddelen
- het oordeel van de medewerkers over de inhoud en de vorm van de gebruikte formele communicatiemiddelen.

DameskledIngzaak For You

- opvattingen van consumenten over de producten van een winkel
- opvattingen van consumenten over de reclame-uitingen van een winkel.

Voorlichtingscampagne identificatieplicht

(afhankelijk van het doel van de campagne)

- de kennis van de doelgroep over de identificatieplicht en over de campagne zelf
- de houding van de doelgroep met betrekking tot de identificatieplicht en tot de campagne zelf
- de opvattingen van de doelgroep over het gedrag met betrekking tot de identificatieplicht na de campagne.

Thuiszorgorganisatie Weltevreden

- het oordeel van consumenten over thuiszorgorganisatie Weltevreden.

Kader 3.10

3.3.2   Survey: wie onderzoek je?

populatie De groep waarnaar je onderzoek wilt doen noemen we de *populatie*. Dit is bijvoorbeeld de groep waar de communicatie op gericht is, de groep die het product koopt of de groep voor wie de voorlichting bedoeld is. Een populatie kun je op verschillende kenmerken onderscheiden, bijvoorbeeld geslacht, leeftijd, soort medewerker, afdeling, opleiding, woonplaats, provincie, land. De populatie wordt in de statistiek aangeduid met de hoofdletter N. De precieze definitie van de populatie komt uit de probleemstelling. In de doelstelling maak je duidelijk op wie het onderzoek concreet betrekking heeft. Kader 3.11 geeft een aantal voorbeelden van populaties.

Voorbeelden van populaties op basis van de doelstellingen

Basisschool Roosje
Inzicht krijgen in de huidige (2004) formele en informele communicatielijnen en de rol van ICT *tussen medewerkers van basisschool Roosje* om advies te geven ter verbetering van de effectiviteit van ICT in de interne communicatie.
Populatie: alle medewerkers van basisschool Roosje.

Dameskledingzaak For You
Het doel van dit onderzoek is inzicht te krijgen in het aankoopproces van *bestaande klanten van dameskleding van dameskledingzaak For You* om advies te geven over de meest passende marketingmix
Populatie: alle bestaande klanten van dameskledingzaak For You.

Voorlichtingscampagne identificatieplicht
Dit onderzoek biedt inzicht in de effecten van de persuasieve voorlichtingscampagne Identificatieplicht in *Nederland* om advies te geven over voortgang van voorlichtingscampagnes.
Populatie: alle Nederlanders.

Thuiszorgorganisatie Weltevreden
Inzicht krijgen in de huidige reputatie *volgens werknemers en consumenten van thuiszorgorganisatie Weltevreden* om advies te geven over de te nemen maatregelen ter vergroting van de reputatie onder deze groepen.
Populatie: alle werknemers en consumenten van thuiszorgorganisatie Weltevreden.

Kader 3.11

Als de populatie klein is kun je populatieonderzoek doen. Dat betekent dat je de hele populatie gaat benaderen. Heeft een bedrijf bijvoorbeeld 500 bestaande klanten, dan kunnen alle klanten worden benaderd. Dit komt echter weinig voor. Bovendien: zelfs als een populatie klein is, doet nog niet iedereen mee. Mensen kunnen bijvoorbeeld ziek zijn of absoluut niet mee willen werken. Feitelijk is er in een dergelijk geval dan ook sprake van een steekproef, je onderzoekt immers niet iedereen.

Als de populatie groot is, is het qua tijd en geld niet mogelijk iedereen te onderzoeken. Stel dat een groot warenhuis met vestigingen in alle middelgrote en grote steden een onderzoek wil doen naar de tevredenheid van klanten. Bijna alle Nederlanders kopen wel eens iets in zo'n warenhuis, maar het is ondoenlijk om alle Nederlanders te benaderen voor je onderzoek. Daarom onderzoek je een deel van de populatie oftewel: je neemt een *steekproef*. Hoe groot een steekproef minimaal moet zijn, hangt af van de gekozen strategie. De steekproef wordt aangeduid met een kleine letter n. *steekproef*

bruto steek-
proef

non-respons

De totale groep die je benadert voor je onderzoek noemen we de *bruto steekproef.* Dit is in de praktijk nog niet hetzelfde als de werkelijk onderzochte groep mensen. Een steekproef is in feite iedereen die je een enquête stuurt. Maar niet iedereen die een enquête krijgt, zal deze ook terugsturen. We spreken dan van *non-respons.* Dit is het deel van de steekproef dat wel is benaderd, maar niet meedoet . Een voorbeeld: bij een telefonische enquête willen mensen vaak niet meewerken of blijken telefoonnummers niet te bestaan.

aanvanke-
lijke respons

uiteindelijke
respons
netto steek-
proef

Het deel van de steekproef dat wel meewerkt noemen we *aanvankelijke respons.* Dit is bijvoorbeeld de groep mensen die je schriftelijke enquête heeft teruggestuurd of meegewerkt heeft aan je telefonische enquête. Ook hier kunnen nog mensen afvallen. Enkele ingeleverde schriftelijke enquêtes kunnen onleesbaar zijn of bijna niet ingevuld (twee van de tweehonderd vragen zijn beantwoord), zodat je ze niet meeneemt in je onderzoek. Als je deze respondenten weglaat heb je de *uiteindelijke respons,*oftewel de groep respondenten die bruikbaar is voor je onderzoek. Dit zijn dus alle mensen die de enquête hebben ingevuld *en* teruggestuurd *en* waarvan de gegevens bruikbaar zijn voor je onderzoek, ook wel de *netto steekproef* genoemd.

Het verschil tussen uiteindelijke respons en aanvankelijke respons is meestal klein. Het verschil tussen de bruto steekproef en de aanvankelijke respons is vaak groter. Dit hangt af van verschillende factoren, onder andere van de gekozen strategie. Een algemeen geaccepteerde norm voor de aanvankelijke respons ligt rond de zeventig procent.[37] Bij een telefonische enquête of een mondeling interview kun je meestal een hoge respons halen. Bij een schriftelijke enquête moet je rekenen op een respons van rond de veertig procent. Je hebt dan dus zestig procent non-respons. Deze non-respons heeft gevolgen voor de generaliseerbaarheid. Er heeft immers een grote groep niet meegedaan en je weet niet wat hun antwoorden geweest zouden zijn. Je kunt als onderzoeker wel maatregelen nemen om de respons zo hoog mogelijk te krijgen. Denk aan gefrankeerde antwoordenveloppen of cadeautjes bij terugsturen.

Als je een steekproef hebt getrokken en de uitkomsten van het onderzoek hebt geanalyseerd, kun je twee dingen doen. De eerste optie is om uitspraken te doen die alleen gelden voor de steekproef. Je hoeft dan bijvoorbeeld geen rekening te houden met een bepaalde steekproefgrootte. Datgene wat je gevonden hebt, geldt alleen voor de onderzochte eenheden. Kader 3.12 geeft hiervan een voorbeeld.

Kader 3.12

Voorbeeld uitspraak alleen geldend voor de steekproef

Van de respondenten geeft 65% de interne communicatie een onvoldoende.

Er is niets mis met deze manier van verslaglegging. Opdrachtgevers kunnen beleid veranderen op basis van signalen uit de onderzochte groep, ook al geldt het misschien niet voor het hele bedrijf. Als je de gehele populatie had onderzocht, was misschien slechts veertig procent ontevreden. Maar van die veertig procent zat een groot deel in je steekproef, vandaar de uitkomst van 65 procent. Omdat je geen uitspraken doet over de populatie, maar alleen over de onderzochte groep, is dit onderzoekstechnisch niet fout. Want hoewel er een groot verschil zit tussen 65 procent en veertig procent, is het vaak belangrijker te signaleren *dat* er een probleem is in een bedrijf dan hoe groot het probleem is. Steekproeven in kwantitatief onderzoek zijn soms te klein, waardoor je geen betrouwbare uitspraken kunt doen over de hele populatie. De gegevens uit deze steekproef geven hooguit een indicatie, je mag dus alleen *indicatief generaliseren*: wat in de steekproef *indicatief generalise-* zichtbaar is geworden zal *vermoedelijk* ook in de populatie zichtbaar zijn. *ren*

De tweede optie is om uitspraken te doen voor de hele populatie op basis van gevonden gegevens in je steekproef. Je wilt bijvoorbeeld aantonen hoe groot een bepaald probleem is. Dit wil je niet alleen concluderen voor je steekproef maar *nauwkeurig* ook voor de niet-onderzochte mensen. Je wilt *nauwkeurig generaliseren*. Kader *generalise-* 3.13 geeft hiervan een voorbeeld. *ren*

Kader 3.13

Voorbeeld uitspraak waarbij gegeneraliseerd wordt naar de populatie

Van alle medewerkers in thuiszorgorganisatie Weltevreden is 65% ontevreden over de interne communicatie.

In principe streef je bij onderzoek altijd naar nauwkeurige generalisatie. Het is uiteraard overtuigender als je met een grote zekerheid kunt zeggen dat je bevindingen gelden voor de hele populatie. In de praktijk is nauwkeurig generaliseren echter niet altijd mogelijk omdat er met een beperkte steekproefomvang gewerkt moet worden. Veel toegepast onderzoek wordt beperkt door tijd en geld. Er moet in een korte periode met weinig middelen veel onderzocht worden. Veel studenten hebben hier ook mee te maken: projecten duren soms maar tien weken en daarbinnen moet ook nog een marketingcommunicatieplan of communicatieadvies geschreven worden. Om op basis van een steekproef uitspraken te doen over de populatie (nauwkeurig generaliseren), moet de steekproef tegemoetkomen

representa-   aan bepaalde voorwaarden. De eerste voorwaarde is dat de steekproef *represen-*
tief   *tatief* is.

Representativiteit betekent dat de samenstelling van de steekproef een getrouwe afspiegeling is van de samenstelling van de populatie (zie figuur 3.6). Om te bepalen of je steekproef representatief is spelen de volgende zaken een rol:

– De steekproef moet groot genoeg zijn. Hoe groter de steekproef, des te groter de kans op representativiteit. Dit noemen we de wet van de grote getallen.

aselect   – De steekproef moet *aselect* zijn. Dit wil zeggen dat iedereen in de populatie een even grote kans moet hebben om in de steekproef terecht te komen. Hoe willekeuriger de steekproef, des te groter de kans op representativiteit.

Figuur 3.6   Representativiteit: een afspiegeling van de populatie

Je kunt per kenmerk onderzoeken of je steekproef voor dat kenmerk representatief is. Dit doe je door de verhoudingen tussen deelgroepen in je steekproef te vergelijken met de verhoudingen in de populatie, voor zover die bekend zijn. Je wilt bijvoorbeeld een steekproef trekken in de provincie Noord-Holland en je wilt hierbij de inwoners van verschillende plaatsen verhoudingsgewijs terugzien in je steekproef. Je wilt dus meer inwoners van Amsterdam in je steekproef dan inwoners van Zandvoort, omdat Amsterdam meer inwoners heeft dan Zandvoort. Andere voorbeelden van kenmerken die je op representativiteit kunt onderzoeken, zijn de verhouding man-vrouw of de verschillende afdelingen in een bedrijf.

Bij het controleren van de representativiteit neem je wel kenmerken die van belang zijn voor het onderzoek. Een voorbeeld: een steekproef is representatief voor het kenmerk geslacht. De verhouding man-vrouw is procentueel gezien namelijk hetzelfde voor zowel de steekproef als de populatie. Maar uit het onderzoek blijkt vervolgens dat er geen verschil van mening is tussen mannen en vrouwen en je maakt dan ook geen vergelijkingen tussen beide geslachten. In dat geval is het minder interessant aan te tonen dat je steekproef representatief is voor het kenmerk geslacht, dan wanneer er wel een duidelijk verschil in mening zichtbaar is.

Je kunt alleen de representativiteit onderzoeken voor kenmerken die over de populatie geregistreerd zijn in databanken van bijvoorbeeld de gemeente, de provincie of het bedrijf waar je onderzoek doet. Zo weten we over de inwoners van de provincie Noord-Holland *wel* kenmerken zoals leeftijd, geslacht, woon-plaats, geboorteplaats en nationaliteit.[38] Maar we kunnen minder gemakkelijk representativiteit onderzoeken op kenmerken zoals geloofsovertuiging of haar-kleur, omdat die niet bij de provincie zijn vastgelegd.

De steekproef is dus niet 'representatief 'op zich, maar altijd representatief op bepaalde kenmerken. Je vermeldt op welke specifieke kenmerken je steekproef representatief is. Tijdens de data-analyse kun je berekenen of mogelijke verschil-len tussen steekproef en populatie er toe doen (zie hoofdstuk 5) In de rapportage kun je met behulp van grafieken de representativiteit laten zien (hoofdstuk 6). In kader 3.14 geven we een voorbeeld.

Voorbeeld conclusie representativiteit op kenmerken
De steekproef is representatief voor de populatie op het kenmerk woonplaats.
Dit illustreer je dan met een grafiek en in de bijlage plaats je de tabellen met gege-vens waar deze uitspraak op is gebaseerd.

Kader 3.14

Representativiteit is dus een voorwaarde om de uitspraken uit je onderzoek te mogen generaliseren naar de populatie. Een andere voorwaarde is dat de steek-proef groot genoeg moet zijn. Als veel mensen in een bepaalde populatie niet mee hebben gewerkt aan je onderzoek is het moeilijk nauwkeurig te generaliseren. Hoe groot de steekproef is die je nodig hebt kunt je uitrekenen met een formule. Je moet dan eerst een keuze maken ten aanzien van drie zaken:
– het gewenste zekerheidsniveau
– de gewenste nauwkeurigheid
– de fractie in de steekproef.

Het gewenste *zekerheidsniveau* wordt uitgedrukt in een percentage. In bijvoor-beeld de sociale wetenschappen wordt over het algemeen gekozen voor een zeker-heid van 95 procent, terwijl onderzoekers in de geneeskunde juist vaak een ze-kerheidsniveau van 99,9 procent hanteren. De reden hiervoor is dat de gevolgen van een fout, gemaakt door een sociale wetenschapper, minder verstrekkend zijn dan die van een medicus. Maar wat betekenen die percentages? *zekerheids-niveau*

Als je in een bepaalde populatie honderd keer je onderzoek herhaalt (met honderd verschillende steekproeven) en je hanteert een zekerheidsniveau van 95 procent, dan zul je vijf keer een 'niet-representatieve' steekproef trekken. Dat betekent dus dat het zou kunnen gebeuren dat je een onderzoek uitvoert onder deze niet-representatieve groep, terwijl je dat niet weet. De uitkomsten van dit onderzoek geven dan eigenlijk een vertekend beeld. Het gevolg is dat je advies, gebaseerd op deze uitkomsten, alleen gericht is op die niet-representatieve groep. Maar de kans dat je daadwerkelijk een niet-representatieve steekproef hebt, is dus vijf procent. Sociale wetenschappers vinden dat percentage acceptabel. Wil je echter een zekerheid van 99 procent (met slechts een procent kans op het trekken van een niet-representatieve steekproef), dan zul je veel meer mensen in je steekproef moeten hebben. Sommige onderzoekers kiezen voor een zekerheid van 90 procent. Zij lopen dus tien procent kans op het trekken van een niet-representatieve steekproef en daarmee het trekken van verkeerde conclusies. Maar het voordeel voor hen is dat ze minder mensen nodig hebben om uitspraken te doen over de populatie. Zoals gezegd weet je nooit of je de juiste steekproef hebt getrokken. Vermeld daarom bij de gevonden resultaten altijd het door jou gekozen zekerheidsniveau. In de formules verderop wordt de z-score gebruikt. Deze z-score is afhankelijk van het gekozen percentage:

99% zekerheid → z-score: 2,576
95% zekerheid → z-score: 1,96
90% zekerheid → z-score: 1,645

In kader 3.15 geven we een voorbeeld van een uitspraak op basis van het zekerheidsniveau.

Voorbeeld van een uitspraak op basis van 95% zekerheid

Van de respondenten in de steekproef leest 70% de direct mail van dameskledingzaak *For You* regelmatig. Deze uitspraak wordt als volgt gegeneraliseerd naar de populatie:

'Met een zekerheid van 95% leest 70% van de huidige klanten van dameskledingzaak *For You* regelmatig de direct mail.'

Met een zekerheid van 95% leest 70% van alle huidige klanten van *For You* regelmatig de direct mail.

Van de respondenten leest 70% regelmatig de direct mail van winkel *For You*.

populatie (n) huidige klanten For You

steekproef (N)

Figuur 3.7 Generalisatie met een zekerheid van 95%

Kader 3.15

Met het zekerheidsniveau van de steekproef zijn we er nog niet. We kijken ook naar de nauwkeurigheid van de uitspraken. Dit noemen we ook wel *betrouw-baarheidsinterval* of *foutenmarge*. Het gaat er hier om hoe nauwkeurig je uitspraken mag generaliseren. Op basis van een steekproef kun je niet helemaal zeker zijn dat zeventig procent van de klanten van de kledingzaak de direct mail leest, maar als je steekproef groot genoeg is kun je wel aangeven tussen welke marges dit percentage waarschijnlijk zal liggen. Kies je een betrouwbaarheidsinterval van vijf procent dan kun je zeggen dat het percentage klanten dat de direct mail leest waarschijnlijk tussen de 65 procent (70%-5%) en de 75 procent (70% + 5%) ligt. Sociale wetenschappers accepteren een nauwkeurigheid tussen de één procent en vijf procent. Veel onderzoekers kiezen een marge van drie procent. Het is duidelijk dat een uitspraak gebaseerd op een betrouwbaarheidsinterval van één procent nauwkeuriger is dan een uitspraak gebaseerd op vijf procent. Waarom dan toch een keuze? De steekproefgrootte is afhankelijk van de marge: hoe kleiner de marge, des te groter de steekproef. Om een uitspraak te generaliseren met een nauwkeurigheid van één procent heb je dus een veel grotere steekproef nodig dan bij een nauwkeurigheid van vijf procent. In de formules verderop wordt de nauwkeurigheid uitgedrukt met de betrouwbaarheidsinterval (b). Deze b ligt tussen de 0,01 (1%) en 0,05 (5%). Kader 3.16 geeft een voorbeeld van een nauwkeurigheidsuitspraak.

betrouw-baarheids-interval, foutenmarge

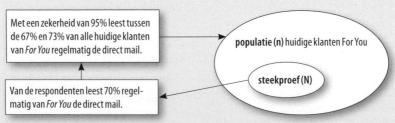

Voorbeeld van een uitspraak met een nauwkeurigheid van 3 procent

Van de respondenten in de steekproef leest 70% de direct mail van dameskledingzaak *For You* regelmatig. Deze uitspraak wordt met een nauwkeurigheid van 3% gegeneraliseerd naar de populatie:

'Met een zekerheid van 95% leest tussen de 67% en 73% van de huidige klanten van dameskledingzaak *For You* regelmatig de direct mail.'

Met een zekerheid van 95% leest tussen de 67% en 73% van alle huidige klanten van *For You* regelmatig de direct mail.

Van de respondenten leest 70% regelmatig van *For You* de direct mail.

populatie (n) huidige klanten For You

steekproef (N)

Kader 3.16

Figuur 3.8 Generalisatie met een nauwkeurigheid van 3%

probability De fractie in de steekproef, de *probability*, is ook een waarde die voorkomt in de formule. Deze waarde hangt af van het aantal antwoordmogelijkheden van een vraag en de verdeling van de antwoorden.[39] Als je een vraag hebt met twee antwoordmogelijkheden (een dichotome variabele) en de kans op beide antwoordmogelijkheden is even groot, dan heb je een probability (aangeduid met p) van 0,5. Voorbeelden van vragen met twee antwoordmogelijkheden zijn geslacht en vragen die met ja of nee kunnen worden beantwoord. Heb je drie antwoordmogelijkheden en is de kans op elk antwoord even groot, dan geldt een p van 0,33. Het is natuurlijk niet altijd zo dat de antwoordmogelijkheden gelijk verdeeld zijn. Stel dat in een populatie tachtig procent ja antwoordt op een vraag en twintig procent nee. In deze situatie is het gemakkelijker om te schatten dat iemand ja zegt, dan wanneer de ja- en neezeggers gelijk verdeeld zijn. Daarom zou p naar beneden moeten worden bijgesteld en kun je toe met een kleinere steekproef. In de praktijk wordt echter meestal gewerkt met een p van 0,5. De steekproefgrootte die je zo berekent is altijd groot genoeg, ongeacht hoe de antwoorden verdeeld zijn.

Het gewenste zekerheidsniveau (meestal 95%), de gewenste nauwkeurigheid (tussen de 1% en de 5%) en de probability (meestal 0,5) komen terug in de formules waarmee je de grootte van een steekproef kunt berekenen. Er zijn twee verschillende formules waarbij je vooraf de grootte kunt berekenen:
– de algemene formule
– de aangepaste formule voor relatief kleine populaties

vooraf De algemene formule (vooraf)

$$n = (\frac{z}{b})^2 * p(1-p)$$

Formule (algemeen):

Als je deze formule uitrekent voor bijvoorbeeld een zekerheid van 95 procent, een nauwkeurigheid van drie procent en een probability van 0,5, dan is de uitkomst 1067 (zie rekenvoorbeeld in de bijlage). Hierin schuilt echter een probleem. Wat als de te onderzoeken populatie kleiner is, bijvoorbeeld uit maar vijfhonderd mensen bestaat? Dan kun je onmogelijk 1067 mensen onderzoeken. In dat geval kies je voor de aangepaste formule voor relatief kleine populaties. Deze formule gebruik je bij alle populaties kleiner dan tweehonderdduizend mensen. In deze formule wordt er gecorrigeerd voor de omvang van de populatie (N). Hoe groot de populatie is, doet er in deze formule dus wel toe.

De aangepaste formule voor relatief kleine populaties (vooraf).

Formule voor relatief kleine populaties: $n = \dfrac{z^2 * p(1-p)}{(z^2 * (p(1-p)/N)) + b^2}$

Als je deze formule uitrekent (weer met een zekerheid van 95 procent, een nauwkeurigheid van drie procent en een probability van 0,5, dan is de uitkomst bij een populatiegrootte van tweehonderdduizend mensen ook 1067. Bij een populatiegrootte van honderdduizend mensen is de uitkomst 1066. Op dat moment is het verschil tussen de algemene en de aangepaste formule nog te verwaarlozen klein (je mag dan dus beide formules gebruiken). Maar bij een populatie van tienduizend mensen is de gewenste steekproefgrootte 964 respondenten en bij een populatie van duizend mensen hoef je nog maar 526 respondenten in je steekproef te hebben (zie rekenvoorbeeld in de bijlage).

Belangrijk bij beide formules is dat je de grootte van de *uiteindelijke* steekproef berekent. Je kunt ervan uitgaan dat niet alle mensen meewerken (non-respons), dus benader je meer mensen (je telt de verwachte non-respons er bij) dan met behulp van de formule wordt berekend.

In de praktijk komt het voor dat de benodigde steekproefgrootte niet gehaald wordt. Vooral tijd en geld spelen hierbij een belangrijke rol. Toch is je onderzoek niet onzinnig als blijkt dat je steekproef te klein is. Maar je mag dan alleen uitspraken doen over de onderzochte groep (de netto steekproef). Je kunt hooguit een indicatie geven van wat er vermoedelijk bij de populatie zal leven (indicatief generaliseren). Dit hoeft geen probleem te zijn. Bij veel communicatieonderzoek gaat het immers om het signaleren van problemen, in plaats van harde 'bewijzen' te leveren voor grootte van het probleem voor de gehele populatie. Wil je dit 'bewijs' toch leveren en dus uitspraken van de steekproef generaliseren naar de populatie? Dan is het hebben van een steekproef, die op basis van de formule groot genoeg is, een belangrijke voorwaarde.

Zoals we eerder in dit hoofdstuk al aangaven is het voor de representativiteit van een steekproef belangrijk dat deze aselect is. Een aselecte steekproef is een willekeurige steekproef (in het Engels: *random sample*). We zullen in figuur 3.9 eerst een aantal voorbeelden geven van verschillende aselecte steekproeven.

Soort steekproef	Definitie	Hoe concreet
enkelvoudige aselecte steekproef	De kans om in de steekproef opgenomen te worden is voor elke eenheid gelijk.	Bij een kleine populatie kun je namen in een hoed doen en daar iemand uit trekken. Er bestaan voor grote populaties speciale computerprogramma's.
systematische steekproef met een aselect begin	De respondenten worden systematisch uit een lijst getrokken, bijvoorbeeld elke zesde persoon. Het begin wordt aselect bepaald.	Een voetbalvereniging heeft honderdtwintig leden. Je wilt een steekproef van veertig leden hebben. Van de ledenlijst neem je elke derde persoon (120/40=3). Om iedereen op de lijst een gelijke kans te geven, gooi je een dobbelsteen waarmee je bepaalt met welke persoon je begint. Gooi je bijvoorbeeld vijf dan begin je met de vijfde op de lijst, dan de achtste, de elfde enzovoort. Bij het eind van de lijst aangekomen, heb je nog maar 39 mensen. Je gaat weer naar het begin van de lijst om nummer veertig te selecteren.
gestratificeerde steekproef	De populatie wordt verdeeld in strata: verschillende lagen in de populatie. Vervolgens worden respondenten uit elke laag getrokken voor de steekproef.	Een bedrijf bestaat uit verschillende afdelingen. Je wilt in je steekproef alle afdelingen vertegenwoordigd hebben, dus zorg je ervoor dat je de populatie eerst in deze deelpopulaties op basis van afdelingen verdeelt. Daarna trek je uit alle deelpopulaties mensen voor je steekproef.
proportioneel gestratificeerde steekproef.	De populatie wordt weer verdeeld in strata, maar vervolgens worden verhoudingen (proporties) binnen lagen meegenomen.	Net als bij een gestratificeerde steekproef trek je uit alle deelpopulaties mensen voor je steekproef. Je neemt nu ook de verhoudingen (proporties) mee: als er op een bepaalde afdeling veel meer mensen werken dan bijvoorbeeld een afdeling als het secretariaat, dan trek je voor je steekproef verhoudingsgewijs ook meer mensen van die afdeling.

Figuur 3.9   Aselecte steekproefsoorten

Het overzicht hierboven is niet compleet. Voorbeelden van andere steekproefvormen die in de literatuur genoemd worden, zijn clustersteekproef en getrapte steekproef.

Hoewel een aselecte steekproef de kans op representativiteit vergroot, is het niet altijd mogelijk voor deze vorm te kiezen. Een voorbeeld: je wilt in een gemeente een steekproef trekken, maar de meeste gemeentes geven geen adressenbestand af van hun inwoners. Je bent dan afhankelijk van zogenaamde openbare adreslijsten, zoals de telefoongids. Toch heb je daarmee niet alle adressen van de gemeente. Er zijn immers inwoners met een geheim nummer en die staan niet in het telefoonboek. Daarnaast kiezen steeds meer mensen voor het gebruik van een mobiele telefoon in plaats van een vaste aansluiting. Veel van deze mensen vind je ook niet terug in de telefoongids. Uiteindelijk is je populatie dan dus niet inwoners van de gemeente Zwolle, maar inwoners van de gemeente Zwolle die in het telefoonboek vermeld staan. Als je de probleemstelling hierop aanpast kun je daarbinnen wel een aselecte steekproef trekken.

Zoals het woord ook al doet vermoeden kun je ook een *selecte steekproef* nemen. Een selecte steekproef is niet-willekeurig. Elementen van de populatie worden *geselecteerd* voor de steekproef. In figuur 3.10 geven we voorbeelden van selecte steekproeven.

selecte steek-proef

Soort steekproef	Definitie	Hoe concreet
beschikbare steekproef	De kans om in de steekproef opgenomen te worden, hangt af van de beschikbaarheid dus de aanwezigheid van de respondenten.	Als je een steekproef wilt trekken op een school, dan ben je afhankelijk van de aanwezige studenten. Niet alle studenten zijn immers altijd op school; sommigen zijn ziek of hebben simpelweg geen les. Ook als je op straat interviewt, dan zullen alleen die mensen kunnen deelnemen die er op dat moment lopen.
quotasteekproef	De quotasteekproef lijkt veel op de proportioneel gestratificeerde steekproef. Van tevoren wordt bepaald hoeveel mensen er verhoudingsgewijs in bepaalde gebieden ondervraagd worden. Binnen het gebied worden de respondenten select gekozen.	Voor een onderzoek naar de vrijetijdsbesteding van 50-plus mensen wordt Nederland in gebieden verdeeld (Noord/Zuid/Oost/West). De onderzoekers moeten zorgen dat ze een bepaald aantal 50-plussers ondervragen. In het Westen wonen meer mensen dan in het Noorden, dus verhoudingsgewijs moeten ook meer 50-plussers in het Westen ondervraagd worden. De onderzoekers gaan select aan het werk als ze bijvoorbeeld bij speciale beurzen voor 50-plussers onderzoek doen. Het hangt van de aanpak van elke onderzoeker af welke mensen ondervraagd worden.
sneeuwbalsteekproef	De steekproef breidt zich als een sneeuwbal uit. De populatie betreft een niet-geregistreerde groep.	Als je onderzoek wilt doen onder drugsgebruikers, dan kun je een oproep in de krant doen. Maar daar zullen weinig mensen op reageren. Sneeuwbalonderzoek begint met één respondent en aan deze persoon vraag je of hij mensen kent die ook willen meewerken aan je onderzoek. Het hangt dus van het netwerk van deze respondent af hoe groot je steekproef wordt. Als zijn netwerk groot is, kun je ook nog binnen dit netwerk aselect te werk gaan. Duidelijk is dat het begin het moeilijkst is, want je moet dus in contact komen met de eerste respondent.

Figuur 3.10 Selecte steekproefsoorten

Een aselecte steekproef heeft de voorkeur boven een selecte steekproef, maar er zijn praktische omstandigheden waarbij je genoodzaakt bent een selecte steekproef te trekken. Kijk maar naar het voorbeeld van de sneeuwbalsteekproef. Als dat de enige manier is om iets te weten te komen over drugsgebruikers, dan is dat altijd meer dan geen onderzoek doen. Je mag je resultaten in dat geval niet generaliseren. Je doet dan dus alleen uitspraken over de onderzochte groep.

3.3.3   Survey: waar onderzoek je?

Een survey kun je zowel vanachter je bureau als in het veld uitvoeren. Achter je bureau bedenk je de vragen. Vervolgens kun je ze via de post versturen of via e-mail, maar je kunt de enquête ook afnemen via internet of via de telefoon. In al deze gevallen doe je het onderzoek vanachter je bureau. Je kunt er ook voor kiezen de survey in het veld af te nemen. Een belangrijk motief om dit te doen is de mate van non-respons. Je kunt met de enquête een antwoordenvelop met postzegel meesturen, een prijs uitloven onder de teruggestuurde enquêtes of iedereen een cadeautje geven. Maar dan nog zal de non-respons bij deze onderzoeksvorm redelijk hoog zijn. Bij onderzoek in het veld ben je er echter veel zekerder van dat vrijwel iedereen de enquête invult. Als je bijvoorbeeld studenten van een bepaalde opleiding wilt ondervragen over hun studie, dan kun je de enquête in de klas uitdelen en ter plaatse laten invullen. Ook binnen een bedrijf kun je dit doen: je gaat naar een afdeling, deelt de enquête uit en haalt deze later weer op. Dit heeft echter gevolgen voor het soort steekproef. Als je op één bepaald tijdstip in dat bedrijf komt, dan kunnen er mensen afwezig zijn. Denk maar aan ziekte, een vrije dag of een afspraak buiten de deur. In dat geval is er dus geen sprake van een aselecte, maar van een beschikbare steekproef.

3.3.4   Survey: hoe onderzoek je?

De meest gebruikelijke vraagmethoden bij een survey zijn:
– schriftelijk/elektronisch (per post, via inter- of intranet, e-mail)
– mondeling (telefonisch, soms face-to-face).

Vaak wordt een survey schriftelijk afgenomen. Je kunt de vragenlijst dan bijvoorbeeld per post versturen of uitdelen op een afdeling. Daarnaast werken veel bedrijven tegenwoordig met intranet en e-mail. Belangrijk is dan wel dat alle medewerkers beschikken over deze middelen en er ook daadwerkelijk gebruik van maken. Veel landelijke onderzoeksbureaus enquêteren via internet. Hierbij moet dezelfde kanttekening gemaakt worden als bij e-mail en intranet: alleen mensen die gebruikmaken van computers en internet kunnen deelnemen aan je onderzoek. Een enquête kan uiteraard ook mondeling worden afgenomen, hoewel dit erg bewerkelijk kan zijn bij grote groepen respondenten. Zo hebben twee communicatiestudentes een survey gehouden bij een fabriek in Zwolle. De meeste werknemers spreken de Nederlandse taal niet of nauwelijks. Er werken daar onder meer Poolse, Tsjechische, Turkse, Marokkaanse, Amerikaanse, Canadese, Chinese en Franse mensen. Het was niet mogelijk in een korte tijd de enquête in alle talen te vertalen. Beide studentes zijn toen met de enquête in de hand stuk voor stuk met de mensen gaan praten en zijn er met een combinatie van Engels, Frans, Duits en gebarentaal uitgekomen. Je kunt je voorstellen dat het in de toekomst gebruikelijk wordt onderzoeksgegevens via de mobiele telefoon te verzamelen (door middel van short message service (sms)). Maar het woord short zegt het al: er kunnen maar enkele vragen gesteld worden. Het is de vraag in hoeverre het de huidige methodes van dataverzameling zal vervangen.

We kunnen verschillende vormen van een survey onderscheiden. Je kunt op één moment een survey doen om vervolgens met de output een marketingcommunicatieplan of een advies te schrijven. Je kunt hetzelfde survey ook op meerdere momenten herhalen. Dit wordt vaak gedaan om veranderingen in opvattingen over tijd te signaleren. Een survey met dezelfde vragen, dat op meerdere momenten herhaald wordt (bijvoorbeeld elke twee jaar), noemen we een *longitudinaal onderzoek*. Dit kan op verschillende manieren. Onderzoek je steeds dezelfde personen, dan is er sprake van een panelonderzoek. Onderzoek je wel hetzelfde soort mensen, maar niet dezelfde personen, dan spreken we van een trendonderzoek. *longitudinaal onderzoek*

Bij een *panelonderzoek* stel je dezelfde vragen op meerdere tijdstippen aan dezelfde personen. Een voorbeeld is onderzoek naar stemgedrag: vóór de verkiezingen wordt aan een groep mensen gevraagd wat ze gaan stemmen en na de verkiezingen wordt dezelfde mensen gevraagd wat ze uiteindelijk hebben gestemd. Vooral onderzoeksbureaus doen panelonderzoeken. Het voordeel van een panelonderzoek is dat je uitspraken kunt doen over veranderingen in gedrag van dezelfde mensen over een bepaalde tijd. Nadeel is dat na verloop van tijd mensen af kunnen vallen (mensen hebben geen zin meer, overlijden of zijn ziek) en er komen geen nieuwe mensen bij. *panelonderzoek*

Trendonderzoek is het stellen van dezelfde vragen op meerdere tijdstippen aan dezelfde soort mensen. Een voorbeeld hiervan is het tijdsbestedingonderzoek van het scp[40]. Het onderzoek richt zich op de dagelijkse tijdsbesteding van Nederlanders. Elke vijf jaar wordt een nieuwe steekproef getrokken, waarbij uitspraken over bepaalde leeftijdsgroepen (soortgelijke mensen) worden gedaan. Het voordeel van een trendonderzoek is dat je steeds opnieuw een steekproef trekt, dus iedereen heeft steeds weer kans om mee te doen. Er is door de loop van de jaren heen minder kans op uitval zoals bij een panelonderzoek. Nadeel is dat *trendonderzoek* je alleen uitspraken kunt doen over veranderingen in gedrag van dezelfde soort mensen (bepaalde leeftijdsgroepen) over een bepaalde tijd. Dat wil dus niet zeggen dat de mensen in het eerste onderzoek ook zelf van opvatting veranderd zijn.

De typering panel- en trendonderzoek is niet exclusief voor surveys. Je vindt deze vormen ook terug bij kwalitatief (veld)onderzoek en experimenten.

Je kunt verschillende strategieën ook onderscheiden in retrospectief en prospectief onderzoek. Dit is een typering die eveneens bij andere strategieën voorkomt. *retrospectief onderzoek* *Retrospectief onderzoek* is onderzoek waarbij vragen gesteld worden over het verleden van mensen, bijvoorbeeld welke opleiding iemand genoten heeft of wat iemands werkverleden is. Bij *prospectief onderzoek* wordt aan mensen gevraagd *prospectief onderzoek* wat ze in de toekomst van plan zijn te gaan doen, je wilt bijvoorbeeld weten of de respondent binnen nu en vijf jaar zal verhuizen, of je vraagt iemand van 15 wat hij of zij later voor beroep uit wil gaan oefenen.

Beide soorten hebben ook nadelen. Bij retrospectief onderzoek speelt natuurlijk het geheugen een grote rol. Een nadeel van prospectief onderzoek is: wat mensen zeggen dat ze van plan zijn te doen, betekent nog niet dat ze het werkelijk gaan doen. Retrospectieve en prospectieve vragen zijn echter vaak niet te vermijden.

3.3.5   Betrouwbaarheid van een survey

Bij een survey spelen alle vier de factoren op verschillende manieren een rol bij de betrouwbaarheid.

De onderzoeker – Zolang de onderzoeker achter het bureau blijft, zal de betrouwbaarheid in mindere mate een rol spelen dan wanneer de onderzoeker het veld in gaat. Op het moment dat een respondent gewoon thuis een enquête invult, dan is de invloed van de onderzoeker laag. Hij is immers niet fysiek aanwezig. Maar zit de respondent in een ruimte waar de onderzoeker rondloopt en af en toe over de schouder meekijkt, dan is die invloed veel groter. De aanwezigheid van de onderzoeker kan dan sociaal wenselijke antwoorden oproepen. Doordat de vraag meestal schriftelijk gesteld wordt is de invloed van de onderzoeker klein. Maar bij telefonische enquêtes kan de onderzoeker wel invloed uitoefenen op de te geven antwoorden, omdat de respondent de onderzoeker dan kan horen. De manier waarop de onderzoeker de vraag stelt kan bepaalde reacties oproepen.

De onderzochte – Deze is vooral belangrijk in verband met sociaal wenselijke antwoorden. De aanwezigheid van de onderzoeker speelt daarbij een rol, maar ook de omgeving kan van invloed zijn. Sommige mensen zijn meer sociaal gevoelig dan anderen. Je kunt de sociale wenselijkheid verkleinen door aan te geven dat de respondent anoniem blijft. Als de onderzochte geen naam hoeft in te vullen, dan voelt hij zich vrijer te zeggen wat hij denkt. Vooral bij schriftelijke enquêtes is de anonimiteit hoog. Maar tegelijkertijd is dit een nadeel, want je weet nooit zeker wie de vragen heeft beantwoord. Bij een telefonische enquête is de anonimiteit kleiner, benadruk dus als onderzoeker dat je de gegevens anoniem gaat verwerken.

De omgeving – Als je een onderzoek afneemt in een klaslokaal en iedereen praat erover, dan kunnen die gesprekken van invloed zijn op de antwoorden. Zo kan de mening van de klas de mening van de onderzochte beïnvloeden. Ook wanneer je een enquête naar het huisadres stuurt, kunnen gezinsleden van de onderzochte zich ermee gaan bemoeien. Je hebt hier geen controle over. Een andere situatie waarin omgeving van invloed kan zijn, is wanneer je onder studenten een enquête afneemt vlak na een moeilijk tentamen. De antwoorden kunnen dan verschillen met de antwoorden die je krijgt wanneer je zou onderzoeken na een inspirerend college.

Het instrument – De ene vraag zorgt voor betrouwbaarder antwoorden dan de andere vraag. Kijk maar naar vragen over leeftijd. De vraag 'Hoe oud bent u?' levert meer kans op een fout antwoord dan 'Wanneer bent u geboren?' Het is namelijk moeilijker bewust te liegen over je leeftijd in jaren dan over je geboortedatum. Niet opzettelijk maken mensen ook minder fouten bij het beantwoorden van de geboortedatum dan de leeftijd in jaren. Verder zijn sommige respondenten typische ja-zeggers: ze willen geen negatief antwoord geven. Dit kun je voorkomen door het instrument aan te passen. Stel bijvoorbeeld verschillende vragen over hetzelfde onderwerp, waarbij de respondent voor dezelfde mening de ene keer 'ja' en de andere keer 'nee' moet antwoorden. Heeft de respondent steeds alle keren 'ja' geantwoord, dan zijn de gegevens onbruikbaar. Ook begrippen die voor meerdere uitleg vatbaar zijn of moeilijk taalgebruik kunnen van invloed zijn op de betrouwbaarheid van het instrument (zie tips in hoofdstuk 4 over vragenlijsten).

Ook hier geldt weer: bedenk andere voorbeelden van aspecten die een rol spelen bij je specifieke onderzoek en geef aan hoe je de betrouwbaarheid van jouw onderzoek zo hoog mogelijk dus de kans op toevallige fouten zo laag mogelijk probeert te houden.

3.3.6   Generaliseerbaarheid van een survey

De gegevens die je gevonden hebt in een steekproef mag je onder bepaalde voorwaarden nauwkeurig generaliseren naar de populatie van het onderzoek. Daarbij speelt representativiteit zoals gezegd een belangrijke rol. Een nog niet genoemd onderwerp met betrekking tot de generaliseerbaarheid is de non-respons. Hoe groter de non-respons, des te meer het beeld vertekend kan worden. De mensen die wel hebben gereageerd, kunnen vooral de klagers zijn, of juist erg betrokken mensen. Maar het feit dat sommigen niet meewerken aan een onderzoek, betekent niet dat deze personen geen mening hebben. Als een specifieke groep niet meewerkt (bijvoorbeeld wantrouwige mensen) en de non-respons dus hoog is (hoger dan 30%), dan is je steekproef minder representatief en heeft dat invloed op de generaliseerbaarheid. Vaak weet je helaas niet of de groep die niet heeft meegedaan een specifieke groep is. Houd er bij het interpreteren van je resultaten wel rekening mee dat je te maken kunt hebben met dit verschijnsel.

3.3.7   Validiteit van een survey

Interne validiteit betekent: meet je wat je wilt meten? Bij een survey is het belangrijk dat de vragen in de enquête aansluiten bij de begrippen in de probleemstelling. Als je gebruikmaakt van enquêtes die al door andere onderzoekers gebruikt zijn, dan kan dit de interne validiteit verhogen. Tenminste, als bekend is dat de vragen bij het eerdere onderzoek inderdaad hebben gemeten wat de onderzoekers wilden meten. Zo kun je bij een interne communicatie-audit gebruikmaken van reeds bestaande vragen[41] om de begripsvaliditeit te verhogen.

Een survey wordt meestal ingezet bij beschrijvend en evaluatief onderzoek. Daarnaast kan een survey gebruikt worden bij toetsend onderzoek. Bij het ontwerpen van een toetsend onderzoek komt veel meer kijken dan in dit boek wordt vermeld. Gebruik aanvullende literatuur om ervoor te zorgen dat je onderzoek wetenschappelijk verantwoord opgebouwd is zodat je wetenschappelijk verantwoorde conclusies over causaliteit kunt trekken. Kijk in elk geval goed naar eerder genoemde voorwaarden voor causale verbanden en de logica van de conclusies.

3.4   Kwalitatief (veld)onderzoek

Bij kwalitatief (veld)onderzoek gaat het om kleine groepen die op enkele aspecten onderzocht worden. Kwalitatief (veld)onderzoek levert geen bewijzen als 'Alle mensen in thuiszorgorganisatie Weltevreden vinden dat…' of 'Ruim driekwart van de medewerkers leest het personeelsblad'. Onderzoeksresultaten van kwalitatief (veld)onderzoek leveren een beeld op van hoe iets zou kunnen werken of van wat er mogelijk aan de hand is. Kwalitatief (veld)onderzoek wordt gebruikt bij vraagstellingen over verschijnselen waar we weinig voorkennis over hebben. We kunnen van tevoren geen gesloten vragen met vaste antwoordmogelijkheden bedenken zoals bij een survey. De vragen die we stellen zijn vooral open.

3.4.1   Kwalitatief (veld)onderzoek: wat onderzoek je?

Het doel van kwalitatief (veld)onderzoek is te achterhalen hoe iets werkt en waarom. Je wilt bijvoorbeeld weten hoe de informele communicatie in een bepaald bedrijf is. Daarvoor ga je een gesprek aan met medewerkers over de manier waarop ze aan hun informatie komen. Je vraagt of er naast de formele middelen zoals personeelsblad en mededelingen nog op een andere manier informatie uitgewisseld wordt, bijvoorbeeld bij het koffiezetapparaat (informele communicatie). Je wilt ook weten waarom de communicatie op die manier plaatsvindt. Je weet van tevoren als onderzoeker niet precies hoe de informele communicatie werkt. Je vraagt door, en door de antwoorden van de medewerkers kom je op nieuwe vragen. Je gaat op zoek naar redenen waarom mensen op bepaalde manieren communiceren. Kader 3.17 geeft een voorbeeld van vragen die met kwalitatief (veld)onderzoek kunnen worden onderzocht.

Enkele voorbeelden van gegevens die met behulp van kwalitatief (veld)onderzoek kunnen worden onderzocht

Basisschool Roosje
Vraagstelling: hoe werkt de interne communicatie volgens de medewerkers bij basisschool Roosje?

Je kunt dan bijvoorbeeld open vragen stellen over formele en informele communicatie:
–   Zijn er formele of informele regels in uw organisatie die aangeven hoe u die informatie krijgt (moet krijgen)?
–   Zo nee, vindt u dat deze regels moeten worden opgesteld? Zo ja, vindt u dat ze moeten worden veranderd?
–   Wat zijn volgens u de belangrijkste communicatiemiddelen binnen uw organisatie? (Graag nauwkeurig omschrijven.)
–   Welke communicatiemiddelen vindt u goed functioneren? Waarom vindt u dat?
–   Welke communicatiemiddelen vindt u minder goed functioneren? Waarom vindt u dat?
–   Beschrijf de wijze waarop u informatie uitwisselt met uw:
–   directe chef
–   collega's
–   lijnmanagement
–   directie

Kader 3.17

Vervolg	
– ondergeschikten.	aantrekkelijkheid en specifiek het begrip betrouwbaarheid:
Thuiszorgorganisatie Weltevreden	– Wanneer vindt u een bedrijf aantrekkelijk?
Vraagstelling: waarom beoordelen de consumenten de reputatie van thuiszorgorganisatie Weltevreden negatief op het aspect betrouwbaarheid?	– Als ik zeg 'thuiszorgorganisatie Weltevreden heeft een betrouwbare uitstraling' wat komt er dan in u op?
Je kunt dan bijvoorbeeld open vragen stellen over de dimensie emotionele	– Welke associaties heeft u met het begrip 'betrouwbare uitstraling'?

3.4.2 Kwalitatief (veld)onderzoek: wie onderzoek je?

Kwalitatief (veld)onderzoek kenmerkt zich door het doen van onderzoek onder een kleine groep mensen. Maar hoe klein is dat? Ook bij kwalitatief (veld)onderzoek stel je de vraag: hoe groot moet de steekproef zijn om zinvolle uitspraken te kunnen doen? Bij kwantitatief onderzoek, zoals een survey, kun je gebruikmaken van een formule. Maar voor kwalitatief (veld)onderzoek geldt dat niet. Je zou dan immers veel te veel mensen moeten interviewen.

Een vuistregel bij kwalitatief (veld)onderzoek is, dat je net zo lang doorgaat totdat je niets nieuws meer hoort. Krijg je dus na verloop van tijd van verschillende respondenten (na flink doorvragen) steeds soortgelijke antwoorden, dan kun je stoppen. Dit verzadigingspunt blijk je vaak te bereiken als je rond de acht mensen van hetzelfde 'soort' spreekt.[42] Maar acht is hier absoluut geen heilig getal: verzadiging treedt soms op na de vierde respondent en even vaak moet je meer dan acht mensen spreken. Soms kun je dus eerder ophouden, soms moet je doorgaan na de achtste respondent. *Doorvragen* is hierbij heel belangrijk, omdat het anders kan lijken alsof je geen nieuwe meningen hoort. Het gevaar bestaat dan dat je te snel stopt met interviewen en dus te weinig mensen ondervraagt. Goed doorvragen is een kunst en heeft gevolgen voor de informatie die je krijgt.

Daarnaast is het belangrijk dat je alle 'soorten' mensen interviewt. Wil je bijvoorbeeld een beeld hebben van het *hele* bedrijf, dan moet je mensen spreken op alle functieniveaus: van managers tot medewerkers van het secretariaat en schoonmakers. Als je ervan uitgaat dat verzadiging optreedt bij de achtste respondent, dan zul je bij een bedrijf met zeven verschillende functies dus minimaal 8 x 7= 56 mensen spreken. Dit hangt natuurlijk ook af van het aantal mensen dat een bepaalde functie bekleedt. Als er maar één directeur is ben je snel klaar. Welke kenmerken belangrijk zijn voor je steekproef hangt mede af van de probleemstelling. Als je een vraagstelling hebt waarbij je vooronderstelt dat mannen over bepaalde onderwerpen anders zullen denken dan vrouwen, dan neem je per functie ook het kenmerk geslacht mee. Zo kun je door rekening te houden met verschillende kenmerken een grote steekproef krijgen (zie ook figuur 3.11). Ook hier is, net als bij een survey, de praktische uitvoering (tijd en geld) een belangrijke factor. Heb je maar twee weken de tijd, dan kun je zelf uitrekenen hoeveel diepte-interviews je per dag kunt doen. Eén diepte-interview duurt namelijk al snel een uur. Werk je echter met meerdere mensen, dan kun je ook meer interviews doen. Interviews worden vaak afgenomen in duo's, de een kan dan vragen stellen en de ander aantekeningen maken. Houd bij het plannen van interviews ook rekening met eventuele reistijd tussen interviews en met het feit dat je door volle agenda's niet altijd alle interviews precies na elkaar zult kunnen plannen.

	Mannen	Vrouwen	Totaal
Management	8	8	16
Secretariële ondersteuning	8	8	16
Medewerkers praktijkbureau	8	8	16
Catering	8	8	16
Conciërges	8	8	16
Schoonmakers	8	8	16
Docenten	8	8	16
Totaal	56	56	112

Figuur 3.11 Grootte steekproef voor kwalitatief (veld)onderzoek

Denk bij het maken van afspraken ook aan de benodigde pauzes. Het afnemen van een diepte-interview vraagt namelijk veel concentratie. Je luistert intensief naar de antwoorden van de respondent en waar mogelijk vraag je door. Als een diepte-interview gemiddeld een uur duurt, kun je dus niet simpelweg de dag in acht uur verdelen en uitgaan van acht interviews per dag. Veel onderzoekers vinden drie à vier diepte-interviews op één dag wel het maximum. In kader 3.18 geven we een rekenvoorbeeld waarin de haalbaarheid van een groot kwalitatief (veld)onderzoek wordt bekeken.

Rekenvoorbeeld grootte kwalitatief (veld)onderzoek

Twee duo's nemen gelijktijdig interviews af. Er zijn twee weken om de interviews af te nemen *en* uit te schrijven. Uitgaande van 112 interviews zal elk duo in twee weken tijd 56 mensen moeten interviewen *en* deze interviews uitwerken. Er zijn vijf werkdagen in een week, dus tien werkdagen. Elk duo dient dus vijf à zes interviews per dag af te nemen *en* uit te werken. Is het verzadigingspunt bij de achtste persoon nog niet bereikt, dan wordt dit aantal alleen maar hoger. Het beschreven voorbeeld kan wel uitgevoerd worden, maar het vraagt om een goede organisatie. Er mag helemaal niets tegenzitten. In de praktijk is een dergelijke planning dus erg ambitieus.

Kader 3.18

Ook hier geldt weer: heb je minder mensen gesproken dan wenselijk, dan kun je alleen iets zeggen over de steekproef zelf. Betekent dit automatisch dat je mag generaliseren, zodra je genoeg mensen gesproken hebt? Dat is een heel lastig verhaal bij kwalitatief (veld)onderzoek. Er zijn onderzoekers die vinden dat je helemaal niet mag generaliseren bij kwalitatief (veld)onderzoek. Van oudsher heeft kwalitatief onderzoek daarom minder status in de wetenschappelijke wereld in vergelijking met kwantitatief onderzoek. Toch zijn er ook onderzoekers die zeggen dat er sprake is van een bepaalde mate van generalisatie: je kunt een representatief beeld geven als de mensen, die je gesproken hebt, lijken op de populatie zelf. Ook bij kwalitatief (veld)onderzoek speelt representativiteit dus een belangrijke rol. Het hangt er dus ook van af of je relevante kenmerken meegenomen hebt in je steekproef.

Bij kwalitatief (veld)onderzoek kun je ook weer kiezen voor een aselecte of een selecte steekproef. Werk je met een bepaalde procedure waardoor iedereen een kans maakt deel te nemen aan je onderzoek, dan ga je aselect te werk. Je kunt er echter ook voor kiezen select je steekproef te bepalen. Dit kan bijvoorbeeld door die mensen te interviewen die op dat moment in het bedrijf aanwezig zijn of zogenaamde sleutelfiguren (mensen die op bepaalde posities zitten en daardoor veel informatie hebben). De soorten steekproeven zijn vergelijkbaar met de beschreven soorten bij een survey. Een bijzondere vorm die bij een kwalitatief (veld)-onderzoek regelmatig gebruikt wordt is de Delphi-methode. Hierbij worden deskundigen op een bepaald terrein geselecteerd.[43]

3.4.3   Kwalitatief (veld)onderzoek: waar onderzoek je?

De naam zegt het al; kwalitatief (veld)onderzoek speelt zich meestal af in het veld, in de praktijk van alledag. Je interviewt bijvoorbeeld de huisartsen in hun praktijk, opvoeders thuis bij de kinderen en medewerkers van een afdeling bij thuiszorgorganisatie Weltevreden zelf. Afhankelijk van het onderwerp van je onderzoek kunnen er ook mogelijkheden zijn voor observatie. Stel, je wilt van ouders weten hoe ze opvoeden. Je kunt het interview dan thuis doen in aanwezigheid van de kinderen, zodat je de gelegenheid hebt te observeren en dus zelf te bekijken wat ze doen.[44] Onderzoeksbureaus die kwalitatief (veld)onderzoek doen nodigen respondenten ook wel uit op een neutrale locatie. Dit is vooral handig als de respondenten afkomstig zijn uit een hele brede, verspreid wonende groep. Vooral bij consumentenonderzoek komt die veel voor. Als je klanten van een groot warenhuis met veel vestigingen wilt interviewen is het handig om per regio de respondenten uit te nodigen om naar de interviewer toe te komen. Je zou in dit geval als locatie een geschikte, rustige ruimte in een filiaal van het warenhuis kunnen kiezen.

Kwalitatief (veld)onderzoek kan ook plaatsvinden achter het bureau. Steeds meer onderzoeksbureaus maken gebruik van een elektronische vorm van dataverzameling (zie chatten).

3.4.4   Kwalitatief (veld)onderzoek: hoe onderzoek je?

Er zijn verschillende manieren om data te verzamelen bij kwalitatief (veld)onderzoek:
- diepte-interview
- groepsinterview
- chatten
- observaties.

De meest gebruikelijke methode van dataverzameling bij deze vorm van onderzoek is het mondelinge *face to face diepte-interview*. Het woord diepte slaat op het doorvragen over een specifiek onderwerp: 'de diepte' ingaan. De onderzochte en de onderzoeker zitten tegenover elkaar, *face to face*. Het interview wordt vaak opgenomen (geluid of video), om later een goede uitwerking te kunnen maken.

diepte-interview

Naast het mondelinge interview kun je *groepsinterviews* doen. Je ondervraagt dan meerdere personen gelijktijdig over hetzelfde onderwerp. De keuze voor een groepsinterview hangt af van de mate van sociaal wenselijkheid. Is het onderwerp van je onderzoek gevoelig (denk aan vragen over inkomen, seks, drugsgebruik)

groepsinterviews

dan kies je minder snel voor een groepsinterview. Mensen zullen dan namelijk sneller antwoorden wat ze denken dat er van hen verwacht wordt (sociaal wenselijk). Er kan ook wederzijdse beïnvloeding optreden: als iemand in de groep aangeeft een bepaalde mening te hebben, kunnen anderen geneigd zijn deze mening over te nemen. Heb je een onderwerp waarbij sociaal wenselijkheid geen rol speelt, dan kun je voor een groepsinterview kiezen. Als het gaat om het opdoen van nieuwe ideeën kan een groepsinterview juist positief werken: al discussiërend komen mensen op ideeën. Bij een groepsinterview moet de gespreksleider (de onderzoeker) er altijd voor zorgen dat ieders mening gerespecteerd wordt en dat iedereen aan bod komt. Verder moet je als onderzoeker structuur van het gesprek weten te waarborgen. Discussies kunnen door elkaar lopen en voor je het weet gaan respondenten door op een heel ander onderwerp, dat niet meer relevant is voor je onderzoek. Ook groepsinterviews kun je beter opnemen, zodat je terug kunt luisteren wat er precies gezegd is.

chatten Een elektronische vorm van het houden van een diepte-interview is *chatten*. Dit betekent het rechtstreeks online communiceren via het internet. Chatten is een schriftelijke vorm van communiceren, je typt als onderzoeker de vragen in je eigen computer in een scherm in en de geïnterviewde geeft op zijn eigen computer antwoord. Vrijwel direct is het antwoord zichtbaar, waardoor je daar weer op in kunt gaan en kunt doorvragen. Nadeel is dat je de andere persoon niet kunt zien, waardoor je de non-verbale communicatie mist. Inmiddels hebben steeds meer mensen een webcam, zodat ook de non-verbale communicatie mogelijk wordt. Of deze vorm van onderzoek doen de toekomst heeft zal blijken, maar wil je een onderzoek op afstand doen, dan behoort elektronisch interviewen tot de mogelijkheden.

observatie De laatste vorm van kwalitatief (veld)onderzoek is de *observatie*. Je kunt twee vormen van observatie onderscheiden:
– participerende observatie
– afstandelijke observatie.

participe- rende obser- vatie Volledige *participerende observatie* houdt in dat de interviewer lid wordt van de groep. Deze groep weet niet dat er een onderzoeker aanwezig is. Een mooi voorbeeld van participerende observatie is beschreven in het boek 'Ik Ali' van Günter Walraff. Deze Duitse journalist heeft zich vermomd als Turk waarna hij een tijd lang als gastarbeider bij diverse bedrijven heeft gewerkt. Hij ervaart en beschrijft de leef- en werkomstandigheden, de discriminatie en de uitbuiting van Turkse gastarbeiders in Duitsland. Een nadeel van deze methode is dat de onderzoeker zich te veel met de onderzochte groep kan gaan identificeren. Hierdoor kan de onderzoeker de vereiste objectiviteit uit het oog verliezen. Daarnaast is niet alles geoorloofd, denk maar aan de wet op privacy. Je mag niet zomaar zonder toestemming iemand opnemen op video en deze beelden in het openbaar vertonen.

Afstandelijk observeren houdt in dat je niet zelf deelneemt aan de situatie, maar vanaf de zijkant bekijkt hoe processen verlopen. Een voorbeeld van afstandelijke observatie bij communicatieonderzoek is het observeren van een werkoverleg. Je kunt medewerkers in een diepte-interview vragen hoe het werkoverleg verloopt; je krijgt dan de mening van de respondent. Je kunt er ook voor kiezen zelf bij een werkoverleg te gaan zitten. Je observeert dan hoe het verloopt. Tijdens een diepte-interview kun je ook observeren. Als je dat doet, dan is de respondent zich ervan bewust dat je onderzoeker bent. Hoewel de respondent misschien niet weet wat je precies observeert, kan hij onbewust zijn gedrag gaan aanpassen. Interview je bijvoorbeeld ouders over hun manier van opvoeden, dan zullen ze in jouw aanwezigheid misschien anders reageren op hun kinderen dan wanneer je er niet bij bent.

afstandelijk observeren

3.4.5   Betrouwbaarheid van een kwalitatief (veld)onderzoek

Ook bij kwalitatief (veld)onderzoek spelen alle vier de factoren op verschillende manieren een rol bij de betrouwbaarheid:

De onderzoeker – Juist bij kwalitatief (veld)onderzoek is de rol van de onderzoeker groot. Met behulp van je houding, een blik of de toon waarop je een vraag stelt kun je het antwoord beïnvloeden. Het bewaken van de objectiviteit in een interview kun je doen door de interviews op te nemen en daarna terug te luisteren of je de vragen zo neutraal mogelijk gesteld hebt.

De onderzochte – Omdat bij een mondeling interview de onderzoeker en onderzochte elkaar kunnen zien, is de sociale wenselijkheid groter dan bij bijvoorbeeld een schriftelijke enquête. Het interview is immers niet anoniem. De onderzochte kan zich mooier voor willen doen of zelfs bewust liegen. Door te benadrukken dat je de gegevens anoniem verwerkt, kun je de kans op sociaal wenselijke antwoorden verkleinen. Helaas kun je er als onderzoeker weinig aan doen als een respondent bewust wil liegen. Je kunt bij de observatie vermelden dat je, op basis van het non-verbale gedrag, een bepaalde indruk hebt gekregen. Maar dat is wel subjectief, het is je eigen interpretatie van dit gedrag.

De omgeving – Als het onderzoek op de werkvloer wordt afgenomen en collega's kunnen meeluisteren, dan kan dat van invloed zijn op de antwoorden (sociaal wenselijkheid). Je kunt het interview dan beter afnemen in een aparte ruimte. Denk bij omgevingsfactoren ook aan de grootte van een ruimte, de temperatuur, het lawaai van buitenaf.

Het instrument – De betrouwbaarheid van het instrument hangt net als bij een survey af van de begrippen die je in een vraag gebruikt. Pas op voor woorden die voor verschillende uitleg vatbaar zijn of moeilijk taalgebruik (zie tips voor het maken van vragenlijsten in hoofdstuk 4). Juist bij kwalitatief (veld)onderzoek speelt de betrouwbaarheid van het instrument een belangrijke rol. Je hebt geen gestandaardiseerde vragenlijst, zoals bij een survey. Je stelt open vragen en gaat in op antwoorden van de respondenten. Hierdoor zullen de verschillende interviews niet identiek zijn.

In je specifieke onderzoek bedenk je mogelijke andere aspecten die een rol spelen en geef je weer aan hoe je de betrouwbaarheid zo hoog dus de kans op toevallige fouten zo laag mogelijk probeert te houden.

3.4.6 Generaliseerbaarheid van een kwalitatief (veld)onderzoek

De mate van generaliseerbaarheid hangt bij kwalitatief (veld)onderzoek af van de mate van representativiteit en het soort steekproef (aselect of select). In het algemeen kan gesteld worden dat bij een kwalitatief (veld)onderzoek minder vaak nauwkeurig gegeneraliseerd wordt van steekproef naar populatie dan bij een kwantitatief survey. Het doel van kwalitatief (veld)onderzoek is niet het vinden van harde bewijzen (zoveel procent van de medewerkers vindt dit). Juist het 'ont'- dekken, het aangeven hoe het kan werken en waarom het zo werkt staat centraal bij dit soort onderzoek. Je kunt wel een indicatie geven van wat er vermoedelijk aan de hand kan zijn (indicatief generaliseren) maar wees altijd zeer voorzichtig met het doen van uitspraken over de gehele populatie op basis van slechts en-kele interviews.

3.4.7 Validiteit van een kwalitatief (veld)onderzoek

Het grote voordeel van kwalitatief (veld)onderzoek is dat je kunt doorvragen. Een voorbeeld is de vraag: 'Wat vindt u een redelijke entreeprijs voor een pretpark?' Bij een survey bedenk je hier enkele antwoordmogelijkheden. Zo krijg je een beeld van mogelijke entreeprijzen die mensen willen betalen. In een interview kun je doorvragen over wat mensen bedoelen met het begrip 'redelijk'. Misschien willen ze wel 35 euro betalen, maar dan moet het pretpark aan bepaalde zaken voldoen. Met behulp van kwalitatief (veld)onderzoek kunnen begrippen specifieker gemaakt worden waardoor de interne validiteit verhoogd wordt. Heb je bijvoorbeeld met behulp van een survey gevraagd wat mensen belangrijk vinden in de opvoeding en het antwoord is respect, dan kun je concluderen dat respect belangrijk is. Maar uit het onderzoek *Opvoeden in Nederland*[45] wordt met behulp van een kwalitatief (veld)onderzoek achterhaald wat ouders precies bedoelen met respect. Uit dit onderzoek blijkt dat er grote verschillen zijn in de betekenis van het woord respect tussen verschillende groeperingen in Nederland. Zo blijken sommige groepen de betekenis van respect in formele zin te geven: bijvoorbeeld het 'u-zeggen'. Andere groeperingen bedoelen met respect juist het hebben van respect voor de verschillende meningen in een gezin.

Een kwalitatief (veld)onderzoek wordt meestal ingezet bij exploratief onderzoek. Je kunt daarbij ook op zoek gaan naar verbanden. Je wilt immers weten waarom mensen iets doen. Je kunt echter op basis van enkele interviews niet 'bewijzen' dat er een oorzakelijk verband tussen X en Y is. Je kunt hooguit aangeven dat je op basis van je onderzoek een vermoeden over mogelijke oorzaken hebt. Dit is ook de reden waarom veel onderzoekers een combinatie van strategieën doen. De mogelijke verbanden gevonden met kwalitatief (veld)onderzoek worden vervolgens getoetst met behulp van een survey. Wil je niet alleen samenhang, maar ook oorzaak en verband aantonen, dan kun je ook kiezen voor de strategie experiment.

3.5   Experimenten

De eerste drie strategieën komen in de dagelijkse praktijk van de communicatiedeskundige regelmatig voor. Dit geldt niet voor het experiment. Experimenten worden vooral gebruikt in fundamenteel onderzoek. Veel psychologisch onderzoek wordt gedaan in de vorm van experimenten en communicatiewetenschappers aan de universiteit houden zich hier eveneens mee bezig. Ook in de mediapsychologie (een combinatie van beide velden) worden experimenten gedaan, bijvoorbeeld naar de effecten van televisie en reclame. Op het moment dat je bepaalde media gaat inzetten om mensen te informeren of om gedrag te willen veranderen (denk aan voorlichting), dan is het belangrijk te weten hoe dit gedrag werkt. Omdat het echter zo weinig voorkomt in de praktijk van alledag van de communicatiemedewerker, gaan we in hoofdstuk 4 en 5 niet dieper in op de uitwerking van het experiment. Wil je een keer een experiment uitvoeren, dan kun je beter ook aanvullende literatuur raadplegen.

3.5.1   Experimenten: wat onderzoek je?

Een experiment is een strategie die zich ervoor leent oorzaak en gevolg te ontdekken. Het gaat hierbij dus om de eerder genoemde causale verbanden. Een experiment heeft als doel aan te tonen wat de oorzaak is van bepaald gedrag. Kader
3.19 geeft een paar voorbeelden van vraagstukken die met een experiment kunnen
worden onderzocht.

Gegevens die met behulp van experiment kunnen worden onderzocht

Basisschool Roosje
Het pretesten van bepaalde communicatiemiddelen voor het overbrengen
van de boodschap onder interne medewerkers.

Dameskledingzaak For You
Het onderzoeken van reclame-effecten

onder consumenten.

*Voorlichtingscampagne identificatie-
plicht*
Het onderzoeken van het effect van de
campagne identificatieplicht op het gedrag van mensen: heeft iedereen een
identificatiemiddel bij zich?

Kader 3.19

Er zijn dus verschillende mogelijkheden om een experiment als strategie bij communicatieonderzoek te gebruiken. Kader 3.20 geeft een voorbeeld.

Voorbeeld van een experiment

Minder tolerant door aanslagen[46]
Het ligt erg voor de hand, maar een
groep communicatiewetenschappers
van de Vrije Universiteit in Amsterdam
heeft het nu ook aangetoond: door de
moord op Theo van Gogh zijn mensen
negatiever gaan denken over de multiculturele samenleving en de mate waarin moslims zijn geïntegreerd. journaalbeelden van terroristische aanslagen
door moslimgroeperingen hebben hetzelfde effect. De publicatie is aangebo-
den aan *Psychological Science*.

De onderzoekers, onder leiding van
Das, wilden weten welke invloed het
tonen van geweld door moslims in de
media heeft op meningen over de multiculturele samenleving. Ze toonden
proefpersonen – honderd hoog opgeleide blanke Nederlanders tussen de
achttien en 65 jaar – een compilatie van
journaalbeelden. De helft kreeg beelden te zien van de aanslag op het World
Trade Center in New York, van de aanslag tijdens een bar mitswa in Hadera,
Israël en van de gijzeling in de Russische
school in Beslan. De andere helft keek

Kader 3.20

Vervolg

naar hoogtepunten van de Olympische Spelen in Athene. Vervolgens kreeg in beide groepen de helft van de proefpersonen een artikel te lezen over de succesvolle integratie van Arabieren in Nederland, terwijl de andere helft las dat die integratie mislukt was.

Het bleek dat informatie over terrorisme door moslimgroeperingen inderdaad de mening over moslims in het algemeen – ook in eigen land – beïnvloedt en mensen etnisch eenkenniger maakt. Mensen die naar de Olympische Spelen hadden gekeken, waren het gemiddeld ongeveer even eens met de artikelen voor en tegen de multiculturele samenleving, maar na het zien van de terroristische aanslagen hadden mensen sterker het idee dat de integratie mislukt was.

Halverwege het onderzoek vond de

moord op Theo van Gogh plaats. Daardoor konden de wetenschappers deze factor in hun onderzoek opnemen. De moord bleek hetzelfde effect te hebben als de beelden uit het buitenland: de mensen dachten negatiever over integratie van moslims.

Het onderzoek biedt subtiele aanwijzingen dat dit allemaal komt doordat informatie over terrorisme mensen onbewust aan hun eigen sterfelijkheid herinnert. In een woordspelletje maakten mensen (na de moord of na het zien van de nare beelden) woordstammen zoals 'gra...' net iets vaker af als 'graf' dan als 'grap' – een standaardmaat die aantoont dat de eigen dood op onbewust niveau geactiveerd is. Uit eerder onderzoek blijkt dat mensen zich dan afzetten tegen de hele 'outgroup', dus ook tegen moslims die de aanslagen niet ondersteunen.

3.5.2   *Experimenten: wie onderzoek je?*

Omdat het bij een experiment gaat om het observeren van gedrag zelf, zul je meestal relatief kleine groepen proefpersonen onderzoeken. Bij experimenten zijn er vaak twee soorten mensen: experimentele groepen en controlegroepen. De mensen in de *experimentele groep* worden blootgesteld aan het experiment, mensen in de *controlegroep* niet. In het voorbeeld hierboven (kader 3.20) ging het om twee groepen hoog opgeleide blanke Nederlanders tussen de 18 en 65 jaar. De helft kreeg beelden te zien van de aanslagen (experimentele groep) terwijl de andere helft keek naar beelden van de Olympische Spelen (controlegroep).

experimentele groep, controlegroep

3.5.3 Experimenten: waar onderzoek je?

gecontro-
leerde omge-
ving

Een experiment vindt meestal plaats in een bijzondere omgeving, een zogenoemde *gecontroleerde omgeving*. Je wilt immers zo veel mogelijk de storende factoren
uitsluiten. Je kunt je voorstellen dat het gevolgen kan hebben voor de uitkomst
van bijvoorbeeld een intelligentietest, wanneer de ene groep in een warm lokaal
zit en de andere groep in een koude ruimte. Je wilt de condities dus voor iedereen
gelijk maken (tenzij je juist geïnteresseerd bent in de effecten van temperatuur).
We spreken dan ook wel van een laboratorium: een niet-natuurlijke omgeving
die aan bepaalde, door de onderzoeker vastgestelde, voorwaarden voldoet. We
kunnen uit het krantenartikel (kader 3.20) niet achterhalen waar het experiment
plaatsvond, maar omdat films getoond zijn kun je je voorstellen dat het een bepaalde specifieke ruimte was, die voor beide groepen gelijk was. Sommige experimenten vinden wel in het veld plaats, maar dan spreek je niet van een zuiver
experiment (zie experimentele ontwerpen).

3.5.4 Experimenten: hoe onderzoek je?

Veel gedragsexperimenten worden gedaan met behulp van observatie: de onderzoekers observeren hoe mensen reageren. De onderzoeker manipuleert iets,
waarna hij observeert of en hoe er veranderingen in het gedrag van de proefpersonen plaatsvinden. Het voorbeeld van Das (kader 3.20) is een experiment waarbij de onderzoekers de respondenten vragen gesteld hebben. Hier is immers de
mening van de mensen over een multiculturele samenleving gemeten. Dit kan
zowel mondeling als schriftelijk gebeurd zijn; dat is hier niet te achterhalen. Vaak
is er ook een combinatie mogelijk: zowel observeren als vragen stellen.

Een experiment is een gecontroleerde methode van waarneming waarbij de
waarde van één of meer onafhankelijke variabelen wordt gemanipuleerd met als
doel het effect daarvan vast te stellen op één of meer afhankelijke variabelen. Het
gaat dus om een causaal verband, dat zoals we al hebben besproken moet voldoen
aan de drie voorwaarden.

Co-variatie - Met een experiment kun je observeren of de ene variabele varieert
als de andere ook varieert. Bijvoorbeeld: als mensen verschillende beelden te zien
krijgen, reageren ze dan ook anders op de multiculturele samenleving?

Tijdsvolgorde – Juist bij een experiment kun je de tijdsvolgorde zelf aanbrengen.
In dit geval eerst de beelden laten zien en dan het verschil in mening over de
multiculturele samenleving meten.

Geen storende, derde variabele – Het is moeilijk alle storende variabelen te isoleren. Maar doordat je controle hebt op de omgeving, de groepen en het gedrag, kun je het effect van andere variabelen proberen zo klein mogelijk te houden.

In een experiment wordt gedrag uitgelokt. Er is sprake van oorzaak en gevolg. We kunnen dit effect zichtbaar maken met behulp van een model. Een model is niets meer dan visueel maken wat oorzaak en wat gevolg is en hoe volgens jou het verband loopt. Het meest eenvoudige causale model is het volgende:

Figuur 3.12a   Model oorzaak-gevolg

Figuur 3.12b   Vervolg model oorzaak-gevolg

De oorzaak wordt ook wel experimentele variabele of *onafhankelijke variabele* genoemd. Het gevolg noemen we ook wel effectvariabele of *afhankelijke variabele*.

onafhankelijke variabele, afhankelijke variabele

Figuur 3.12c   Vervolg model oorzaak-gevolg

In een experiment meet je de afhankelijke variabele.

De manier waarop een experiment is opgezet noemen we het *experimenteel ontwerp*. Er zijn zeven (pre-)experimentele ontwerpen te onderscheiden. In figuur 3.13 geven we een overzicht.

experimenteel ontwerp

Ontwerp	Groep	T-V		T-A	Omschrijving	
1	I.		X	Y_1	één groep met nameting	
2	I.	Y_1	X	Y_2	één groep met voor- en nameting	pre-experimentele
3	I.		X	Y_1	twee groepen met nameting	ontwerpen
	II.		-	Y2		
4	I.	Y_1	X	Y_2	twee groepen met voor- en nameting	quasi-experiment
	II.	Y_3	-	Y_4		
5	I. R	Y_1	X	Y_2	twee groepen met voor- en nameting en	
	II. R	Y_3	-	Y_4	gerandomiseerde groepen	
6	I. R	Y_1	X	Y_2	Solomon-ontwerp: vier groepen met	
	II. R	Y_3	-	Y_4	voor- en nameting en gerandomiseerde	zuivere
	III. R		X	Y_5	groepen	experimentele ontwerpen
	IV. R		-	Y_6		
7	I. R		X	Y_1	twee groepen met nameting en	
	II. R		-	Y_2	gerandomiseerde groepen	

I (Romeinse cijfers) = aantal groepen (1 groep, 2 groepen of 4 groepen)

T = het tijdstip van de meting: T-V = meting vooraf, T-A = meting achteraf

Y_1 = de meting (minimaal 1 meting (Y_1), maximaal 6 metingen (Y_6) van de *afhankelijke* variabele

X = de experimentele variabele

Figuur 3.13   Zeven (pre-)experimentele ontwerpen

pre-expe-
rimentele
ontwerpen,
quasi-expe-
rimentele
ontwerpen,
zuiver ex-
perimentele
ontwerpen

In het schema wordt onderscheid gemaakt tussen *pre-experimentele ontwerpen*, *quasi-experimentele ontwerpen* en *zuiver experimentele ontwerpen*. Bij de pre-experimentele ontwerpen en het quasi-experiment gaat het om experimenten die gedaan worden met bestaande groepen in de samenleving.

Bij een *pre-experimenteel ontwerp met alleen een nameting* is er sprake van een bestaande groep, waarbij alleen achteraf gemeten wordt wat het effect van iets is. Een voorbeeld hiervan is het onderzoek op een basisschool in Amerika. Tegen kinderen in de klas werd gezegd dat alle blauwogige kinderen heel slim en lief waren en dat alle kinderen met groene of bruine ogen dom waren. Het ging om een bestaande klas. Achteraf werd het gedrag gemeten. Op het schoolplein bleken de kinderen met blauwe ogen zich veel beter te voelen dan de kinderen met groene of bruine ogen en het einde van het liedje was dat ze met elkaar op de vuist gingen.

Figuur 3.14   Verband oogkleur en agressief gedrag

Mensen worden dikker door de invloed van tv

LONDEN ■ Broodmagere westerse televisiepersoonlijkheden zorgen voor eetstoornissen. Dit is aangetoond door onderzoekers van de Harvard Medical School, zo blijkt uit een verslag in de British Journal of Psychiatry.

De invloed van de tv is vaker aangetoond, maar de eilandenstaat Fiji in de Stille Oceaan bood onderzoekers een bijzonder proefterrein. De gemeenschap leeft geïsoleerd, ver van de golfstroom van westerse media

en culturele uitingen. Ze is bovendien een lichamelijk stevig gebouwde gemeenschap met een tot voor kort onaangetaste traditie van goed eten.

Dat dreigt verleden tijd te worden door de introductie van de televisie. Tv-series hebben er vanaf 1995 binnen drie jaar tijd voor gezorgd dat een op de acht meisjes op de Fiji-Eilanden aan ernstige eetstoornissen lijdt en een groter percentage vindt zich dik.

In 1995 was er nog geen

meisje dat erkende over te geven om haar gewicht te drukken, in 1998 was dat 11,3 procent. In huishoudens met een tv is de kans op eetstoornissen drie keer groter dan in die zonder televisie.

De invloed van de tv is enorm en geeft veel Fijiërs plotseling het idee dat ze te dik zijn. De tv overstelpt daarbij de eetgewoonten en een cultuur die welgevormdheid en goed eten altijd heeft bevorderd. *(ANP)*

Figuur 3.15 Mensen worden dikker door invloed tv

Bij een *pre-experimenteel ontwerp met één groep en een voor- en nameting* is er sprake van een bestaande groep waarbij het gedrag eerst vooraf gemeten is. Daarna is achteraf gemeten wat het effect van iets is. Een voorbeeld hiervan is een onderzoek op de Fiji-eilanden[47], zie figuur 3.15. Hier kon het effect van televisie op eetpatronen gemeten worden. Het gaat om een bestaande groep: de gemeenschap. Vooraf waren er geen meisjes die overgaven om het gewicht te drukken. Na de komst van de tv bleek 11,3% van de meisjes dit wel te doen.

Figuur 3.16 Verband tv-kijken en eetgedrag

Bij een *pre-experimenteel ontwerp met twee groepsnametingen* is er sprake van twee bestaande groepen: een experimentele groep en een controlegroep. Vervolgens wordt alleen de experimentele groep blootgesteld aan het experiment en wordt bij beide groepen achteraf gemeten om te zien wat het effect is. Kader 3.21 geeft hiervan een voorbeeld.

Computergebruik vergroot de wiskundevaardigheden[48]

In dit experiment wordt onderzocht in hoeverre het gebruik van computers schoolkinderen een bepaalde voorsprong geeft bij het oplossen van een wiskundeprobleem. Er worden twee groepen gemaakt: een groep kinderen die geen computers gebruikt en een groep kinderen die wel computers gebruikt. De kinderen mogen in dit voorbeeld zelf kiezen in welke groep ze zitten: de groep die wel of geen gebruikmaakt van computers. Achteraf blijkt dat kinderen die in de les gebruikmaakten van computers een wiskundeprobleem sneller op konden lossen dan kinderen die niet gebruikmaakten van computers in de les.

Kader 3.21

Ook bij een *quasi-experiment met twee groepen en een voor- en nameting* is er sprake van twee bestaande groepen: een experimentele groep en een controlegroep. Alleen is er nu zowel vooraf als achteraf gemeten. Een voorbeeld van zo'n experiment is het onderzoek dat besproken wordt in kader 3.22. De controlegroep werd gewoon geopereerd, de experimentele groep werd niet echt geopereerd (er werd een toneelstukje opgevoerd). Daarna werd gemeten of de pijn was verdwenen en dat bleek even vaak het geval na de nepoperatie als na de echte operatie.

Figuur 3.17   Verband operatie en pijn

Patiënten genezen ook na nepoperatie[49]

Amerikaanse chirurgen hebben toneel gespeeld om erachter te komen of hun werk zinvol is. Tijdens 'nepoperaties' werd een ingreep tot in detail nagebootst. Opmerkelijk resultaat: de nepoperatie bleek even succesvol als de echte.
De patiënt kreeg bij de nepoperatie een sneetje en ging onder narcose, maar verder gebeurde er niets. De pijn verminderde bij de niet-echt-geopereerden net zo zeer als bij de wel-geopereerden. Het onderzoek werd gedaan op patiënten die een kijkoperatie rond het kniegewricht nodig hadden om de pijn van botontkalking te bestrijden. Daarbij wordt het gewricht gespoeld met (fysiologisch) zout en wordt soms kraakbeen verwijderd. Vijftig procent van de patiënten heeft minder pijn na deze ingreep.
De placebogroep kreeg eenzelfde klei-

Kader 3.22

Vervolg

ne snee in de knie waardoor normaliter het instrumentarium naar binnen wordt gebracht. Omdat aan narcose altijd een (klein) risico kleeft, werd bij de nepoperatie met slaapmiddelen gewerkt die eenzelfde effect hebben. Om te voorkomen dat de patiënt in het onderbewustzijn merkte dat er verder niets gebeurde, voerden de chirurgen en hun medische teams zelfs een toneelstukje op: zij stonden om de operatietafel, wisselden dezelfde termen en opdrachten uit als tijdens een echte ingreep en voerden dezelfde gesprekken. Met de handen in de zakken.

Nadien bleek er geen verschil tussen de mensen die wel geopereerd waren (120) en de mensen die niet geopereerd waren (60). De Amerikaanse weten-schappers concluderen daarom dat de pijn bij zo'n aandoening na enige tijd ook vanzelf verdwijnt en dat een operatie dit effect mogelijk versterkt.

In Nederland worden nepoperaties niet gebruikt bij onderzoek, zegt hoogleraar P. Bossuyt in de klinische epidemiologie van het Amsterdamse AMC. Hij is een kenner van 'placebo-effecten': 'Misschien is dit een aanzet om het vaker te doen, ook hier. In de VS zijn ze strenger, dus als het zin heeft, zou zo'n onderzoek in Nederland ook mogen.'

In de VS worden jaarlijks voor ongeveer drie miljard dollar ongeveer 650.000 van dergelijke operaties uitgevoerd. In Nederland wordt bij deze specifieke aandoening volgens de medische standaards geen kijkoperatie uitgevoerd.

Een *zuiver experiment* lijkt veel op het quasi-experiment. Verschil is echter dat de groepen gerandomiseerd zijn. Dit randomiseren geldt ook voor de twee volgende ontwerpen (ontwerp 6 en 7). Randomiseren maakt een experiment 'zuiver'.

Randomiseren is de groepen 'willekeurig' oftewel *at random* indelen. Dat kan op twee manieren: je kunt de groepen homogeniseren of je kunt de groepen matchen. In beide gevallen neutraliseer je de zogenaamde storende derde variabelen.

randomiseren

De term 'homogeen' betekent 'gelijk'. Bij *homogeniseren* maak je de groepen gelijk op bepaalde kenmerken waarvan je verwacht dat ze gaan storen. In het voorbeeld van kader 3.20 gaat het om hoog opgeleide blanke Nederlanders tussen de 18 en 65 jaar. Een vooronderstelling is dat de mening over de multiculturele samenleving anders is bij hoogopgeleide mensen dan bij laagopgeleide mensen. We zeggen dan dat opleiding in dit experiment een storende derde variabele kan zijn. De groepen worden dus gehomogeniseerd op opleiding, zodat het opleidingsniveau niet kan storen in het experiment. Ook de factor leeftijd is meegenomen in de samenstelling van groepen. Kinderen reageren immers anders dan

homogeniseren

volwassenen, vandaar dat de minimale leeftijd 18 jaar is. Verder is het aspect huidskleur geneutraliseerd; over de multiculturele samenleving kun je vermoedelijk een andere mening hebben als je een andere huidskleur hebt.

matchen Bij *matchen* maak je van tevoren duo's, die je vervolgens weer splitst: de ene persoon van het duo komt in de experimentele groep, de andere persoon van het duo in de controlegroep. Stel, je zou het experiment van kader 3.20 doen, maar dan iets uitgebreider. Je wilt in beide groepen evenveel mensen met een bepaalde opleiding (hoog, middelbaar of laag). Daarnaast heb je het vermoeden dat de mening ook verschilt tussen mannen en vrouwen en dus wil je in beide groepen evenveel mannen als vrouwen. Matchen kan op twee verschillende manieren: frequentiematchen en precisiematchen.

frequentie- Het woord zegt het al: bij *frequentiematchen* kijk je alleen naar de frequentie, *matchen* oftewel: de aantallen. Je zorgt ervoor dat in beide groepen evenveel hoog-, middelbaar- en laagopgeleide mensen zitten. Ook de verhouding mannen en vrouwen is gelijk. Figuur 3.18 geeft een voorbeeld.

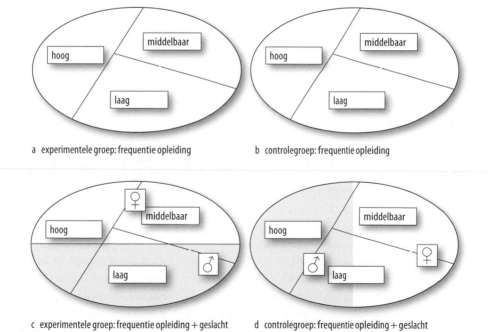

a experimentele groep: frequentie opleiding   b controlegroep: frequentie opleiding

c experimentele groep: frequentie opleiding + geslacht   d controlegroep: frequentie opleiding + geslacht

Figuur 3.18 Frequentiematchen

In bovenstaande figuren zijn de twee groepen eerst ingedeeld op opleiding, dus verhoudingsgewijs in beide groepen evenveel hoog-, middelbaar- en laagopgeleiden. Vervolgens zijn de groepen verdeeld in evenveel mannen als vrouwen. In de experimentele groep c zijn de mannen echter vooral laagopgeleid, terwijl in de controlegroep de mannen vooral een hoge opleiding hebben.

Bij *precisiematchen* wil je zeker weten dat beide groepen identiek zijn op de ken- *precisie-* merken. Je wilt dus in beide groepen evenveel hoogopgeleide mannen. In dat *matchen* geval maak je van tevoren duo's: twee mannen met een hoge opleiding, twee mannen met een middelbare opleiding, twee mannen met een lage opleiding, twee vrouwen met een hoge opleiding, twee vrouwen met een middelbare opleiding, twee vrouwen met een lage opleiding. Vervolgens gaat van elk duo één persoon in de experimentele groep en één persoon in de controlegroep. Beide groepen zijn nu identiek op geslacht en opleiding.

Een voorbeeld van een experiment waarbij is gehomogeniseerd, is het experiment met domme blondjes (zie kader 3.23). De groepen waren gehomogeniseerd; ze waren gelijk gemaakt op geslacht, dus alleen vrouwen namen deel aan dit experiment. Achteraf bleken de blonde vrouwen trager te zijn in de intelligentietest dan niet-blonde vrouwen.

Figuur 3.19 Verband haarkleur en intelligentie

Moppen maken blondjes dommer[50]

Kader 3.23

Blondjes presteren slechter in intelligentietests na het lezen van moppen over hun vermeende domheid. Dat blijkt uit een studie die Duitse psychologen hebben gepubliceerd.

Voor het onderzoek werden ongeveer tachtig vrouwen, blonde en niet-blonde, getest op hun geestelijke vermogen om snel en precies te werken. Voordat ze aan de test begonnen, kreeg de helft van de deelneemsters moppen over domme blondjes te lezen. Zoals: 'Waarom maken blondjes al in de supermarkt de verpakkingen open van wat ze hebben gekocht? Omdat er "hier openen" op staat.' 'Geen enkele blonde vrouw gelooft dat ze dom is', zegt sociaalpsycholoog Jens Förster van de Internationale Universiteit van Bremen. 'Maar nadat ze waren blootgesteld aan negatieve stereotypen, waren de blonde deelneemsters opmerkelijk trager in de tests.' Zijn ver-

| Vervolg |

klaring is dat mensen die te horen krijgen dat ze iets niet goed kunnen, langzamer werken omdat ze harder proberen fouten te voorkomen. 'Het onderzoek toont aan dat zelfs vooroordelen die algemeen gelden als onwaar, iemands zelfvertrouwen kunnen ondermijnen.'

Het *Solomon-ontwerp* (vier groepen met voor- en nameting en gerandomiseerde groepen) is het meest uitgebreid: er worden vier groepen gebruikt, alle vier de groepen zijn gerandomiseerd. Twee groepen zijn experimentele groepen (groep 1 en groep 3) en de overige twee zijn controlegroepen (groep 2 en groep 4). De groepen 1 en 2 worden zowel vooraf als achteraf gemeten, terwijl de groepen 3 en 4 alleen achteraf gemeten worden. Bij dit experiment kun je een bepaald effect zichtbaar maken: het zogenaamde testeffect.

testeffect Als je mensen van tevoren meet op een bepaalde variabele, gaan ze er vanzelf beter op letten. We noemen dit het *testeffect*. Je wilt bijvoorbeeld het effect meten van een voorlichtingscampagne over aids. Van tevoren stel je groepen mensen vragen met betrekking tot hun kennis van aids. Maar omdat je er vragen over hebt gesteld, zullen die mensen daarna bijvoorbeeld de kranten anders lezen. Ze zijn er door je vragen immers op attent gemaakt. Als je vervolgens bepaalde testgroepen een campagne laat zien en andere niet, dan kan het gebeuren dat beide groepen meer over aids weten dan bij de eerste (vooraf) meting. Je zou dan kunnen concluderen dat de campagne geen effect heeft gehad. Vooral bij experimenten waar je kennis meet, kan dit testeffect optreden. Door vier groepen te meten (twee groepen wel vooraf, twee groepen alleen achteraf) kun je achterhalen of in jouw geval sprake is van een testeffect. Bij de twee groepen die alleen achteraf gemeten worden, zou in het geval van de aidscampagne wel een verschil zichtbaar moeten zijn tussen de experimentele groep en de controlegroep.

placebo- Een speciaal testeffect is het *placebo-effect*. Dit verschijnsel is vooral bekend in
effect de geneeskunde: het geven van een 'pilletje' heeft al een bepaald effect, of er nu wel of geen medicijn in zit. In het voorbeeld van de nepoperatie komt dit ook naar voren: of een operatie werkelijk is uitgevoerd of niet, de patiënt ervaart een bepaald effect. Of een pilletje het werkelijke medicijn bevat of niet: de patiënt wordt beter.

Bij een experiment met *twee groepen en alleen een nameting* wordt uitgegaan van het *gegeven* dat het testeffect kan optreden. Als je van tevoren zeker weet dat het testeffect zal optreden meet je alleen achteraf.

Hoe kies je nu een experimenteel ontwerp? In principe heeft het Solomon-ontwerp de voorkeur. Toch wordt het lang niet altijd toegepast, simpelweg omdat het niet altijd kan. Ook tijd en geld spelen een rol: het Solomon-ontwerp is duur en kost veel tijd, omdat je vier groepen moet onderzoeken. We geven hier een aantal beslisregels:

- Als je tijd en geld genoeg hebt, en je kunt randomiseren, dan kies je voor ontwerp 6.
- Als je van tevoren zeker weet dat het testeffect zal uitblijven, dan meet je zowel van tevoren als achteraf: ontwerp 5.
- Weet je zeker dat het testeffect wél optreedt, dan kies je voor alleen een nameting: ontwerp 7.
- Als je bij jouw onderzoek niet kunt randomiseren, bijvoorbeeld omdat je te maken hebt met bestaande groepen, dan kies je ontwerp 4.
- Als je zeker weet dat in dit geval een testeffect optreedt, dan neem je ontwerp 3.
- Als je een bestaande groep hebt die je niet in twee groepen kunt verdelen, dan kies je voor ontwerp 2.
- Weet je van tevoren zeker dat je te maken krijgt met het testeffect, dan kies je voor ontwerp 1.

3.5.5 Betrouwbaarheid van een experiment

Ook bij een experiment spelen bij betrouwbaarheid alle vier de factoren op verschillende manieren een rol:

De onderzoeker – Bij een experiment speelt de onderzoeker vaak de rol van observator en bij observaties spelen de eigen interpretaties van de onderzoeker een rol. De ene onderzoeker kan beter observeren dan de andere, oftewel: de ene onderzoeker interpreteert minder dan de andere. Door van tevoren te trainen hoe je moet observeren, kun je de betrouwbaarheid van je experiment verhogen. Elke onderzoeker heeft dan immers dezelfde richtlijnen met betrekking tot de zaken waarop hij moet letten en hoe hij rapporteert. Bij experimenten kunnen ook afhankelijke variabelen worden gemeten die niet afhankelijk zijn van de interpretatie van de onderzoeker, zoals bijvoorbeeld de uitslag op een intelligentietest in een van de voorbeelden.

De onderzochte – Bij een experiment speelt observatie vaak een belangrijke rol. Hoe bewust is de onderzochte van de observatie en zal hij het gedrag daarop aanpassen? Een voorbeeld is het Milgram-experiment.[51] De proefpersonen (leraren) kregen de opdracht bij elk fout antwoord stroomstoten toe te dienen aan zogenaamde leerlingen. Degenen die de stroomstoten gaven, wisten niet dat het niet om echte stroom ging, maar 26 van de 40 proefpersonen aarzelden niet om een dodelijke dosis toe te dienen. Achteraf werd gezegd dat de mensen in het 'echte leven' niet zo zouden reageren en dat ze zich alleen zo hadden gedragen, omdat ze deelnamen aan een experiment. De ervaringen in de gevangenis van Abu Ghraib bewijzen echter het tegendeel: het lijkt erop dat mensen vaak bereid zijn gehoor te geven aan opgedragen taken van een gezaghebbende ook als deze strijdig zijn met het persoonlijke geweten van de deelnemer.

De omgeving – Juist bij een experiment wordt de omgeving in grote mate gecontroleerd: veel experimenten vinden plaats in een laboratoriumachtige omgeving, zodat deze voor alle groepen gelijk is en dus zo weinig mogelijk een rol speelt.

Het instrument – Als je meetinstrument een vragenlijst is, dan gelden dezelfde aspecten als genoemd bij een survey of een kwalitatief (veld)onderzoek. Gebruik dus bijvoorbeeld geen moeilijke woorden.

Als je een experiment ontwerpt, kijk dan naar andere aspecten die een rol spelen bij je specifieke ontwerp en beschrijf hoe je de kans op toevallige fouten zo laag mogelijk houdt. Per type experiment (pre-, quasi- of zuiver) zijn op aspecten van betrouwbaarheid verschillen te vinden.

3.5.6 Generaliseerbaarheid van een experiment

Het generaliseren van uitkomsten uit een experiment is erg lastig, juist omdat alles zo sterk gecontroleerd is. Respondenten zullen zeggen in het 'echte' leven nooit zo te hebben gereageerd en dat het gedrag is uitgelokt. Daarnaast zijn vaak kleine groepen onderzocht, waardoor de generaliseerbaarheid vergelijkbaar is met een kwalitatief (veld)onderzoek. Je kunt dan een indicatie geven, maar je kunt niet nauwkeurig generaliseren.

3.5.7 Validiteit van een experiment

Ook hier geldt weer: wat meet je? In het voorbeeld over 'domme blondjes' wordt gesuggereerd dat de intelligentie onderzocht is. Maar eigenlijk staat in het artikel alleen iets over snelheid: de blonde deelneemsters waren trager. Of de antwoorden van de blonde deelnemers vaker fout waren dan de antwoorden van de overige vrouwen, kun je uit dit artikel dus niet achterhalen. Voor het meten van verschillen in IQ is dit onderzoek (voor zover we uit het artikel kunnen lezen) dus niet valide, maar wel voor het meten van de effecten van stereotypen op gedrag, en daar ging het de onderzoekers uiteindelijk om.

Bij een experiment gaat het om het aantonen van oorzaak en gevolg. Maar zijn de conclusies valide? Zoals al eerder opgemerkt zijn de conclusies meer valide als een experiment zuiver is, dus als er gerandomiseerd is. Het experiment waarbij het computergebruik onderzocht is bij het oplossen van wiskundeproblemen, is bijvoorbeeld minder valide. De kinderen mogen in dit voorbeeld zelf kiezen in welke groep ze zitten: de groep die wel of geen gebruikmaakt van computers. Nadeel hiervan is dat kinderen die het leuk vinden met computers te werken misschien beter zijn in wiskunde. In dat geval zal de uitkomst van het experiment vertroebeld worden; de computergroep zal altijd betere wiskundepresentaties leveren.

Het onderzoek was meer valide geworden door de groepen te homogeniseren op wiskundekennis. Alleen leerlingen met een cijfer 7 of hoger voor wiskunde doen mee. Vervolgens worden (*at random*) twee groepen gemaakt: de experimentele groep werkt met computers in de les, de controlegroep werkt niet met computers in de les. De uitkomst van dit experiment is dan minder afhankelijk van de individuele wiskundevaardigheden. Bij gerandomiseerde groepen is causaliteit eerder aan te tonen dan wanneer groepen niet gerandomiseerd zijn.

Het is dus best ingewikkeld een goed experiment op te zetten waarbij je een causaal verband aantoont. Het zuivere experiment is daarbij een meer valide vorm dan een pre- of een quasi-experiment. Maar zoals uit de voorbeelden blijkt, is een zuiver experiment lang niet altijd mogelijk.

3.6   Strategie kiezen

In hoofdstuk 2 kwam al aan de orde dat de keuze voor een strategie afhangt van het soort onderzoek. Je begint altijd met een bureauonderzoek. Als daarmee alle onderzoeksvragen beantwoord worden, hoef je niet verder te onderzoeken. Vaak blijkt dat je daarmee echter niet voldoende informatie boven tafel krijgt. Je kiest dus nog een aanvullende strategie. Iedere strategie heeft zijn eigen voor- en nadelen. Je kunt in een onderzoek verschillende strategieën combineren, maar dan moet je wel de tijd hebben. Je kunt bijvoorbeeld kiezen voor een survey met aansluitend een kwalitatief (veld)onderzoek, bijvoorbeeld diepte-interviews met mensen over de ontbrekende gegevens uit je survey. Maar ook andersom is mogelijk: eerst doe je een kwalitatief (veld)onderzoek met als doel duidelijk te krijgen wat het probleem precies is, om vervolgens met een survey te achterhalen hoe groot dat probleem is. De uiteindelijke keuze voor een bepaalde strategie (of een combinatie van verschillende strategieën) is mede afhankelijk van de aanwezige voorkennis, de grootte van de onderzoeksgroep maar ook het praktische 'tijd en geld'-argument. Meestal heb je niet genoeg tijd om een combinatie te maken en zul je voor een bureauonderzoek met een survey *of* een bureauonderzoek met een kwalitatief (veld)onderzoek kiezen. Doorslaggevend daarbij zijn twee zaken. Allereerst het soort vraagstelling: wil je vooral beschrijven dan zul je vaker kiezen voor een bureauonderzoek met een survey. Ga je vooral verklaren, vooral op zoek naar het waarom, dan kies je vaker voor een kwalitatief (veld)onderzoek. Ten tweede de mate van voorkennis: kun je veel gesloten vragen met vaste antwoord- mogelijkheden bedenken, dan kies je vaker voor een survey dan wanneer je vooral open vragen en 'onderwerpen van gesprek' kunt bedenken. In dat geval zul je kiezen voor een kwalitatief (veld)onderzoek.

Een toegepast communicatieonderzoek kunnen uitvoeren

4

Je hebt nu vastgesteld wat je precies gaat onderzoeken en een onderzoeksstrategie gekozen. De volgende stap is het daadwerkelijk uitvoeren van het onderzoek. In dit hoofdstuk gaan we dieper in op het verzamelen en verwerken van onderzoeksgegevens, waarbij het bureauonderzoek, de survey en het kwalitatief (veld)onderzoek centraal staan. We bespreken de voor- en nadelen van elke strategie en gaan in op de manier waarop je de nadelen van elke strategie zo klein mogelijk kunt houden.

Verder leer je hoe je de dataverzameling voorbereidt en hoe je de gevonden gegevens verwerkt.
Onder de voorbereiding verstaan we:
- het vooraf bepalen van de te zoeken informatie
- de formulering van de te stellen vragen.

Onder verwerking verstaan we:
- het samenvatten van de gevonden teksten
- het opschrijven van de antwoorden
- het invoeren van de gegevens in computerprogramma's.

Doelstellingen bij dit hoofdstuk:

- weten hoe je een zoekplan maakt voor bureauonderzoek;
- weten hoe je een inhoudsanalyse voorbereidt en uitvoert;
- weten wat de voor- en nadelen zijn van verschillende vormen van mondelinge en schriftelijke dataverzameling;
- weten waar je rekening mee moet houden bij het opstellen van vragen en antwoordmogelijkheden voor een survey;
- weten hoe je de resultaten van een survey invoert in SPSS of Excel;
- weten hoe je een topiclijst opstelt voor een kwalitatief (veld)onderzoek;
- weten waar je rekening mee moet houden bij het formuleren van vragen tijdens een kwalitatief onderzoek.

Kader 4.1

Vervolg

– weten hoe je rekening houdt met de non-verbale communicatie van de respondent tijdens een kwalitatief (veld)onderzoek

– weten hoe je de gegevens uit een kwalitatief (veld)onderzoek verwerkt.

4.1   Dataverzameling door middel van bureauonderzoek

Als je bureauonderzoek doet, heb je verschillende middelen tot je beschikking. Je kunt naar de bibliotheek of mediatheek gaan, je kunt op internet zoeken of je duikt archieven in. Vaak dwaal je van het ene naar het andere onderwerp: alles lijkt interessant of juist niet. Al met al kun je aan het eind van de dag het gevoel krijgen: ik ben hard aan het werk geweest, maar heb nog niets relevants gevonden.

zoekplan   Om jezelf hierbij te helpen, maak je van tevoren een *zoekplan*. Daarmee baken je af wat relevant is en geef je tevens aan welke middelen je gaat gebruiken om te zoeken. Daarnaast kun je met een zoekplan achteraf aan anderen duidelijk maken hoe je hebt gezocht. Onderzoek doen houdt immers ook in dat je het onderzoeksproces inzichtelijk moet kunnen maken voor andere onderzoekers.

Maar hoe moet een zoekplan eruitzien? Het begint met je onderwerp; dat haal je uit je probleemstelling. Je stelt daarmee vast wat het onderwerp is waarnaar je gaat zoeken. Per deelvraagstelling bepaal je de specifieke informatie die je zoekt. Daarna noteer je trefwoorden (deelonderwerpen, kernbegrippen, variabelen) bij het betreffende onderwerp. Deze trefwoorden zijn zogenaamde zoektermen. Maak de zoektermen niet te algemeen, maar juist zo precies mogelijk. Noteer ook synoniemen. Geef vervolgens aan welke instrumenten je gebruikt om te gaan zoeken. De mediatheek van je school (boeken, naslagwerken en artikelen), openbare bibliotheken, archieven en internet zijn allemaal voorbeelden van zoekinstrumenten. Binnen internet kun je met verschillende zoekmachines zoeken. Geef aan welke zoekmachines je kiest en waarom. Denk bij deze keuze aan aspecten van betrouwbaarheid. Welke zoekmachines zijn het meest betrouwbaar? Maak hier een gemotiveerde keuze van de bronnen die je gebruikt.

Figuur 4.1 Databanken mediatheek

4.1.1 Literatuuronderzoek

In hoofdstuk 3 is aangegeven welke gegevens we met behulp van literatuur kunnen opsporen: theorieën over onder meer communicatie, bestaand onderzoek, beleidsplannen, vergaderstukken enzovoort. Aan welke gegevens je aandacht besteedt hangt af van de specifieke vraagstelling uit je onderzoek. Vervolgens formuleer je op basis van de vraagstelling trefwoorden en zoektermen. Als je niet helder hebt omschreven wat je gaat zoeken, kun je belangrijke artikelen missen. Een concreet voorbeeld van een zoekplan is het zoeken naar literatuur betreffende reputatiemanagement. In kader 4.2 geven we een voorbeeld.

Voorbeeld literatuuronderzoek reputatiemanagement

Onderwerp:	de volgende vraagstelling wil je met behulp van literatuuronderzoek onderzoeken: *welke effecten hebben de media op de beeldvorming over een bedrijf?*
Trefwoorden:	media, beeldvorming
Zoektermen:	communicatie, media, berichten, beeldvorming, imago, identiteit, reputatie
Zoekinstrumenten:	bibliotheek, databanken internet (Nederlandse Onderzoeksdatabank, Picarta), krantenberichten (Lexis Nexis)

Als je bijvoorbeeld bij de Nederlandse Onderzoeksdatabank het woord 'beeldvorming' als zoekterm intypt, dan vind je 203 artikelen over beeldvorming. De zoekterm 'berichten' geeft 31 resultaten, het woord 'imago' 384 en het woord 'communicatie' resulteert zelfs in 857 artikelen. Het maakt dus veel uit welke zoekterm je gebruikt. Gebruik je 'reputatie' als zoekterm, dan vind je 22 artikelen over reputatie. Maak je een combinatie van zoektermen, bijvoorbeeld 'media' en 'reputatie', dan blijven er nog drie over. Wat je vindt, hangt dus sterk af van de gebruikte zoektermen. Eén van de artikelen die voor je vraagstelling geschikt zouden kunnen zijn, heeft de titel: *De effecten van mediaberichtgeving op de corporate reputation.* Hoe je gegevens uit dit onderzoek gebruikt, kun je lezen in hoofdstuk 5.

Kader 4.2

Bij bovenstaand voorbeeld is bewust gekozen voor een databank waarin je onderzoeken kunt vinden. Uit de vraagstelling blijkt dat je op zoek bent naar eerder onderzoek over de effecten die media hebben op de beeldvorming. Het wiel steeds opnieuw uitvinden is zonde, je gaat dus kijken wat er al bekend is. Heb je geen afgewogen keuze gemaakt en raadpleeg je een willekeurige zoekmachine, dan krijg je ook andere resultaten: niet alleen onderzoek, maar ook krantenartikelen,

columns, discussiestukken enzovoort. Met een algemene zoekmachine krijg je vaak te veel resultaten, waarvan het grootste deel niet relevant is. Het begrip 'communicatie' in de zoekmachine Google levert bijvoorbeeld meer dan vijf miljoen hits op. De combinatie 'media' en 'reputatie' resulteert in bijna 200.000 hits.

Het bestuderen van literatuur

Als je een bepaalde titel gevonden hebt, dan kan het zijn dat je de inhoud op internet kunt bekijken, bijvoorbeeld een artikel in een vaktijdschrift. Het komt ook voor dat je alleen een samenvatting vindt en op zoek moet gaan naar de bron. In het voorbeeld hierboven gaat het over een promotieonderzoek dat in de vorm van een boek gepubliceerd is. In de bibliotheek van de betreffende universiteit (in dit geval de vu) kun je het boek dan opvragen. Je typt de titel van het boek in de catalogus van de betreffende bibliotheek in. De meeste hogescholen verlenen de service dat ze bepaalde boeken uit andere bibliotheken laten komen, wanneer ze deze zelf niet in huis hebben.

Kijk ook op de boekenplank in de bibliotheek zelf. Als je een bepaald boek via internet hebt gevonden kun je in de bibliotheek kijken of over het zelfde onderwerp nog andere boeken te vinden zijn die ook interessant zijn. Deze boeken staan vaak per onderwerp gecategoriseerd en staan dus op dezelfde plank.

Ook voor het verzamelen van informatie binnen een bedrijf (communicatieplannen, vergaderstukken enzovoort) kan een zoekplan effectief zijn. Je bepaalt van tevoren welke bedrijfsinformatie je nodig hebt en je geeft gericht aan bij wie of waar je de informatie kunt vinden.

4.1.2 *Databestanden, archieven, registraties en dossiers*

Het hangt zoals gezegd van de aard van de gegevens af waar je gaat zoeken. Wil je gegevens over 'de Nederlander' dan kun je bijvoorbeeld bij het Centraal Bureau voor Statistiek veel informatie vinden. Dit is een overheidsinstelling die op allerlei terreinen cijfers verzamelt. Kader 4.3 geeft hiervan een voorbeeld.

Voorbeeld van bureauonderzoek met behulp van databestanden, archieven, registraties en dossiers

Basisschool Roosje

Hoeveel Nederlanders zijn in 2004 in het bezit van een personal computer (pc) met internetaansluiting?

Het CBS[52] is in 1997 gestart met Permanent Onderzoek Leef Situatie (POLS). Het CBS heeft voor dit onderzoek in 2004 bijvoorbeeld 21.706 mensen ondervraagd met behulp van een elektronische vragenlijst. Je kunt over de leefsituatie van Nederlanders gegevens verzamelen, dus bijvoorbeeld ook over pc-gebruik. Als je klikt op cijfers → leefsituatie → vrijetijdsbesteding → gebruik pc → internet, dan ontstaat een tabel met diverse gegevens die betrekking hebben op pc-gebruik.

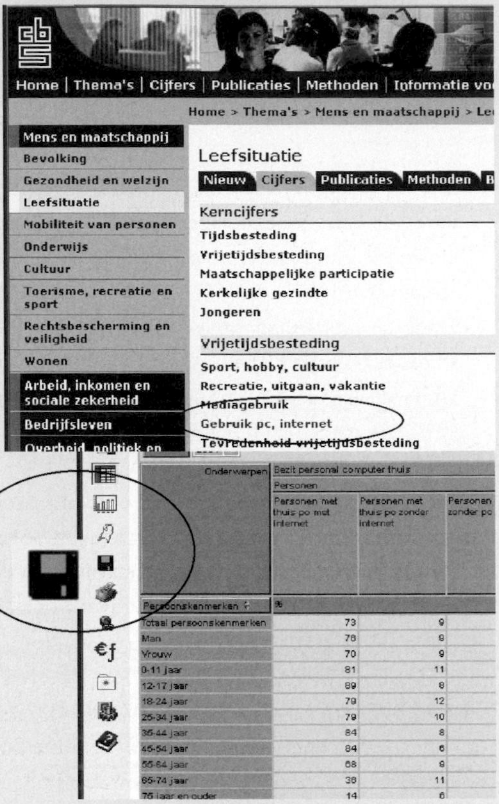

Figuur 4.2 Specifieke gegevens CBS

Je kunt het bestand downloaden door te klikken op het schijfje. Vervolgens kies je een formaat waarin je het bestand wilt opslaan, bijvoorbeeld in Excel. Deze gegevens kun je dan verder analyseren (zie voor de analyse hoofdstuk 5).

Kader 4.3

4.1.3 Inhoudsanalyse

Een inhoudsanalyse is een speciale vorm van bureauonderzoek. Ter voorbereiding op de inhoudsanalyse formuleer je eerst criteria waarop je de teksten gaat analyseren. Om in het voorbeeld van hoofdstuk 3 (humor in commercials gericht op kinderen, tieners en volwassen) de inhoudsanalyse te kunnen doen, operationaliseer je van tevoren het begrip 'humor'. Je geeft aan wat humor is en hoe je dat kunt meten, oftewel: je bepaalt aan welke criteria de commercial moet voldoen om humoristisch genoemd te kunnen worden. In kader 4.4 werken we dit uit.

Operationalisatie humor

Humoronderzoekers geven aan dat humor bij de consument of kijker moet leiden tot vrolijkheid, die op haar beurt veelal wordt geuit in lachen of glimlachen.[53]

Humor verschilt per leeftijdscategorie:
- kinderen van 2-7 jaar houden van clownesk gedrag en visuele ondersteuning
- kinderen van 7-12 jaar houden van slapstick en logica
- kinderen van 12-18 jaar houden van subtiliteiten en opstandigheid.

Bij volwassenen speelt leeftijd veel minder een rol. De meeste volwassenen houden van commercials waar gespeeld wordt met meervoudige woordbetekenissen. Veel volwassenen houden ook van slapstick en seksueel getinte humor. Humor wordt bij volwassenen mede bepaald door sekse, cultuur en sociaal economische status. Zo houden mannen meer dan vrouwen van agressieve en vijandige typen humor.

Kader 4.4

Als je hebt omschreven wat humor is (bijvoorbeeld clownesk gedrag) ga je bedenken hoe je dit kunt meten. Je maakt van tevoren een lijst met de beoordelingscriteria (zie kader 4.5).

Beoordelingscriteria humor

Clownesk gedrag:	het maken van heftige arm- en beenbewegingen of het tentoonspreiden van overdreven fysiek gedrag.
Gekke stem:	grappige, ongewone stem.

Kader 4.5

Als je hebt omschreven hoe je humor wilt gaan meten dan kun je een commercial daarop beoordelen. In het hier gebruikte voorbeeld zijn 41 humortechnieken onderscheiden en is elke commercial door twee beoordelaars op de technieken beoordeeld. Dit laatste gebeurde om te controleren of de individuele smaak van de onderzoeker een rol speelde.

4.1.4   Bureauonderzoek: verwerking van de gegevens

Bureauonderzoeksgegevens zijn secundaire gegevens. Dat houdt in dat je de data niet zelf hoeft te verwerken, want iemand anders heeft dat al (gedeeltelijk) voor je gedaan. Informatie is immers al opgeschreven in een tekst. Cijfermatige data worden vaak aangeleverd in tabellen die je in Excel kunt inlezen. Het hangt een beetje af van de gevonden gegevens wat je er nog mee kunt doen en of je de gegevens nog verder moet verwerken. De gevonden cijfers zijn misschien niet allemaal relevant voor je eigen onderzoek. Je kunt dan de data opschonen door te ontdubbelen en niet-relevante cijfers eruit te halen. Bij een inhoudsanalyse verzamel je wel zelf nieuwe gegevens en analyseer je die ook, meestal door eenvoudige rechte tellingen te maken (turven).

4.2 Mondelinge en schriftelijke dataverzameling

Als je na het bestuderen van bestaande bronnen niet genoeg informatie hebt dan ga je vragen stellen. Een nadeel van sociaal wetenschappelijk onderzoek met behulp van vragen (survey of kwalitatief (veld)onderzoek), is dat mensen vooral 'zeggen' wat ze doen of wat ze gedaan hebben. Maar je weet niet zeker of ze het daadwerkelijk gaan doen of gedaan hebben. Het gaat dus voornamelijk over opvattingen over gedrag in plaats van over het gedrag zelf. Alleen als je ook kunt observeren, kun je eventueel het gedrag zelf bestuderen, zoals bij een experiment of een kwalitatief (veld)onderzoek. Zo kun je de interne communicatie in een ziekenhuis onderzoeken door een werkoverleg bij te wonen en te observeren hoe de communicatie werkelijk verloopt.

Wat voor soort strategie je kiest, kwalitatief (veld)onderzoek of survey, hangt af van je vraagstellingen (zie hoofdstuk 2). Hierdoor wordt al bepaald of je werkt met een enquête met vaste antwoordmogelijkheden (survey) of een topiclijst (kwalitatief (veld)onderzoek). De manier waarop je het onderzoek vervolgens gaat afnemen (mondeling of schriftelijk) hangt af van verschillende factoren. De beide manieren van dataverzameling hebben voor- en nadelen.

4.2.1 Tijd en geld

Elk onderzoek wordt afgebakend door tijd en geld. Je kunt prachtige plannen maken, maar als je daardoor jaren bezig bent of als je veel onderzoekers tegelijk nodig hebt, dan zijn ze vaak niet haalbaar. Het hangt van de afspraken met de opdrachtgever af welke randvoorwaarden in tijd en geld er zijn.

De schriftelijke vorm van dataverzameling is relatief goedkoop. De snelheid hangt echter sterk af van de snelheid waarmee de respondent de enquête terugstuurt. Dit is een onzekere factor en zorgt mede voor de hoge mate van non-respons. De schriftelijke enquête per post is langzaam: je verstuurt eerst de enquête en daar gaat tijd overheen. De mensen moeten het dan nog lezen en terugsturen, ook dat kost tijd. Daarom kiezen sommige onderzoekers ervoor de enquête 'ter plekke'

af te nemen, bijvoorbeeld op een afdeling, in de klas of op straat. Je hebt de ingevulde enquêtes dan meteen tot je beschikking. De elektronische schriftelijke
vormen, zoals via inter-/intranet of e-mail, zijn een stuk sneller dan de versies
per post. Het ontvangen van de gegevens hangt nog wel van de respondent af,
maar het grote voordeel is dat de ontvangen gegevens meestal meteen in een
computerprogramma worden weggeschreven. Je hoeft niet, zoals bij een schriftelijke enquête, tijd en geld te gebruiken voor het intypen van de vragen en antwoorden in een computerprogramma, zoals SPSS. Het maken van een elektronische enquête vereist echter wel gebruik en kennis van de nodige software.

Het mondeling verzamelen van gegevens is meestal duurder dan schriftelijk onderzoek, omdat het nogal arbeidsintensief is. De onderzoekers moeten immers
vaak een groot aantal gesprekken voeren. Veel onderzoeksbureaus werken voor
telefonisch onderzoek met computerprogramma's waarmee de onderzoeker aan
de telefoon direct de gegevens kan invoeren. Telefonische enquêtes zijn daarom
wel heel snel en worden daarom ook veel gebruikt. Doe je als student of medewerker zelf een telefonische enquête en beschik je niet over een dergelijk computerprogramma, dan ben je vaak meer tijd kwijt. Mondelinge interviews zijn ook
een relatief dure vorm van onderzoek, ook weer vanwege de tijd die gemoeid is
met het afnemen van de interviews. Groepsinterviews zijn dan ook iets sneller,
omdat je gelijktijdig informatie verzamelt van meerdere personen. Verder kost
de uitwerking van de interviews veel tijd. Mondelinge interviews worden volledig uitgeschreven (zie verwerking gegevens kwalitatief (veld)onderzoek).

4.2.2   Anonimiteit

Bij het doen van onderzoek is het vaak van belang dat de deelnemers anoniem
kunnen blijven. Dit geeft respondenten het vertrouwen dat ze kunnen zeggen
wat ze doen en vinden zonder dat iemand ze daar later op aan kan spreken en
vermindert de kans op sociaal wenselijke antwoorden. Bij het verzamelen van de
data is echter niet altijd sprake van anonimiteit. We bespreken hier de mate van
anonimiteit bij de verschillende onderzoeksstrategieën.

Een schriftelijke enquête wordt meestal anoniem afgenomen. Maar als je een
prijsje wilt uitloven om meer respons te krijgen, vraag je naar de naam en adresgegevens. Deze persoonlijke gegevens moet je later scheiden van de ingevulde
enquête, zodat je niet meer op persoon kunt kijken wat iemand heeft gezegd. Dit
geldt ook voor een elektronische enquête, waarbij je persoonsgegevens via bijvoorbeeld een e-mailadres ontvangt.

Neem je de schriftelijke enquête op straat of in een klas af, dan is het minder anoniem. Je ziet immers welke mensen de enquête invullen. Je hoeft ze echter niet naar hun naam en adresgegevens te vragen. Je kunt de anonimiteit verder verhogen door bijvoorbeeld de enquêtes door de respondenten zelf in een half gesloten doos te laten deponeren.

Een telefonische enquête is veel minder anoniem. Bij het opnemen van de telefoon noemt de respondent zijn naam. Toch weet je nooit helemaal zeker wie je aan de lijn hebt. Zo kan iemand zeggen dat hij de vader van het gezin is, maar het kan in werkelijkheid de achttienjarige zoon zijn. Een ander lastig punt bij een telefonische enquête is het vaststellen van het geslacht. Bij een schriftelijke enquête kan de respondent dit gewoon invullen en bij een mondeling interview kun je het meestal zelf zien. Maar bij een telefonische enquête kan de stem van de respondent niet altijd uitsluitsel geven, denk maar aan een vrouw met een hele lage stem. Je zult het dan moeten vragen, al vinden veel onderzoekers dat lastig.

Een mondeling interview is niet anoniem, want je ziet de persoon in kwestie tegenover je. Juist dan is het van belang te benadrukken dat je de gegevens wel anoniem gaat verwerken. Dit benadrukken doe je om sociaal wenselijke antwoorden te voorkomen en een respondent op zijn gemak te stellen om zijn eigen mening te geven.

Hoewel de *verzameling* van gegevens dus niet altijd helemaal anoniem kan, is de *verwerking* van gegevens wel altijd anoniem. Soms is dat lastig. Stel dat er in je onderzoek onder een bepaalde bedrijfsafdeling één manager is. In de verslaglegging vermeld je vervolgens dat de manager van de afdeling een bepaalde mening heeft. Je doet dit dan wel anoniem (je maakt geen melding van zijn naam), maar iedereen weet natuurlijk over wie het gaat. Je onderzoek mag, hoe dan ook, geen schade opleveren voor de mensen die meewerken. Soms moet je er dan voor kiezen resultaten minder gedetailleerd te beschrijven in je verslag.

4.2.3 Visuele ondersteuning

Bij mondeling en schriftelijk onderzoek kun je gebruikmaken van foto's of plaatjes. Stel dat een ondernemer van kermisattracties wil weten welke van zijn attracties het meest zullen opleveren. Je kunt dan in je vragenlijst zes foto's van attracties tonen en de respondent een top drie laten maken. Bij een onderzoek naar naamsbekendheid zou je verschillende logo's kunnen opnemen en de respondent vragen welk logo bij welk bedrijf hoort (de naam van het bedrijf moet dan niet in het logo staan of eventueel onleesbaar worden gemaakt).

Bij een telefonische enquête is nog geen ondersteuning met visuele middelen mogelijk. In de toekomst zal dit wellicht veranderen, want veel mobiele telefoons hebben al een mogelijkheid tot het ontvangen van foto's of plaatjes. In dit boek gaan we echter uit van het bellen naar nummers op een vast net, waarbij deze optie nog niet bestaat.

4.2.4 Doorvragen

Bij de mondelinge manier van dataverzameling kun je doorvragen. Stel dat je bijvoorbeeld vraagt wat mensen op zaterdag doen. Een respondent zou dan een vaag antwoord kunnen geven, zoals: 'Ik ga regelmatig de stad in.' Je kunt dan vervolgens de vraag stellen: 'Wat doet u dan in de stad?' Bij de schriftelijke dataverzamelingsmethode kun je niet doorvragen. Heb je veel gesloten vragen met vaste antwoordmogelijkheden, dan kies je vaak voor een schriftelijke enquête. In dat geval is het dus van belang de vragen en antwoordmogelijkheden zo op te stellen dat doorvragen niet nodig is. Heb je veel open en 'waarom'-vragen, en dus veel 'doorvraagvragen', dan is een mondeling interview een logische keuze.

4.2.5 Uitleg

Bij de mondelinge dataverzameling kun je uitleggen wat je bedoelt met een bepaalde vraag, bij een schriftelijke enquête kan dat niet. Bij een schriftelijke enquête moet je dus absoluut vermijden dat vragen voor meerdere uitleg vatbaar zijn. Vragen moeten helder en eenduidig zijn. Ook bij een mondeling interview is dit van belang. Niet alle respondenten zullen om uitleg vragen als een vraag niet duidelijk is. Sommigen denken 'waarschijnlijk bedoelt hij dit' en kunnen daardoor een verkeerd antwoord geven. Door de non-verbale communicatie kun je soms zien of iemand de vraag niet goed begrepen heeft en alsnog een verduidelijking geven. Of dit inderdaad gebeurt hangt uiteraard af van de alertheid van de onderzoeker. Bij zowel schriftelijke als mondelinge dataverzameling moeten vragen dus zo duidelijk mogelijk gesteld worden om problemen te voorkomen.

4.2.6 Volledigheid

Het nadeel van een enquête per post is dat respondenten soms vragen hebben overgeslagen en je niet weet waarom. Vullen ze de vraag niet in omdat ze geen mening hebben? Of omdat ze het vergeten zijn? Of hebben ze de vraag niet goed begrepen? Het voordeel van een elektronische enquête is dat je mensen kunt dwingen alle vragen in te vullen. Het systeem kun je zo ontwerpen dat respondenten alleen naar de volgende vraag kunnen als de vorige vraag beantwoord is.

Bij een telefonische enquête of een mondeling interview ben je er zelf bij, dus kun je de volledigheid beter waarborgen.

4.2.7   Respons

Niet iedereen wil meewerken aan een onderzoek (zie figuur 4.2[54]). De respons bij een enquête per post is vaak laag. De enquêtes worden anoniem ingevuld, je kunt dus niet de mensen die niet hebben gereageerd terugbellen. Hooguit kun je iedereen een herinneringsbrief sturen. Het meesturen van een antwoordenvelop met postzegel of het verloten van prijzen kan helpen de respons te verhogen. Binnen een bedrijf kun je bijvoorbeeld de afdeling met de hoogste respons trakteren op een taart.

Neem je de enquête op straat, in de klas of bij het bedrijf zelf af, dan kun je een hogere respons verwachten dan per post. Je hebt direct contact met de respondent en deze hoeft zelf minder te doen.

Elektronische enquêtes hebben soms een iets hogere respons dan enquêtes die per post worden verstuurd. Mensen vullen gemakkelijker een enquête achter de pc in dan dat ze de moeite nemen de enquête per post op te sturen. Dit is echter wel afhankelijk van de doelgroep en van de manier waarop je de respondenten benadert. Een uitnodiging per e-mail werkt beter dan een brief, omdat mensen dan al achter de pc zitten en de enquête meteen in kunnen gaan vullen.

Bij een telefonische enquête weet je precies wie wel of niet meegedaan hebben. De bereidheid om mee te doen met een telefonische enquête is laag. Veel commerciële bedrijven doen aan telefonische verkoop. Als je belt, denken mensen dan ook al snel dat je iets wilt verkopen. Het is dus van belang meteen aan het begin van het gesprek duidelijk te maken waarvoor je belt. Zeg bijvoorbeeld dat je student bent en dat je niets verkoopt, maar alleen een onderzoek wilt doen. Dit kan de respons iets verhogen. Het is handig de volgende gegevens bij te houden:

Niet iedereen wil geïnterviewd worden.

Aantal nummers gebeld/bruto steekproef	Aantal
aantal verkeerde nummers (afgesloten toon/dit nummer is niet in gebruik)	
aantal nummers niet opgenomen	
aantal nummers opgenomen, niet meegewerkt	
totaal aantal nummers meegewerkt/netto steekproef	

Figuur 4.2

Je kunt daarmee laten zien hoe hoog de respons is en wat de oorzaak is van het verschil tussen bruto en netto steekproef.

Van een mondelinge enquête wordt gezegd dat deze een redelijk hoge respons heeft. Je vraagt mensen of ze willen meewerken en in een dergelijk geval is de sociale druk groter dan wanneer iemand een schriftelijke enquête via de post krijgt. Mensen gooien enquêtes sneller in de papierbak dan dat ze direct tegen iemand moeten zeggen dat ze niet willen meewerken. Maar een mondeling interview vraagt meestal meer tijd van de respondent. Veel mensen geven aan geen tijd te hebben. Ook hier komen de onderhandelingscapaciteiten van de onderzoeker om de hoek kijken. Sommige onderzoekers laten zich meteen afschepen met de boodschap 'geen tijd'. Andere interviewers verstaan de kunst alternatieven aan te reiken, waardoor ze toch een afspraak krijgen op een voor de respondent beter tijdstip. Tip: als mensen aangeven geen tijd te hebben, geef ze dan gerichte keuzes voor een ander moment: 'Kunt u beter 's morgens of 's middags? Wilt u liever op maandag of op dinsdag?' Deze tactiek is ook te gebruiken bij een telefonische enquête. Als mensen echt niet willen meewerken, dan houdt het natuurlijk op. Je kunt niemand dwingen.

De mate van respons hangt ook af van het *belang* dat de respondent heeft bij het meewerken aan het onderzoek. Probeer het belang dus goed duidelijk te maken, maar wees hierbij voorzichtig. Je kunt bijvoorbeeld wel tegen mensen zeggen dat ze indirect invloed uitoefenen op veranderingen als ze meewerken aan je onderzoek, maar dat is lang niet altijd het geval! Doe dus geen valse beloftes. Veel mensen willen niet meewerken, omdat ze slecht op de hoogte gehouden worden of omdat ze denken dat er toch niets mee gebeurt. Je kunt vertellen op welke manier je de onderzoeksresultaten zult communiceren. Komen de uitkomsten bijvoorbeeld in een personeelsblad? Of mogen medewerkers het rapport inzien? Ook hier geldt weer: doe geen valse beloftes. Het hangt van de opdrachtgever af wat mogelijk is en in welke mate je de onderzoeksresultaten openbaar mag maken.

4.2.8 Sociaal wenselijkheid

Sociaal wenselijkheid hangt nauw samen met anonimiteit en de aanwezigheid van de interviewer. Zit deze tegenover de respondent, zoals bij een mondeling interview, dan is de sociale wenselijkheid hoger dan wanneer een respondent thuiszit en de schriftelijke enquête alleen invult. Maar ook de omgeving speelt een rol. In situaties zoals op straat, in een klas of bedrijf waar collega's bij elkaar zitten, of bij een groepsinterview, is de sociale wenselijkheid groter dan wanneer iemand alleen is.

4.2.9 Samenvatting voor- en nadelen

Hieronder vatten we de voor- en nadelen van de verschillende strategieën nog eens samen.

	Schriftelijk			Mondeling		
	per post	op straat	elektronisch	telefonisch	face to face	groep
Tijd en geld	±	+	+	+	-	-
Anonimiteit	+	±	+	±	-	-
Visuele ondersteuning	+	+	+	-	+	+
Doorvragen	-	+	-	+	+	+
Uitleg	-	+	±	+	+	+
Volledigheid	-	+	+	+	+	+
Respons	-	±	±	±	+	+
Sociaal wenselijkheid	-	+	-	±	+	+

Figuur 4.3   − = lager   ± = neutraal   + = hoger

Bovenstaande aspecten hebben veel te maken met aspecten van validiteit en betrouwbaarheid van het onderzoek. Je kunt de betrouwbaarheid per strategie verhogen door de hierboven genoemde nadelen zo klein mogelijk te houden.

4.3 Een survey voorbereiden

Voor het schriftelijk (per post of digitaal) of telefonisch verzamelen van gegevens maak je een vragenlijst, dit noemen we een enquête. Een enquête is een gestructureerde vragenlijst met meestal gesloten vragen. Ook kun je gebruikmaken van schaaltechnieken. Welke vragen je precies stelt, hangt af van de vraagstellingen in je probleemstelling (zie hoofdstuk 2, operationalisatie).

4.3.1 Gesloten en open vragen

Gesloten vragen zijn vragen met vaste antwoordmogelijkheden.

Soms heeft de respondent bij een gesloten vraag de mogelijkheid een eigen (niet van tevoren bedacht) antwoord te geven. Daarom zie je vaak de antwoordmogelijkheid 'anders, namelijk...' staan. Om gesloten vragen te bedenken met de benodigde antwoordmogelijkheden moet je veel voorwerk doen. Zo ga je bij de vraag over de interne communicatiemiddelen eerst in het bedrijf een inventarisatie doen van de gebruikte middelen. Dit zijn de antwoordmogelijkheden. Ook een vraag over naamsbekendheid vraagt veel voorwerk. Je brengt de belangrijkste concurrenten in kaart van het bedrijf waarover je de naamsbekendheid wilt weten. Je wilt weten of het bedrijf dat je onderzoekt een hoge of lage naamsbekendheid heeft *in relatie tot* soortgelijke bedrijven.

Voorbeeld van een gesloten vraag

Welke interne communicatiemiddelen kent u binnen uw bedrijf?

1 nieuwsbrief   2 intranet   3 mededelingenbord   4 anders, namelijk...

Kader 4.6

Je kunt de gesloten vragen afwisselen met een enkele open vraag. Dit doe je met name bij meningsvragen. In kader 4.7 geven we een voorbeeld.

Voorbeeld van een gesloten vraag, gevolgd door een open vraag

Wat vindt u van de gebruikte communicatiemiddelen binnen uw bedrijf?

	zeer tevreden	tevreden	neutraal	ontevreden	zeer ontevreden
1 nieuwsbrief	☐	☐	☐	☐	☐
2 intranet	☐	☐	☐	☐	☐
3 mededelingenbord	☐	☐	☐	☐	☐
4 anders, namelijk...	☐	☐	☐	☐	☐

Geef zo mogelijk aan waarom u bovenstaande mening hebt gegeven: _____

_____

_____

_____

Kader 4.7

Als je onderzoek doet naar naamsbekendheid van een bedrijf dan begin je zelfs met een open vraag. Vanuit de marketingtheorie kun je weten dat naamsbekendheid uit drie soorten bestaat: spontane naamsbekendheid, geholpen naamsbekendheid en half geholpen naamsbekendheid. Om de spontane naamsbekendheid te meten moet je dus een open vraag stellen (zie kader 4.8).

Voorbeeld van een open vraag

Kader 4.8

Welke dameskledingzaken kent u?

Deze vraag kun je alleen zo stellen als je een survey mondeling afneemt (bijvoorbeeld op straat of telefonisch), omdat de respondent anders de volgende vraag ziet en dus daar kan afkijken.

De volgende vraag is namelijk dat je de respondent helpt door enkele dameszaken op te noemen (zie kader 4.9).

Voorbeeld van een gesloten vraag

Kader 4.9

Kunt u aangeven of u de volgende dames-kledingzaken kent?

1 v&d	8 Fashion House
2 Benneton	9 First Lady
3 Be One	10 Lady's Fasion
4 For You	11 m&s Mode
5 Cecil	12 Miss Etam
6 Didi	13 Qinn Womanswear
7 Duthler	14 Steps
	15 Street One
	16 Trendy Woman

Half geholpen naamsbekendheid kun je stellen door bijvoorbeeld logo's te laten zien en te vragen of de respondent bepaalde merken kent. Bij de vraag over dameskledingzaken is dit moeilijk, de meeste van dit soort bedrijven hebben de naam in het logo opgenomen.

In een survey kan dus af en toe een open vraag gesteld worden. Als je vragenlijst vooral uit open vragen bestaat, dan kan dit een indicatie zijn van het feit dat je als onderzoeker weinig voorkennis hebt. Je kunt dan misschien beter kiezen voor een mondelinge vorm van dataverzameling.

Een vragenlijst met vooral gesloten vragen noemen we gestructureerd. De respondent zal namelijk meestal de structuur van de vragen volgen: eerst vraag 1 beantwoorden en dan vraag 2 enzovoort. Bij een telefonische enquête kun je soms springen naar een andere vraag, maar meestal wordt deze vragenlijst ook volgens een vaste structuur afgenomen. Een enquête via het internet kan zo geprogrammeerd worden dat je eerst antwoord moet geven voordat je naar de volgende vraag kunt. Hier ligt de structuur helemaal vast.

4.3.2 Antwoordschalen

Bij een schriftelijke vragenlijst wordt vaak gewerkt met antwoordschalen. Een voorbeeld daarvan is de Likert-schaal, waarbij mensen op een schaal van vijf kunnen kiezen tussen verschillende antwoordmogelijkheden. Kader 4.10 geeft een voorbeeld.

Voorbeeld van een Likert-schaal

Ik vind dat het taalgebruik van de informatiepagina's van de gemeente Amsterdam helder is:

1 zeer mee eens   2 mee eens   3 neutraal   4 mee oneens   5 zeer mee oneens

Kader 4.10

Je kunt ook rapportcijfers laten geven (zie kader 4.11).

Voorbeeld van een vraag met als antwoordcategorie rapportcijfers

Geef een rapportcijfer voor de manier waarop u in het algemeen te woord wordt gestaan door de medewerkers van de gemeente Amsterdam (omcirkel het door u gekozen cijfer).

1   2   3   4   5   6   7   8   9   10

Kader 4.11

Wanneer je als communicatiedeskundige onderzoek doet naar bijvoorbeeld imago, dan kun je werken met de Osgood-schaal[55]. Dit is een schaal waarbij de respondent op een schaal van 1 tot 5 aangeeft in hoeverre een bepaald aspect een bedrijf 'typeert'. Kader 4.12 geeft een voorbeeld van een Osgood-schaal.

Voorbeeld van een Osgood-schaal

Geef per aspect aan welke term je het meest passend vindt voor De Bijenkorf.

	1	2	3	4	5	
modern	☐	☐	☐	☐	☐	ouderwets
duur	☐	☐	☐	☐	☐	goedkoop
flexibel	☐	☐	☐	☐	☐	star
klein	☐	☐	☐	☐	☐	groot
internationaal	☐	☐	☐	☐	☐	lokaal
onvriendelijk	☐	☐	☐	☐	☐	vriendelijk

Kader 4.12

De aspecten die je als onderzoeker gaat vragen (het imago) hangen nauw samen met de gewenste identiteit van de betreffende organisatie en verschillen dus van bedrijf tot bedrijf. Om de juiste aspecten te bepalen doe je eerst vooronderzoek. De gewenste identiteit wordt vaak beschreven in de visie en de missie van een bedrijf. Uit deze visie en missie haal je relevante aspecten. Heeft een bedrijf geen schriftelijke bronnen waarin de gewenste identiteit beschreven wordt dan kun je bijvoorbeeld de directeur interviewen. Je vraagt hem wat het bedrijf uit wil stralen. Zo bepaal je welke aspecten je gaat onderzoeken. De gebruikte begrippen moeten tegenpolen zijn, bijvoorbeeld groot – klein, ouderwets – modern.

4.3.3 De formulering van de vraag

Zoals eerder gezegd, dienen vragen zo objectief mogelijk gesteld te worden. Het gaat immers om de mening van de respondent, niet om die van de onderzoeker. Een suggestieve vraag die begint met 'Vindt u ook niet dat…' vraagt om een sociaal wenselijk antwoord. Het opstellen van een goede vragenlijst is een hele kunst. Hier volgen enkele basistips bij het maken van de vragen.

1 *Vermijd moeilijke woorden:*

Fout: 'Wat vindt u van de didactische kwaliteiten van de docent?'

Niet iedereen kent het woord 'didactisch'. Het begrip is niet alleen te moeilijk (niet iedereen kent het begrip), maar het is ook te breed. Je kunt er immers verschillende dingen onder verstaan.

Beter: 'Wat vindt u van de manier waarop de docent de stof uitlegt?'

2 *Stel enkelvoudige vragen:*

Fout: 'Leest u romans en detectives?' Ja/nee.

Iemand zegt ja, terwijl hij misschien alleen romans leest en geen detectives. Je kunt aan het antwoord niet zien of de respondent beide dan wel één van de twee soorten boeken leest.

Beter: 'Leest u romans?' Ja/nee; 'Leest u detectives?' Ja/nee

3 *Pas op voor te veel ontkenningen:*

Fout: 'Bent u tegen het rookverbod op de werkplek?' Ja/nee

Als je te snel antwoord geeft, zou je ja kunnen antwoorden omdat je alleen de woorden 'tegen' en 'rook' hoort, terwijl je bedoelt dat je tegen roken op de werkplek bent. Als je ja hebt gezegd, dan ben je in dit geval dus voor roken op de werkplek.

Beter: 'Wat vindt u van roken op de werkplek?' Voor/tegen

4 *Vermijd normatieve woorden, zowel in de vraag als in de antwoordmogelijkheden:*

Fout: 'Geef een oordeel over de manier waarop het bedrijf met klachten omgaat':
1 zeer goed   2 goed   3 neutraal   4 slecht   5 zeer slecht

Woorden als 'goed' of 'slecht' kunnen normatief gevonden worden. Het klinkt alsof er een soort objectieve maat bestaat voor wat goed is. Gebruik liever woorden als tevredenheid, waarbij het duidelijk is dat het gaat om de subjectieve waarneming van de respondent zelf.
Beter: 'Geef een oordeel over de manier waarop het bedrijf met klachten omgaat':
1 zeer tevreden 2 tevreden 3 neutraal 4 ontevreden 5 zeer ontevreden

5 *Vermijd vage woorden, zowel in de vraag als in de antwoordmogelijkheden:*

Fout: 'Hoe vaak kijkt u naar het journaal?'
1 soms   2 af en toe   3 regelmatig   4 vaak   5 altijd

Wat is soms? Voor de ene respondent is soms één keer in de twee dagen, voor de ander is dat één keer per maand.

Beter: 'Hoe vaak per dag kijkt u naar het journaal?'
1 één keer of minder per dag
2 twee tot drie keer per dag
3 vier keer of meer per dag.

Ook deze vraag is lastig, je suggereert hiermee dat het normaal is om dagelijks naar het journaal te kijken. Of je per dag, per week of per maand gaat onder-zoeken hangt van je inschatting in van wat 'normaal' is. Duidelijk is dat deze vraag meer specifieke kennis oplevert dan 'soms' of 'altijd'.

6 *Zorg dat antwoordmogelijkheden elkaar zo veel mogelijk uitsluiten:*

Fout: 'Hoe hoog is uw inkomen?'
1 < € 1.000 per maand
2 € 1.000 - € 1.500 per maand
3 € 1.500 - 2.000 per maand
4 € 2.000 - € 2.500 per maand
5 > € 2.500 per maand.

Bij de deze vraag bedoelt de onderzoeker dat het streepje 'tussen' betekent. Ook het teken < lijkt duidelijk, dit betekent *minder dan* € 1.000. Toch heeft de respondent de mogelijkheid het antwoord op meerdere plaatsen te geven. Als hij precies € 2.000 verdient, moet hij dan antwoordmogelijkheid 3 of 4 kiezen? Om deze verwarring te voorkomen, zorg je ervoor dat de antwoorden elkaar altijd uitsluiten.

Beter: 'Hoe hoog is uw inkomen?'
1 €   999,99 of minder per maand
2 € 1.000,00 t/m € 1.499,99 per maand
3 € 1.500,00 t/m € 1.999,99 per maand
4 € 2.000,00 t/m € 2.499,99 per maand
5 € 2.500,00 of meer per maand.

4.3.4   De uiteindelijke vragenlijst

Zorg ervoor dat de vragenlijst niet te lang is. Hoe langer de vragenlijst, des te minder mensen willen meewerken aan een onderzoek. Maar wat is te lang? Dat is lastig en natuurlijk ook een kwestie van smaak. Het hangt van het onderwerp af en van de bereidheid om deel te willen nemen. Ga maar eens van jezelf uit: hoeveel vragen wil je zelf invullen voordat je de enquête aan de kant gooit? Om te bepalen of de lengte acceptabel is test je van tevoren je vragenlijst.

Test de vragenlijst uit op iemand in je directe omgeving. Juist iemand die verder geen belang bij het onderzoek heeft en geen achtergrondkennis bezit, kan vaak scherp zien welke vragen gemakkelijk te beantwoorden zijn of waar de problemen zitten. Vervolgens kun je met enkele mensen van de te onderzoeken doelgroep interviews doen waarbij je de vragenlijst test. Je kunt dan nog vragen aanpassen als blijkt dat ze niet het verwachte resultaat opleveren.

begeleidend schrijven Als je een enquête verstuurt (per post of elektronisch), dan voeg je een *begeleidend schrijven* toe. Je legt daarin uit wat het doel van het onderzoek is. Daarbij is het van belang dat je het onderzoek niet te uitgebreid beschrijft, je wilt de respondent immers niet sturen. Stel dat je aangeeft dat het doel van je onderzoek is fouten op te sporen in de communicatie. Dan worden mensen een bepaalde richting opgestuurd: je vraagt naar fouten, dan zul je ze krijgen ook, of juist niet, denken sommige respondenten. Houd de uitleg dan ook zo algemeen mogelijk, maar aan de andere kant wel uitnodigend. Je wilt graag dat mensen meewerken, dus geef aan wat het belang voor hen is. Let hierbij, zoals eerder gezegd, wel op beloftes die je doet. Overleg met de opdrachtgever over de openbaarheid van de gegevens en de manier waarop er met de medewerkers over de uitkomsten gecommuniceerd wordt, zodat je dat meteen in het begeleidend schrijven kunt aangeven. Vermeld tevens een korte uitleg over de opbouw van de vragenlijst en geef mogelijke invulinstructies. Tot slot vertel je hoe de respondent de enquête kan terugsturen. Aan het eind van de enquête bedank je de respondent en geef je nogmaals aan hoe hij de enquête kan terugsturen.

4.3.5 Alternatieven voor de schriftelijke vragenlijst

Een survey kan ook op straat worden afgenomen. De onderzoeker stelt dan mondeling de vragen aan de respondent en vult zelf de antwoorden in. Dit is een kwantitatief gestructureerd interview, dus niet hetzelfde als een kwalitatief interview. In het laatste geval zijn de vragen vaak open en ongestructureerd. Het straatinterview is eigenlijk een gestructureerde enquête met voornamelijk gesloten vragen. Bij het straatinterview heb je wel als voordeel dat je door kunt vragen en zo nodig uitleg kunt geven. Ter voorbereiding van een straatinterview maak je een schriftelijke enquête.

De meeste enquêtevragen bij een telefonische enquête zijn ook gesloten en gestructureerd. Bij een telefonische enquête kun je, net als bij een straatinterview, iets meer doorvragen en heb je dus meer mogelijkheden om open vragen te stellen. Toch zitten ook hier grenzen aan. Mensen willen vaak niet te lang aan de telefoon vragen beantwoorden. Een telefonische enquête duurt gemiddeld ongeveer tien minuten. De voorbereiding van deze enquête werkt op dezelfde manier als een schriftelijke enquête. Tips over doorvraagtechnieken worden gegeven bij het kwalitatief (veld)onderzoek.

4.4   Surveygegevens verwerken met SPSS

De verkregen gegevens kun je invoeren in een computerprogramma waarmee je statistische analyses kunt doen (zie hoofdstuk 5 voor de analyse). Op de meeste computers staat het rekenprogramma Excel. Hiermee kun je bepaalde statistische bewerkingen doen. Een ander voorbeeld van een computerprogramma dat speciaal bedoeld is voor statistische analyse is SPSS[56]. Op de meeste hogescholen staat dit programma standaard op de computer. Studenten kunnen het programma goedkoop aanschaffen met behulp van hun studentnummer via www.surfspot. nl. Ook grote bedrijven hebben het programma vaak in huis.

www.surf-spot.nl.

Voordat we dieper ingaan op de verwerking van data in SPSS en in Excel is kennis over een paar *basisbegrippen* noodzakelijk. De begrippen waar in dit hoofdstuk over gesproken wordt, zijn: variabele en waarde, codeboek, meetniveau en datamatrix.

4.4.1   *Variabele en waarde*

Een *variabele* is 'iedere eigenschap of ieder kenmerk van een persoon, omgeving of experimentele situatie die van persoon tot persoon (...) kan variëren.'[57] Meestal is een vraag uit de vragenlijst een variabele, bijvoorbeeld de vraag 'Wat is uw geslacht?' levert de variabele 'geslacht' op. Elke variabele heeft *waarden*: de mogelijke antwoorden op een vraag. In dit voorbeeld zijn dat de waarden man en vrouw.

variabele

waarden

4.4.2   *Codeboek*

SPSS is een numeriek programma, wat betekent dat gewerkt wordt aan de hand van nummers. Elke waarde die bij een variabele hoort krijgt een nummer. Je maakt het jezelf gemakkelijk door in de enquête zelf al bij de antwoorden nummers te zetten, zodat je ze snel kunt invoeren in SPSS. Je hoeft dan immers niet *codeboek*   meer achteraf te beslissen welke waarde welk nummer krijgt. In een *codeboek* noteer je hoe je de vragen en antwoorden hebt gecodeerd, oftewel: welk nummer bij welke waarde hoort.

4.4.3   Meetniveau

Variabelen kun je indelen naar meetniveau. We kunnen op basis van meetniveau onderscheid maken tussen vier soorten variabelen, namelijk variabelen op:

1   nominaal meetniveau
2   ordinaal meetniveau
3   interval-meetniveau
4   ratio-meetniveau.

nominaal   Een voorbeeld van een variabele op *nominaal meetniveau* is geslacht. Bij een
meetniveau   nominale variabele zijn de antwoordmogelijkheden categorieën waarin geen rangordening is aan te brengen. Het doet er dan niet toe welke antwoordmogelijkheid welk nummer krijgt. Zowel de vrouw als de man kan de waarde 1 krijgen, dat maakt voor de verwerking van de gegevens niet uit. De onderzoeker kan dus zelf de waarde bepalen per antwoordmogelijkheid. Met de toegekende waarden kun je geen berekeningen uitvoeren. Als aan het onderzoek vijf mannen deelnemen en drie vrouwen, kun je alleen aangeven dat de meeste onderzochten mannen zijn. Je kunt niet bepalen wat het gemiddelde geslacht is.

Zodra er een soort rangorde te vinden is, zoals bij opleidingen (hoog, middelbaar,
ordinaal   laag), dan is er sprake van een *ordinaal meetniveau*; er is immers een orde in te
meetniveau   vinden. De nummers die aan de waarden worden toegekend, hebben een betekenis. De onderzoeker kan nog wel kiezen tussen laag = 1, middelbaar = 2, hoog = 3 of hoog = 1, middelbaar = 2, laag = 3. Je kunt geen willekeurige indeling maken: middelbaar = 1, laag = 2, hoog = 3, want hier ontbreekt elke orde. Als van de acht respondenten van het onderzoek drie een lage opleiding, één een middelbare opleiding en vier respondenten een hoge opleiding genoten hebben, dan is het mogelijk om aan te geven dat de meeste respondenten een hoge opleiding gevolgd hebben. Bij een ordinaal meetniveau is het tevens mogelijk aan te geven waar de middelste uitslag (mediaan) ligt. Met een ordinaal meetniveau kun je verder niet rekenen, een hoge opleiding is immers niet twee keer zo hoog als een lage opleiding.

interval-   Een *interval-meetniveau* is een vraag waarbij de antwoordmogelijkheden op een
meetniveau   schaal met dezelfde intervalgrootte geplaatst kunnen worden. Er is dus, net als bij ordinaal meetniveau, sprake van een orde (20 is meer dan 10). Daarnaast is de

afstand (interval) tussen de waarnemingen even groot. De door mensen bedachte manier van het meten van intelligentie (IQ) is interval. Het verschil tussen een IQ van 80 en 90 is even groot als het verschil tussen 120 en 130 (in beide gevallen een verschil van 10 punten). De interval- en ratio-meetniveaus worden vaak gezien als hetzelfde. Dit klopt niet helemaal: een interval-meetniveau is een vraag waarbij de antwoordmogelijkheden op een schaal met dezelfde intervalgrootte geplaatst kunnen worden. Het verschil met ratio-meetniveau is dat een interval-meetniveau een zogenaamd arbitrair nulpunt heeft. Dat wil zeggen dat er ook 'negatieve' waarnemingen (dus onder nul) plaats kunnen vinden. De temperatuurschaal van Celsius is een voorbeeld van interval-meetniveau. Het nulpunt is gekozen op basis van de temperatuur waarop water bevriest. Toch is dit niet een absoluut nulpunt, omdat het wel degelijk kouder kan zijn dan nul graden. Voor zover we kunnen meten is de bevriezing van stikstof het koudste punt. Dit gebeurt bij -273 graden Celsius, oftewel nul graden Kelvin. Kelvin is dus wel een variabele op ratio-meetniveau.

Bij *ratio-meetniveau* gaat het om getallen met een absoluut nulpunt. Gewicht, *ratio-meet-* lengte en uren zijn variabelen met een absoluut nulpunt. Je kunt geen negatieve *niveau* kilo's optillen, je kunt geen negatief aantal uren televisie kijken enzovoort. De temperatuurschaal van Kelvin is op rationiveau. Kouder dan nul graden Kelvin kan (voor zover bekend) niets worden. Geld is een lastig voorbeeld: we kunnen niet minder dan nul euro's in onze portemonnee hebben. In dat geval is geld een variabele op ratio-niveau. Op de bank kun je echter wel een negatief saldo hebben en dan is het dus eigenlijk intervalniveau.

Maakt dit onderscheid tussen interval en ratio iets uit voor de verwerking van de gegevens? Nauwelijks. Zowel met interval- als ratio-meetniveau's kunnen we een *gemiddelde* berekenen. We spreken zowel van de gemiddelde temperatuur in graden Celsius als in Kelvin en wat betreft de euro's kunnen we in beide gevallen (contant geld of op de bank) gemiddelde inkomsten berekenen. Ook *verschillen* tussen metingen (intervallen) kunnen in beide gevallen op dezelfde manier worden geduid. Het verschil van een variabele op ratio-meetniveau, bijvoorbeeld kilo (het verschil tussen dertig kilo en vijftig kilo is even groot als het verschil tussen zeventig kilo en negentig kilo) beschrijven we op dezelfde manier als het verschil van een variabele op intervalniveau (het verschil tussen 10 en 20 graden Celsius is even groot als het verschil tussen 30 en 40 graden). Het verschil tussen interval en ratio is dat je bij interval niet kunt zeggen dat 20 graden twee keer zo warm is als 10 graden. En over iemand met een IQ van 120 zeggen we niet dat deze twee keer zo slim is als iemand met een IQ van 60. Met variabelen op rationiveau kunnen we dit wel. Je kunt bijvoorbeeld wel zeggen dat dertig kilo drie keer zo zwaar is als tien kilo, of dat je met vijfduizend euro vijf keer zoveel rijker bent dan met duizend euro. In de in hoofdstuk 5 gebruikte statistische bewerkingen kun je echter interval- en ratio-meetniveau op dezelfde manier gebruiken.

Variabelen zijn zoals uit het voorgaande blijkt niet altijd eenduidig in te delen in meetniveaus. Lastig te typeren zijn vragen waarbij een oordeel gegeven wordt op basis van een schaal, bijvoorbeeld wanneer je vraagt naar de tevredenheid over de dienstverlening van een baliemedewerker bij een gemeente.

Geef een oordeel over de mate van tevredenheid over de dienstverlening:

1 zeer ontevreden   2 ontevreden   3 neutraal   4 tevreden   5 zeer tevreden

Hierbij staat 1 voor een zeer lage mate van tevredenheid en 5 voor een zeer hoge mate van tevredenheid. Eigenlijk gaat het hier om een ordinaal meetniveau; er zit orde in: 1 is minder tevreden dan 5. De uitkomsten worden vaak wel behandeld alsof het intervalniveau is: alle uitkomsten van de respondenten worden bij elkaar opgeteld en er wordt een gemiddelde berekend. Gemiddelden mogen we eigenlijk alleen gebruiken voor interval- en ratio-meetniveaus. We gaan er dan van uit dat de afstand tussen 'zeer tevreden' en 'tevreden' net zo groot is als tussen 'tevreden' en 'neutraal'. Op een dergelijke manier wordt een ordinale variabele behandeld als een variabele op intervalniveau. Gemakkelijker is het dan om de vraag meteen in getallen te stellen:

Geef een cijfer over de mate van tevredenheid over de dienstverlening waarbij een 1 zeer onvoldoende is en een 5 zeer voldoende:

1   2   3   4   5

Hoewel het onderscheid dus niet altijd gemakkelijk te geven is, kunnen we de meeste variabelen indelen in meetniveaus. Voordat je gegevens kunt invoeren in SPSS is het belangrijk te weten welke nummering je aan de mogelijke antwoorden gaat geven. Dit hangt dus af van het meetniveau van de variabele.

4.4.4   Het opzetten van een datamatrix

De gegevens van een onderzoek worden ingevoerd in een datamatrix in SPSS. Dit is eigenlijk een veld met cellen waarbij elke rij staat voor 1 respondent en elke kolom voor 1 variabele. In de cellen kun je dan de waarde (het antwoord) van die ene respondent op die ene variabele (meestal een vraag) plaatsen. In figuur 4.4 zie je een weergave van een datamatrix. Respondent (resp.) 1 is een man[58] (gesl.) van 26 jaar (leeft.), respondent 2 is een vrouw van 43 jaar, respondent 3 is weer een man, dit keer van 22 jaar enzovoort.

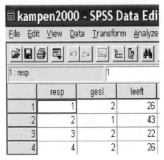

Figuur 4.4 Datamatrix

Figuur 4.5 Openingsscherm spss

Als je spss opent, krijg je het beginscherm zoals weergegeven in figuur 4.5. Je hebt verschillende keuzes en twee daarvan worden hier verder behandeld. De optie *Open an existing data source* gebruik je als je al een bestaand databestand gemaakt hebt. De optie *Type in data* gebruik je als je de eerste keer een bestand moet maken.
Als je gekozen hebt voor *Type in data*, dan komt een scherm met verschillende vakjes tevoorschijn. De eerste stap is het bestand op te slaan met *File → Save*. Ook tussendoor opslaan is aan te raden. Mocht de computer tussentijds vastlopen, dan is er altijd nog iets van het werk bewaard.

Er zijn links onderaan in het scherm twee tabbladen zichtbaar, *Data View* waar je de ingevoerde gegevens kunt zien en *Variable View*, waar je de variabelen zelf invoert (zie figuur 4.6). Je begint met het invoeren van de variabelen op het tab-blad *Variable View*.

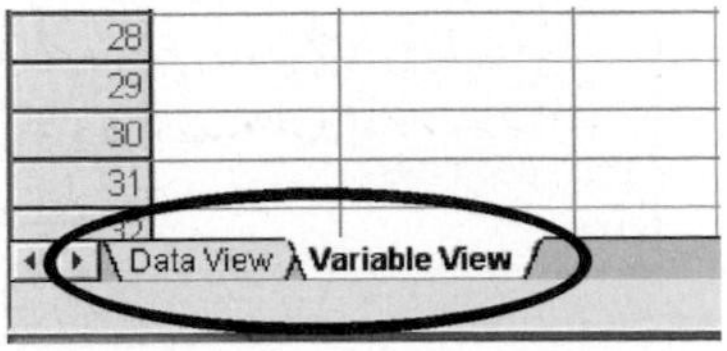

Figuur 4.6 Tabblad Variable View

De eerste variabele die vaak wordt aangemaakt is het respondentnummer. Doel hiervan is dat je later eventuele invoerfouten kunt opsporen. Elke vragenlijst wordt bij het invoeren genummerd, in overeenstemming met het respondentnummer in SPSS. Er zijn bij deze variabele twee kolommen waar de onderzoeker iets invult: de kolom *Name* en *Label* (zie figuur 4.7). De rest van de kolommen wordt door het programma standaard ingevuld, je hoeft hier bij de variabele respondentnummer geen aandacht aan te besteden.

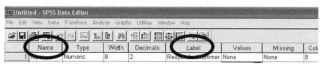

Figuur 4.7   Kolommen Name en Label

In de kolom *Name* typ je de naam van de variabele (bijvoorbeeld respondentnummer): klik op het vierkantje in de eerste rij, onder de kolom naam. Met de naam kun je later snel een variabele terugvinden. De naam mag maximaal acht karakters zijn, mag *niet* beginnen met een getal en er kunnen geen tekens in zoals ? of /.

In de kolom *Label* komt de tekst die boven een frequentietabel of kruistabel komt te staan. In het geval respondentnummer geef je dus bijvoorbeeld de variabele de korte naam 'respnr' en in het label schrijf je het dan voluit. Je kunt als label ook de vraagtekst gebruiken. Hoewel hier veel karakters ingevoerd kunnen worden, kun je het beter beperken tot hooguit twintig karakters. Kort de vraagtekst dus eventueel wat in. Bij kruistabellen moeten er namelijk minimaal twee variabelennamen boven komen (zie figuur 4.8), en als er veel te veel karakters zijn ingevoerd (hangt ook van het aantal waarden af), dan wordt de kruistabel zelfs niet zichtbaar. Je krijgt dan een foutmelding dat de kruistabel niet gemaakt kan worden.

Deze eerste variabele heeft meer dan honderd karakters in de Label, inclusief spaties zelfs 130 en dus moet ik nog even doortypen * Deze tweede variabele heeft ook meer dan honderd karakters in de Label, inclusief spaties zelfs 130 en dus moet ik nog even doortypen Crosstabulation

Count

		Deze tweede variabele heeft ook meer dan honderd karakters in de Label, inclusief spaties zelfs 130 en dus moet ik nog even doortypen			Total
		ja	nee	11,00	
Deze eerste variabele heeft meer dan honderd karakters in de Label, inclusief spaties zelfs 130 en dus moet ik nog even doortypen	ja	72	50	16	138
	nee	71	44	6	121
	11,00	9	13	0	22
Total		152	107	22	281

Figuur 4.8   Veel te lange labels

4.4.5   Variabelen met één antwoord

Een mogelijke tweede variabele die je invoert is vaak 'geslacht'. In veel onderzoeken wordt aan de respondent gevraagd of iemand een man of een vrouw is. Nu worden drie kolommen ingevuld: naast *Name* en *Label* vul je nu ook *Values* in. Je moet immers aangeven welke waarde, oftewel welk nummer, hoort bij welke antwoordmogelijkheid. Wanneer je het veld *Value* aanklikt, zie je een grijs knopje in het veld met drie stipjes erop (zie figuur 4.9). Als je op dat knopje klikt, verschijnt het invoerscherm. In het veld achter *Value* voer je een nummer in, in het veld achter *Value Label* de antwoordmogelijkheid. Bijvoorbeeld een 1 bij *Value* en het woord vrouw bij *Value Label*, omdat dat de eerste antwoordmogelijkheid is. In kader 4.13 werken we een ander voorbeeld uit.

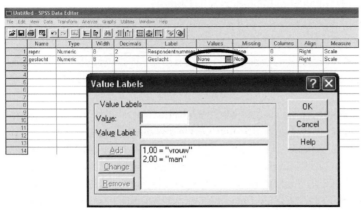

Figuur 4.9   Het veld Value voor het invoeren van de labels

Voorbeeld van een vraag in SPSS

Ik vind dat het taalgebruik van de informatiepagina's van de gemeente Amsterdam helder is:

1 zeer mee eens   2 mee eens   3 neutraal   4 mee oneens   5 zeer mee oneens

Name: infogem
Label: helderheid taalgebruik informatiepagina's gemeente X
Value: 1 = zeer mee eens
            2 = mee eens
            3 = neutraal
            4 = mee oneens
            5 = zeer mee eens.

Kader 4.13

Zo voer je één voor één de vragen in en maak je dus van elke vraag een variabele en van elke antwoordmogelijkheid een bijbehorende waarde (value).

4.4.6 Variabelen waarbij meerdere antwoorden mogelijk zijn

Tot nu toe zijn er vragen behandeld waarbij de respondent één antwoord kiest uit meerdere antwoorden. Er is dan slechts één antwoord mogelijk. Je kunt bijvoorbeeld over het algemeen niet gelijktijdig man *en* vrouw zijn. Bovendien heb je maar één geboortedatum en één *hoogst* genoten opleiding. Soms zijn er vragen, waarbij wel meerdere antwoorden mogelijk zijn. In kader 4.14 geven we een voorbeeld.

Voorbeeld van een vraag met meerdere antwoordmogelijkheden

Welke krant (of kranten) lees je vrijwel dagelijks? (het gaat hier niet om de huis-aan-huisbladen)

1	geen enkel dagblad	2	*AD*
3	*De Telegraaf*	4	NRC *Handelsblad*
5	*Het Parool*	6	*de Volkskrant*
7	*Trouw*	8	een regionaal dagblad
9	anders, namelijk ..		

Kader 4.14

Sommige respondenten lezen *De Telegraaf* én *Het Parool*. De respondenten kunnen dus meerdere antwoorden geven. Voer je in dit voorbeeld de vraag in SPSS in als variabele, dan kun je wel alle antwoordmogelijkheden als waarden invoeren, maar je kunt voor elke respondent maar één antwoord in SPSS invoeren. Je hebt dus een probleem, want wat doe je met het tweede of derde antwoord? Dit los je op door niet van de *vraag*, maar van elke afzonderlijke *antwoordmogelijkheid* een variabele te maken. Kader 4.15 geeft een voorbeeld.

Voorbeeld van een vraag waarbij de respondent meerdere antwoordmogelijkheden kan aankruisen in SPSS

In plaats van 1 variabele (de vraag) maak je 9 variabelen:

Name: Volkskr

Label: Leest vrijwel dagelijks *de Volkskrant*

Value: 1 = ja

           2 = nee

Kader 4.15

Vervolg	
Name:	Telegr
Label:	Leest vrijwel dagelijks *De Telegraaf.*
Value:	1 = ja
	2 = nee
Name:	NRC
Label:	Leest vrijwel dagelijks NRC *Handelsblad.*
Value:	1 = ja
	2 = nee
enzovoort	

Als iemand *de Volkskrant* gekozen heeft, voer je als antwoord 'ja' in. Heeft een respondent dat antwoord niet aangekruist, voer je 'nee' in. Zo kun je na invoering precies zien hoeveel respondenten 'vrijwel dagelijks *de Volkskrant'* lezen. Dit doe je dus voor alle antwoordmogelijkheden.

4.4.7 De open antwoordmogelijkheid 'anders, namelijk...'

De optie 'anders, namelijk...' wordt nog wel eens gebruikt bij enquêtes. Dit is ook logisch, want hoewel je veel mogelijke antwoordopties kunt bedenken, zie je misschien iets over het hoofd. Je geeft de respondent de kans zelf nog een antwoordmogelijkheid toe te voegen. In spss doe je hier alleen iets mee als er meer mensen zijn die hetzelfde antwoord hebben toegevoegd; spss is immers een programma voor kwantitatieve gegevens. Je maakt dan als het ware een nieuwe antwoordcategorie, een nieuwe waarde (*Value*). Als maar één persoon een nieuw antwoord geeft, kun je daar iets over zeggen bij de verslaglegging, maar je doet er dan niets mee in spss.

4.4.8 Het invoeren van de ingevulde enquêtes

Nadat de gehele vragenlijst is omgezet naar variabelen en waarden klik je op het tabblad *Data View*. Elke rij is in dit scherm een respondent. In de kolommen bovenin zie je de vragen terug. Je ziet de namen die je bij *Variabele View* bij *Name* hebt ingevuld (zie figuur 4.10). Je kunt de ingevoerde gegevens op twee manieren zien. Het wisselen van de weergaven gebeurt met een knop in de werkbalk waarop een labeltje staat afgebeeld. Door op het knopje te klikken kun je wisselen tussen de verschillende weergaven:

– weergave 1: de ingevoerde getallen
– weergave 2: de labels (bijvoorbeeld man of vrouw).

Je voert de gegevens in met behulp van de nummers voor de antwoorden, de waarden. Als je bijvoorbeeld voor de variabele geslacht 1 = vrouw en 2 = man aangegeven hebt en de eerste respondent is een vrouw, dan vul je onder geslacht in de eerste rij nummer 1 in.

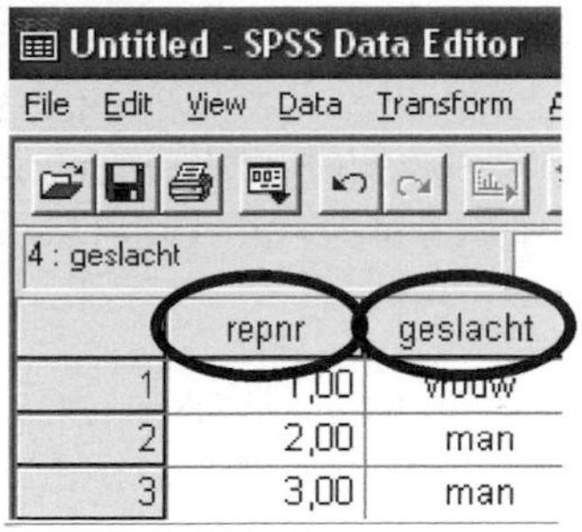

Figuur 4.10 Kolomnamen.

Elke rij is een respondent en de eerste kolom is de variabele respondentnummer. Elke ingevoerde enquête krijgt een nummer. Dit is hetzelfde nummer als het nummer dat je invoert bij respondentnummer in SPSS. Je zet dus op de enquête zelf met pen een nummer en daarna voer je deze enquête in SPSS in. Je doet dit omdat je dan achteraf eventuele fouten kunt herstellen. Stel, je hebt alle enquêtes ingevoerd. Nu zie je bij respondent 5 dat bij het geslacht het getal 12 ingevoerd is. Dit wordt als een 'missing' geregistreerd, want de waarde 12 bestaat niet bij geslacht (alleen 1 = vrouw en 2 = man). Als je de enquêtes niet genummerd hebt, weet je niet waar het fout gegaan is. Als alle enquêtes overeenkomstige nummers met de respondentnummers hebben, kun je eenvoudig enquête nummer 5 opzoeken en kijken welk antwoord er gegeven is om de fout te herstellen.

4.4.9   Ontbrekende waarden

In een onderzoek komt het vaak voor dat je niet voor alle respondenten alle variabelen kunt invoeren. Deze ontbrekende waarden worden in het Engels *missing values* genoemd. Als een respondent een vraag niet heeft beantwoord, dan noemen we dit een *system missing value*. Als er twee antwoorden gegeven zijn bij een vraag waar maximaal één antwoord gegeven kan worden, dan is dit ook *system missing*. Je kunt immers niet zien welke van de twee antwoorden bedoeld was door de respondent. *System missing* betekent in feite dat het antwoord ontbreekt, dat je niet weet wat de respondent van plan was te antwoorden. Misschien is het antwoord per ongeluk vergeten of wist de respondent niet wat hij moest antwoorden. Als je bij een vraag niet de optie 'geen mening' hebt toegevoegd,

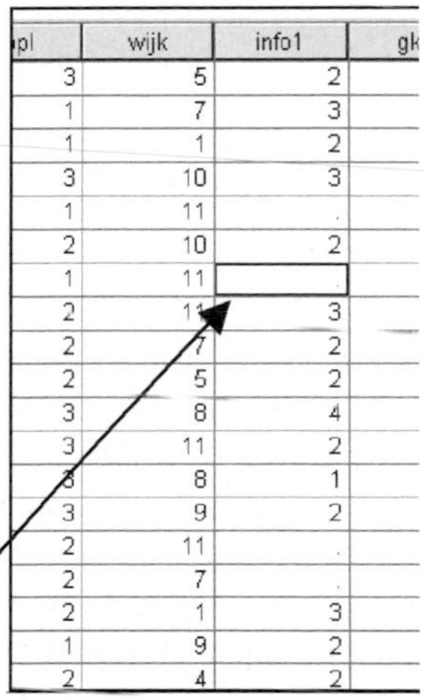

system missing value.

Figuur 4.11 Missing

dan kan een respondent de vraag ook hebben weggelaten, omdat hij geen mening heeft. Dit weet je echter allemaal niet, het is pure speculatie. Bij het invullen laat je cel leeg, oftewel: je voert geen waarde in bij die kolom voor die respondent. In SPSS komt er dan een punt in de cel te staan (zie figuur 4.11).

Als je wel de optie 'geen mening' hebt aangegeven, dan kan een respondent deze kiezen. Dit wordt ook wel een *user missing value* genoemd, oftewel: de respondent wil bewust geen keuze maken. Je voert nu dus wel een waarde in, namelijk de waarde die hoort bij het antwoord 'geen mening' (het is dus een antwoordmoge- lijkheid). *user missing value*

4.5   Surveygegevens verwerken met Excel

SPSS is een mooi programma voor als je veel respondenten hebt. Je kunt de gege- vens invoeren en allerlei statistische bewerkingen doen. Nadeel is dat je een li- centie nodig hebt. Het programma is voor studenten niet duur en op de meeste scholen staat het standaard op de computer. Maar als een bedrijf geen licentie heeft en deze niet kan aanschaffen heb je een probleem. Het is ook mogelijk eenvoudige bewerkingen in Excel te doen. De mogelijkheden zijn beperkter dan in SPSS, maar basisbewerkingen kun je wel doen. Je voert de gegevens op een vergelijkbare manier in als bij SPSS onder *Data View*, zoals hierboven besproken. Je maakt in Excel geen gebruik van een tabblad *Variabele View*. Wel maak je zelf een codeboek aan.

4.5.1   Codeboek in Excel

In een codeboek houd je bij welke variabelen je hebt en welke waarden daarbij horen. In feite is in SPSS het tabblad Variabele View ook een codeboek. Excel werkt met ver- schillende tabbladen, dus kun je voor het codeboek een tabblad aanmaken (figuur 4.12). In de eerste rij zet je num- mers, dit zijn de waarden die horen bij de antwoorden. In de eerste kolom zet je de naam van de variabele en in de kolommen daarna de bijbehorende labels van de antwoor- den (waarden). Net als in SPSS laat je deze labels leeg als het ingevoerde nummer overeenkomt met de waarde (respondent 1 = waarde 1, respondent 2 = waarde 2; of leeftijd 18 = 18 jaar, leeftijd 19 = 19 jaar).

Figuur 4.12 Codeboek in Excel

4.5.2 Invoeren gegevens in Excel

Je maakt een tabblad Data (figuur 4.13). In de eerste rij voer je de namen van de variabelen in. In de andere rijen voer je de antwoorden per enquête in. Ook hier geldt weer: nummer de enquête in overeenstemming met het respondentnummer. De invoer is verder vergelijkbaar met SPSS. Gemiste antwoorden kun je het beste leeg laten.

	A	B	C	D
1	respnr	geslacht	opleiding	
2	1	1	2	
3	2	2	1	
4	3	1	2	
5	4	1	1	
6	5	1	3	
7	6	2	3	

Figuur 4.13   Gegevens invoeren in Excel

4.6   Een kwalitatief (veld)onderzoek voorbereiden

De mondelinge vorm van dataverzameling wordt vaak interview genoemd. Bij een kwalitatief (veld)onderzoek spreken we zelfs van een diepte-interview: je gaat de diepte in, je vraagt door. Een interview neem je af aan de hand van een *topiclijst*. Met behulp van onderwerpen (topics) stel je open vragen en voer je een gesprek met de respondent. Ook hier geldt weer: de vraagstellingen in je probleemstelling bepalen de topics waarover je gaat interviewen. Kader 4.16 geeft voorbeelden van kwalitatief (veld)onderzoek.

Enkele voorbeelden van kwalitatief (veld)onderzoek[60]

De Kritische Incidenten Techniek

Een speciale techniek is de Kritische Incidenten Techniek (KIT). Als je de kwaliteit van de dienstverlening van een organisatie wilt onderzoeken kun je gebruikmaken van een standaard vragenlijst. Maar dan moet je van tevoren wel alle aspecten van kwaliteit helder hebben. Bij de KIT staat de *beleving* van consumenten centraal. Er worden twee open vragen gesteld:

– 'Kunt u een moment noemen, of een situatie, waarvan u zegt, dat sprak mij bijzonder aan, dat heb ik erg gewaardeerd?'

– 'Kunt u een moment of situatie beschrijven waarvan u zegt, dat vond ik zeer onbevredigend, dat heeft mij erg geïrriteerd?'

Daarna gaat de interviewer doorvragen over het tijdstip en de aard van het incident. Het doel is informatie te krijgen over zaken waar je van tevoren niet aan had gedacht.

Kader 4.16

Cognitieve Respons Analyse
Deze methode wordt vooral gebruikt bij onderzoek naar de manier waarop consumenten reclameboodschappen verwerken. Aan respondenten wordt gevraagd na het zien van een reclameboodschap zo veel mogelijk gedachten, associaties en ideeën op te schrijven. Respondenten geven vervolgens bij elke gedachte, associatie of idee een waardering aan: positief, neutraal of negatief. Vervolgens wordt vastgesteld of de antwoorden van de respondenten corresponderen met de vooraf geformuleerde

doelstellingen van de reclameboodschap. Bij dit soort onderzoek wordt gestreefd naar een steekproef van minimaal tachtig respondenten.

Concepttesting
Concepttesting wordt ook wel pretesten genoemd. Van tevoren wordt een advertentie of een commercial met enkele mensen uit de doelgroep getoetst aan van tevoren vastgestelde criteria. Als gevolg daarvan kan de advertentie of commercial aangepast dan wel in de prullenbak gegooid worden.

4.6.1   Een topiclijst maken

Hoe pak je het nu aan als je een topiclijst voor een kwalitatief (veld)onderzoek moet maken? Je begint met te inventariseren welke onderwerpen erbij horen. Deze onderwerpen komen net als je enquêtevragen uit de vraagstellingen van je probleemstelling (zie hoofdstuk 2).

Stap 1:   Schrijf zo veel mogelijk begrippen op die ermee te maken hebben. Hulpmiddelen daarbij zijn:
 – eigen ervaring
 – zoeken in de bibliotheek en/of via internet (bureauonderzoek)
 – brainstormen met medestudenten/medeonderzoekers
 – vragen aan deskundigen.

Stap 2:   Maak per begrip kaartjes. Leg deze kaartjes op een grote tafel en cluster ze. Zijn er hoofd- en subtopics te onderscheiden? Heb je per vraagstelling meerdere topics bedacht? Welke vraagstelling is het meest belangrijk, dus welk cluster van kaartjes is essentieel voor je onderzoek?

Stap 3:   Breng volgorde aan in de kaartjes/topics:
 – chronologische volgorde
   • vraag eerst naar de genoten opleiding(en) en daarna naar de werkervaring
 – van breed naar smal

- vraag eerst naar de opvoeding in het algemeen en daarna specifiek naar de rol van de vader en/of moeder
- van gemakkelijk naar moeilijk
  - vraag eerst naar meer algemene zaken zoals leeftijd, burgerlijke staat, woonsituatie, geslacht en daarna naar specifiekere kennis/een oordeel over iets
  - stel eerst vragen over neutrale onderwerpen en daarna zogenaamde 'taboevragen' (bijvoorbeeld vragen over inkomen of seks).

Stap 4:   Formuleer hulpvragen.
Bedenk van tevoren enkele begin- en doorvraagvragen. Combineer de lijst met topics en de hulpvragen tot een overzichtelijk A4-tje.

Stap 5:   Bedenk een introductie.
Leg uit waarom je onderzoek doet, hoe lang het duurt, wat er met de gegevens gebeurt, hoe je mogelijk gegevens terugkoppelt.

Stap 6:   Bedenk een afsluiting.
Aan het eind bedank je de respondent voor zijn medewerking en geef je als dat mogelijk is nogmaals aan hoe je gegevens terugkoppelt.

4.6.2   Soorten vragen

open vragen   Bij een mondeling interview spreken we over *open vragen*, want je hebt van tevoren geen mogelijke antwoorden bedacht. Kader 4.17 geeft voorbeelden van open vragen.

Voorbeelden van open vragen
'Wat vindt u van de manier waarop uw leidinggevende met u communiceert?'   *'Kunt u wat vertellen over de mate van openheid bij u op de afdeling?'*

Kader 4.17

retrospectieve vragen   Soms stel je vragen over het verleden: *retrospectieve vragen*. Sommige mensen hebben moeite zich bepaalde zaken te herinneren. Je kunt ze dan met behulp van geheugensteuntjes op weg helpen. Kader 4.18 laat zien op welke manier je dat kunt doen.

Voorbeeld van een retrospectieve vraag met geheugensteuntje

'Hoe was het toen u ongeveer twaalf jaar was, de periode toen u net van de basisschool, de vroegere lagere school, af kwam?'

Een kwalitatief (veld)onderzoek is bij uitstek geschikt voor het stellen van *ver-* *verdiepings-* *diepingsvragen*. Het lijkt eenvoudig om te vragen naar de reden dat een respondent *vragen* iets zegt, maar in de praktijk valt dat soms tegen. De vraag 'Waarom vindt u dat?' levert soms het antwoord 'gewoon, daarom' op. Het is moeilijk om van tevoren verdiepingsvragen te bedenken, het beste is door te vragen op een al gegeven antwoord. In kader 4.19 geven we een voorbeeld.

Voorbeeld van een verdiepingsvraag

Een respondent heeft verteld dat ze graag kleding koopt bij For You. Vervolgens stel je de vraag:
'Waarom koopt u graag kleding bij deze winkel?'
De respondent antwoordt: 'Omdat ze goede service verlenen.'

In feite weet je dan nog niet veel, want wat precies goede service is, verschilt per persoon. Je kunt vervolgens vragen: 'Wat verstaat u onder goede service?' Als de respondent dan antwoordt: 'Ge-

woon, ze helpen je goed', weet je nog niet veel meer, want wat bedoelt hij met goed? Je kunt vervolgens weer doorvragen door te zeggen: 'Kunt u een voorbeeld noemen van een keer dat u goed geholpen werd?'

Je vraagt dus net zo lang door totdat je concrete antwoorden krijgt in de zin van 'Ze lieten me kleding zien die ik mooi vond' of 'Ze hielpen me meteen en lieten me niet wachten'.

Van tevoren kun je wel oefenen met lastige vragen. Probeer zelf zo veel mogelijk vage antwoorden te bedenken en train jezelf door deze vage antwoorden zo concreet mogelijk te maken.

Een mondeling interview kan halfgestructureerd of ongestructureerd zijn. *Half-* *halfgestruc-* *gestructureerd* houdt in dat je van tevoren wel open vragen bedenkt. De intervie- *tureerd* wer mag deze vragen per respondent 'herformuleren'. Als je als interviewer denkt dat de vraag niet wordt begrepen, stel je hem op een andere manier. Ook de volgorde staat niet vast: je springt van vraag naar vraag, afhankelijk van het antwoord en het onderwerp waarover je het hebt. Bij een ongestructureerd interview schrijf je van tevoren alleen onderwerpen op. Een dergelijke opsomming van onderwerpen noemen we een topiclijst.

4.6.3   Interviewvaardigheden

Een mondeling interview is lastig. Je moet aan verschillende zaken tegelijk denken: aan de vragen die je wilt stellen, aan de antwoorden die de respondent geeft. Veel beginnende interviews lijken op een verhoring: vragen worden afgevuurd en er wordt nauwelijks naar het antwoord geluisterd. Zorg dat je de onderwerpen (topics) in je hoofd hebt. Maak maximaal één A4-tje met mogelijke vragen. Leg dit A4-tje vervolgens op de kop op de tafel en ga een *gesprek* aan. Luister naar de respondent, reageer op zijn antwoorden en probeer door te vragen. Aan het eind van het interview leg je aan de respondent uit dat je nog even het lijstje langs wilt lopen om te controleren of je niets hebt vergeten en draai je het A4-tje om. Op deze manier is het gesprek meer ontspannen en kijk je niet steeds op je papier.

Indien mogelijk neem je het interview met z'n tweeën af. Voordeel daarvan is dat de andere onderzoeker het non-verbale gedrag kan observeren (meent de respondent wel wat hij zegt), maar ook kan opletten of je genoeg doorvraagt. Als een respondent bijvoorbeeld een afkorting noemt en je let even niet op, weet je achteraf misschien niet wat de afkorting betekent. Je moet de respondent dan weer bellen om dit te vragen. Als je met z'n tweeën bent, dan hoort de ander het misschien wel. Hij kan dan inspringen en vragen wat de respondent met de afkorting bedoelt. Daarnaast kan de observator in de gaten houden of je de vragen wel zo neutraal mogelijk stelt.

De rol van de observator?!

Voer je het onderzoek met meerdere interviewers uit, of laat je de interviews geheel door anderen doen, dan is het van belang dat de interviewers van tevoren goed geïnformeerd worden over het doel van het onderzoek. De interviewer bepaalt immers zelf hoe ver doorgevraagd wordt over een bepaald onderwerp. De interviewer dient dan wel te weten naar welke informatie je op zoek bent. Er worden in dat geval vaak instructies opgesteld en er wordt een briefing gehouden waarbij goed doorgesproken wordt wat de bedoeling is van het interview.

Eén van de regels van onderzoek is te komen tot een beeld dat onafhankelijk is van de onderzoeker (zie hoofdstuk 3). Dit betekent dat de onderzoeker probeert zo objectief mogelijk te zijn. Vul bijvoorbeeld niet in wat iemand bedoelt. Als je denkt te weten wat de respondent bedoelt, controleer dan of dat klopt door dit aan diegene te vragen. Vaak heb je zelf een beeld van iets, waardoor je *denkt* dat je begrijpt wat iemand zegt. Dit belemmert het goed doorvragen. Niet alleen je eigen interpretaties, maar ook je houding, of de manier waarop je de vraag stelt kan het interview beïnvloeden. Kader 4.20 geeft daarvan een aantal voorbeelden.

Voorbeeld van gevolgen van de klemtoon voor de antwoorden op je vraag[61]	
'Hebt *u* familieleden in de buurt wonen?' 'Nee, maar mijn man wel.'	'Hebt u familieleden in de *buurt* wonen?' 'Nee, maar wel ver weg'.
'Hebt u *familieleden* in de buurt wonen?' 'Nee, maar wel vrienden.'	

Kader 4.20

Veel onderzoekers maken van het interview een geluidsopname. Hiermee kun je achteraf controleren of de interviewer de respondent geen woorden in de mond gelegd heeft. Je kunt dus de mate van objectiviteit controleren. Je kunt echter alleen verbale zaken nagaan, het is immers geen video-opname. Als je achteraf een interview terugluistert en je hoort duidelijk dat je geen neutrale manier van interviewen gehanteerd hebt, dan moet je het interview niet gebruiken in je onderzoek. Het opnemen van het interview kan een nadeel zijn voor de onderzochte, het is immers een bedreiging van de anonimiteit. Daarom moet de respondent van tevoren toestemming geven en benadruk je dat de gegevens alleen door de interviewers gebruikt worden om het verslag te schrijven. Naast het controleren van de neutraliteit is een ander voordeel van het opnemen van het interview, dat je bij de uitwerking precies kunt opschrijven wat iemand gezegd heeft. Maar maak tijdens het interview wel aantekeningen, want als de taperecorder tussentijds stuk gaat, heb je in elk geval nog wat materiaal. Test de opna-meapparatuur van tevoren, zodat je bij het eerste interview precies weet hoe het werkt.

Veel beginnende interviewers zijn bang voor stiltes. Ze hebben de neiging steeds door te praten en zelf al mogelijke antwoorden te geven. Als het erg stil blijft, kun je vragen of de respondent de vraag begrepen heeft, maar grijp niet te snel in. Geef respondenten de tijd rustig na te denken en een weloverwogen antwoord te geven.

Interpretaties maken we allemaal. Om niet de verkeerde interpretaties te maken kun je beter controleren of je de respondent goed begrepen hebt (zie kader 4.21).

Voorbeeld controle interpretatie

'U zei net dat u de communicatie onvoldoende vond. Heb ik dat goed begrepen?'

Kader 4.21

Je herhaalt daarbij in je eigen woorden het antwoord van de respondent om zeker te weten dat je het hebt begrepen. Het is een misvatting om te denken dat je alles moet snappen. Sommige onderzoekers willen niet 'dom' lijken, waardoor ze niet goed doorvragen. Achteraf blijkt dan soms bij de analyse van de gegevens dat je niet goed begrepen hebt wat de respondent bedoelde.

4.6.4   Observatie non-verbaal gedrag

Je kunt soms aan de houding van een respondent meer aflezen dan aan het antwoord zelf. Een ant-woord als 'Ja, ik ben erg tevreden' kan samengaan met een negatieve houding, waardoor de opmer-king misschien cynisch bedoeld is. Controleer wel wat de respondent bedoelt en maak geen eigen interpretaties van de situatie. Je kunt dit het beste doen door de respondent te wijzen op zijn hou-ding (zie kader 4.22).

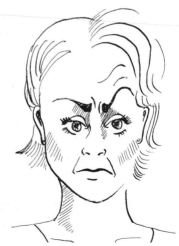

Negatieve houding

Voorbeeld interpretatie non-verbaal gedrag

'U zegt dat u tevreden bent, maar u kijkt erbij alsof u het daar zelf niet mee eens bent, klopt dat?'

'U kijkt steeds weg, het lijkt alsof u niet geïnteresseerd bent, klopt mijn indruk?'

Non-verbaal gedrag is een essentieel onderdeel van diepte-interviews, dus probeer daar wel wat mee te doen. Het observeren van gedrag vraagt andere vaardigheden dan het stellen van vragen. Probeer zo weinig mogelijk het gedrag dat je ziet zelf te interpreteren. Kijk wat er gebeurt en beschrijf dit zo neutraal mogelijk. Kader 4.23 geeft een voorbeeld.

Voorbeeld van de richtlijn: beschrijf de situatie zo neutraal mogelijk

In het onderzoek *Opvoeden in Nederland* legt Pels[62] aan haar onderzoekers uit dat ze alleen moeten opschrijven wat er gebeurt, zonder eigen interpretaties van de situatie. Ze moeten opschrijven:

'Moeder geeft het kind een tik en fronst daarbij haar wenkbrauwen', in plaats van een eigen interpretatie zoals dat de moeder boos is, of dat de moeder het kind straft.

Observeren zonder je eigen interpretaties mee te laten spelen, kun je oefenen door tien minuten om je heen te kijken en dan alles op te schrijven alsof je van de planeet Mars komt. Al snel blijkt dat we niets anders doen dan betekenis geven en interpreteren. Je ontkomt er dus niet aan, maar bij observaties probeer je dat dus zo weinig mogelijk te doen. Interpretaties zijn afhankelijk van je eigen achtergrond en referentiekaders. De ene onderzoeker zal zaken anders interpreteren dan de andere onderzoeker. Om de intersubjectiviteit van de observatie te vergroten, interpreteer je zo weinig mogelijk.

Een hulpmiddel bij observaties kan een camera zijn. Het nadeel is echter dat de respondent zich daar ook van bewust is, je moet immers toestemming vragen aan de respondent of hij opgenomen wil worden. Hij kan vervolgens zijn gedrag aanpassen. Het gebruiken van een verborgen camera is vaak geen optie in verband met privacyrechten van de onderzochte. Je vraagt daarmee immers geen toestemming van de respondent.

Een enkele keer kan het voorkomen dat een respondent die meewerkt erg vijandig is. Je snapt er niets van, hij heeft immers zelf toegezegd mee te doen. Probeer te achterhalen wat hem dwars zit, anders blijft dat het hele interview doorwerken en loop je de kans geen goede antwoorden te krijgen. Daarnaast bestaat het gevaar dat je onbewust gaat reageren op de vijandigheid door op een negatieve manier vragen te stellen. Ga er maar van uit dat een vijandige houding bij binnenkomst in eerste instantie niets met jou te maken kan hebben, omdat het interview nog niet begonnen is. Hoe pak je dat dan aan? Vaak blijkt dat de beste remedie is om het gewoon 'op tafel te leggen' door te vragen wat iemand dwarszit. Wees wel voorzichtig met de manier van vragen; laat merken dat je geen oordeel hebt (zie kader 4.24).

Voorbeeld van een confrontatie met de emoties van de respondent

Stel dat je onderzoek doet naar de tevredenheid over een bepaalde gemeente. Degene die jij gaat interviewen heeft net te horen gekregen dat zijn aanvraag voor een bouwvergunning in diezelfde gemeente is afgewezen. Het zou kunnen dat de respondent dit op jou gaat afreageren. Hij werkt niet echt mee, geeft kortaf antwoord en klinkt steeds erg negatief. Een voorbeeldvraag waarmee je hem confronteert met zijn emoties is: 'Ik heb het gevoel dat u ergens over geïrriteerd bent, klopt dat?'

Kader 4.24

Als mensen ergens echt niet over willen praten, doen ze dat niet. Maar zit hen iets dwars en geef ze de gelegenheid daar even over te praten, dan geeft dat wel meer ruimte voor de rest van het interview. Vergeet ook niet dat je niet zelf de gemeente bent, en dat je het probleem dus niet hoeft op te lossen. Je kunt hooguit zeggen dat je het door zult geven (doe dat dan ook), maar je weet ook niet of daar iets mee gedaan wordt. Als mensen erg emotioneel zijn, werkt het meestal averechts als je te neutraal blijft. Als iemand over een nare ervaring vertelt, kun je best antwoorden: 'Wat vervelend voor u', zonder dat je daarmee partij kiest. Het komt gelukkig niet vaak voor, maar als het gebeurt, is het handig wanneer je een beetje voorbereid bent. Veel opleidingen verzorgen daarom interviewtrainingen met acteurs die het je juist op dit soort punten moeilijk maken. De drie meest lastige gevallen zijn:
- de 'boze' respondent
- de stille 'nergens-een-uitgesproken-mening-over-hebbende' respondent
- de drukke 'ik-vertel-over-alles-behalve-het-onderwerp-waar-jij-het-over-wilt-hebben' respondent.

Vergeet niet de normale reactie die je zou hebben wanneer bijvoorbeeld een kennis zo tegen je zou doen. Beginnende interviewers lijken dat wel eens te vergeten, omdat ze zo opgaan in de topics en het interview zelf, maar een goed interview lijkt vaak op een 'normaal' gesprek. Vaak blijkt een druk persoon zenuwachtig te zijn. Door iemand goed op zijn gemak te stellen wordt deze persoon soms minder druk.

4.7   Gegevensverwerking van een interview

Net als bij kwantitatieve gegevens bestaan er voor de verwerking van kwalitatieve gegevens computerprogramma's. Er is echter voor gekozen hier geen aandacht aan deze programma's te besteden omdat de communicatiemedewerker daar meestal geen gebruik van kan maken. Het zijn programma's specifiek voor onderzoeksbureaus en mensen die onderzoek als kernactiviteit hebben. We bespreken hier dus de verwerking van ruwe gegevens verkregen uit een mondeling interview zonder hulp van specifieke computerprogramma's.

4.7.1   *Compleet uitschrijven*

De interviews zijn opgenomen op tape, je luistert deze af en schrijft de interviews volledig uit. Onderzoekers aan de universiteit noteren soms ook de precieze lengte van een stilte, maar dat gaat voor toegepaste onderzoekers wat te ver. Natuurlijk mag je wel opmerken dat de respondent erg lang moest nadenken voor een bepaald antwoord, maar het gaat in eerste instantie vooral om wat er gezegd is, niet hoe het gezegd werd. Tijdens het interview gebeuren er soms ook dingen die niets met het interview te maken hebben. Je kunt niet-relevante gegevens beter weglaten (zie ook kader 4.25). Op het moment dat je deze gegevens volledig uitschrijft is de respondent immers niet meer anoniem.

Voorbeeld van registratie die te ver gaat
Kader 4.25	Tijdens het interview gaat de telefoon. Mevrouw neemt op met: 'Goedemorgen, met mevrouw de Vries.' Na een tijdje zegt ze: 'Ja, dat is goed.' Nog weer	later zegt ze: 'Oké, tot morgen dan.' Ze hangt op en we gaan weer verder met het interview.

Je werkt het interview zo letterlijk mogelijk uit, waarbij duidelijk moet zijn wie wat zegt. In kader 4.26 geven we een voorbeeld.

Voorbeeld van een uitwerking van een open vraag

Interview respondent 1

Interviewer: 'Goedemorgen mevrouw X. Zoals ik aan de telefoon heb uitgelegd doe ik een onderzoek naar de ervaringen van klanten bij de dameskledingwinkel For You. Het interview duurt ongeveer een half uur, zullen we beginnen of heeft u nog vragen?'

Respondent: 'Nee, laten we maar van start gaan.'

Interviewer: 'Waarom koopt u graag kleding bij deze winkel?'

Respondent: 'Omdat ze goede service verlenen.'

Interviewer: 'Wat verstaat u onder goede service?'

Respondent: 'Gewoon, ze helpen je goed.'

Interviewer: 'Kunt u een voorbeeld noemen van een keer dat u goed geholpen werd?'.

Respondent: 'Nou, eh, ze waren heel snel en vroegen gelijk of ze me konden helpen. Ach, je snapt wel wat ik bedoel, gewoon goede service, de verkoopster wist precies mijn smaak! Ze had bijvoorbeeld dat geruite rokje uitgezocht, die heb ik aangehad op het 25-jarig huwelijk van mijn vriendin, iedereen vond dat het mij erg mooi stond. Ik heb daar toen een mooi zwart truitje op gedragen.'

Interviewer: 'U zegt dus dat het belangrijk is dat een verkoopster kan inschatten wat u mooi vindt. Zijn er nog andere dingen die u belangrijk vindt met betrekking tot de service in de winkel?'

(...)

Kader 4.26

Interviews helemaal uitschrijven is saai werk. Toch is het nuttig. Als je meteen na het interview met de rapportage aan de slag gaat, weet je je de belangrijkste antwoorden nog wel te herinneren. Vaak blijkt bij het uitschrijven dat de respondent nog veel meer gezegd heeft. Antwoorden die je in eerste instantie niet zijn opgevallen. Uitschrijven doe je ook om de opdrachtgever inzicht te geven in het interview. De tapes houd je als onderzoeker zelf. Immers, de opdrachtgever zou iemand aan de stem kunnen herkennen waardoor het interview niet meer anoniem is (zie hoofdstuk 8). De uitgeschreven interviews zijn een bijlage bij de rapportage van een kwalitatief (veld)onderzoek (zie hoofdstuk 6).

Een toegepast communicatieonderzoek kunnen analyseren

5

De gegevens staan nu in een computerprogramma (SPSS, Excel, Word), maar wat zeggen de gegevens eigenlijk? In dit hoofdstuk lees je hoe je de gegevens analyseert: wat hebben mensen nu eigenlijk gezegd en welke waarde mag ik daar als onderzoeker aan hechten? Geven de gevonden gegevens antwoord op mijn vraagstellingen?

In dit hoofdstuk besteden we aandacht aan de analyse van kwantitatieve gegevens (verkregen door middel van bureauonderzoek of een survey). Via het programma SPSS kun je deze kwantitatieve data analyseren en omzetten in tabellen en grafieken. Met behulp van het programma Excel kun je deze gegevens mooi grafisch weergeven. Omdat niet iedereen gebruik kan maken van SPSS worden ook enkele basisanalysetechnieken in Excel uitgelegd. Tot slot wordt ingegaan op de analyse van kwalitatieve gegevens (verkregen door middel van bureauonderzoek of een kwalitatief (veld)onderzoek).

Doelstellingen bij dit hoofdstuk:

- de begrippen frequentie, *valid percent, system missing, user missing*, mediaan, modus, gemiddelde *(mean)* en standaarddeviatie kennen en ermee kunnen werken
- een frequentietabel in SPSS kunnen interpreteren
- centrummaten in SPSS kunnen berekenen
- kruistabellen in SPSS kunnen maken, hierin verwachte waarden kunnen

- berekenen en de resultaten van de Chi^2-toets kunnen interpreteren
- variabelen kunnen hercoderen in SPSS
- grafieken kunnen maken in Excel
- frequentietabellen, centrummaten en kruistabellen kunnen maken in Excel en de Chi^2-toets kunnen uitvoeren
- een analyse van teksten en interviews kunnen uitvoeren.

Kader 5.1

5.1   Data-analyse van kwantitatieve gegevens

Kwantitatieve gegevens kun je weergeven in aantallen (frequenties) en percentages. De frequentie geeft het aantal respondenten weer dat een bepaald antwoord bij een bepaalde variabele heeft gegeven. Je hebt bijvoorbeeld van een aantal mensen gemeten hoeveel glazen water ze per dag drinken. Deze gegevens wil je overzichtelijk weergeven. Daarvoor gebruik je een tabel. Als eerste zet je de verschillende waarden (het aantal glazen water) op een rijtje die bij het meten voor kunnen komen. Het aantal glazen water dat iemand op een dag drinkt, kan in principe variëren van nul tot heel veel. Je kunt je voorstellen dat er weinig mensen zijn die meer dan vijf glazen water per dag drinken, dus maken we daar een restcategorie van. Vervolgens turf je bij elke individuele waarneming wat het antwoord is. Als je van twintig mensen de antwoorden hebt ontvangen, dan kun je deze antwoorden in een tabel weergeven (zie kader 5.2).

Voorbeeld turven		
waarde	*aantal*	
0		= 0 respondenten
1	|||	= 3 respondenten
2	|||	= 3 respondenten
3		= 0 respondenten
4	||||||	= 6 respondenten
5	||	= 2 respondenten
6 of meer	||	= 2 respondenten
geen mening	|||	= 3 respondenten
de vraag niet ingevuld			= 1 respondent

Kader 5.2

Je vervangt de turfjes door cijfers om er een echte tabel van maken. In de linkerkolom zie je de mogelijke uitkomsten (waarden) en in de rechterkolom zie je hoe *frequentie-* vaak, of hoe frequent die waarden voorkomen. Een dergelijke tabel heet een *verdeling* *frequentieverdeling* (zie kader 5.3).

Kernbegrippen uit de statistiek			
waarde	*aantal*	*waarde*	*aantal*
0	0	5	2
1	3	6 of meer	2
2	3	geen mening	3
3	0	de vraag niet ingevuld	1
4	6		

Kader 5.3

Het is bij een dergelijke frequentieverdeling van belang dat je een duidelijk onderscheid maakt tussen de mogelijke waarden (aantal glazen water) en de frequentie waarmee ze voorkomen (hoeveel mensen drinken een bepaalde hoeveelheid water). De waarden waar geen antwoord achter staat laat je vervolgens weg. Je hebt nu een frequentietabel gemaakt (zie kader 5.4).

Voorbeeld frequentietabel

waarde	aantal	waarde	aantal
1	3	6 of meer	2
2	3	geen mening	3
4	6	de vraag niet ingevuld	1
5	2		

Kader 5.4

Op basis van gegevens uit de frequentietabel kun je percentages berekenen. Per gegeven antwoord deel je het aantal waarnemingen door het totale aantal waarnemingen en vermenigvuldig je de uitkomst met honderd. Dus als drie mensen geen water drinken is dat $(3/20) * 100 = 15,0$ %. Kader 5.5 laat een frequentietabel met percentages zien.

Voorbeeld frequentietabel met percentages

waarde	aantal	percentage	waarde	aantal	percentage
1	3	15,0%	6 of meer	2	10,0%
2	3	15,0%	user missing	3	15,0%
4	6	30,0%	system missing	1	5,0%
5	2	10,0%	*Totaal*	20	100,0%

Kader 5.5

In het voorbeeld hierboven hebben niet alle mensen antwoord gegeven. We kunnen twee soorten gemiste antwoorden (*missing*) onderscheiden: *system missing* en *user missing* (zie ook hoofdstuk 4). Meestal kun je user missing en system missing bij elkaar optellen. Je wilt immers weten hoeveel mensen water hebben gedronken, het is dan niet van belang of ze geen mening hebben. Als veel mensen de vraag niet hebben ingevuld (system missing) of als antwoord 'weet ik niet' hebben gegeven (user missing) dan is het juist wel van belang dit mee te nemen in de analyse. Je kunt dan percentages berekenen van het totale aantal waarnemingen zonder de system missing en de user missing, het zogenoemde *valid percent* (zie kader 5.6).

	Voorbeeld frequentietabel met twee soorten percentages		
waarde	aantal	percentage	valid percent
1	3	15,0%	18,8%
2	3	15,0%	18,8%
4	6	30,0%	37,5%
5	2	10,0%	12,5%
6 of meer	2	10,0%	12,5%
Totaal	16	80,0%	100,0%
user missing	3	15,0%	
system missing	1	5,0%	
Totaal	20	100,0%	

Kader 5.6

Afhankelijk van het aantal ontbrekende waarden gebruik je de gewone percentagekolom of de *valid percent*-kolom. Als je weinig ontbrekende waarden hebt dan laat je ze weg en gebruik je dus de valid percent-kolom. De analyse gaat dan verder over zestien mensen die wel een antwoord hebben gegeven (dit aantal komt dan terug in de bijbehorende grafiek). Als je veel *missing values* hebt dan neem je de eerste percentagekolom en laat je juist zien hoeveel mensen geen mening hebben. Denk bijvoorbeeld aan vragen die je gesteld hebt over het imago van een organisatie. Als veel mensen 'weet niet' hebben geantwoord, dan is het imago van de organisatie niet zo uitgesproken en hebben veel mensen geen goed beeld van waar de organisatie voor staat. Dit is uiteraard een belangrijk resultaat en daarom laat je het ook zien in je tabellen en grafieken.

Er zijn nog twee zaken die een rol spelen bij de missing values:
1 taboe
2 niet van toepassing.

Als een vraag over een taboeonderwerp gaat (bijvoorbeeld seks) dan is het heel opvallend als juist veel mensen antwoord hebben gegeven. Van tevoren kun je namelijk verwachten dat de meeste mensen geen antwoord willen geven. Is in jouw onderzoek wel antwoord gegeven, dan moet je dit laten zien en gebruik je dus de gewone percentagekolom.

Soms is een bepaalde vraag niet voor iedereen van toepassing. Een voorbeeld: in een bedrijf heeft een afdeling een eigen memobord. Alle andere afdelingen gebruiken dat middel dus niet. De enquête wordt door iedereen ingevuld, maar alleen de mensen van die ene afdeling kunnen hun mening over het memobord geven. De vraag levert dus een groot aantal missing op. In dat geval vermeld je in de tekst duidelijk dat de vraag betrekking heeft op een kleiner aantal mensen, waardoor logisch is dat de bijbehorende grafiek ook over maar een deel van de steekproef gaat.

In je verslag wordt altijd duidelijk of er mensen geen antwoord hebben gegeven (hoe weinig ook). Je zet namelijk boven elke grafiek om hoeveel respondenten het gaat (n=..). Zie meer hierover bij het onderdeel grafieken.

5.1.1   *Frequentietabellen maken in* SPSS

De frequenties en de verschillende soorten percentages kun je met SPSS in één handeling berekenen met de opdracht: *Analyze → Discriptive Statistics → Frequencies* (zie ook figuur 5.1).
De frequentietabellen kun je als bijlage toevoegen aan de rapportage (zie hoofdstuk 6).
Kies in het linker veld de variabele waarvan je een frequentietabel wilt maken. Klik op het driehoekje om deze variabele in het rechter veld te plaatsen (zie figuur 5.2). Pas dan is de knop OK actief en kun je daar op klikken. Het resultaat zie je in figuur 5.3.

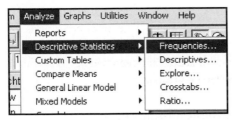

Figuur 5.1 Frequentietabellen in SPSS

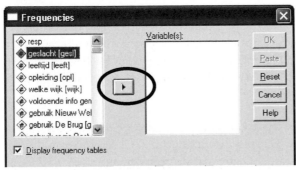

Figuur 5.2 Selecteren variabelen frequentietabel SPSS

geslacht

1		2 Frequency	3 Percent	4 Valid percent	5 Cumulative percent
Valid	man	127	45,2	45,7	45,7
	vrouw	151	53,7	54,3	100,0
	Total	278	98,9	100,0	
Missing	System	3	1,1		
Total		281	100,0		

Figuur 5.3 Frequentietabel voor geslacht in SPSS

Kolom 1: waarden

In de eerste kolom worden alleen de waarden weergegeven waarbij antwoorden horen. In dit geval zijn dat de waarden (de antwoordmogelijkheden) man en vrouw.

Kolom 2: frequency

In deze kolom wordt het *aantal* antwoorden voor een variabele weergegeven. In het voorbeeld zijn er in totaal 281 respondenten, hiervan zijn 127 respondenten man en 151 respondenten vrouw. Drie respondenten hebben de vraag niet beantwoord en dit zijn dus gemiste antwoorden.

Er zijn in SPSS drie soorten procenten: *percent, valid percent* en *cumulative percent*.

Kolom 3: percent

In de derde kolom, de kolom *percent*, staan alle percentages, berekend over *alle* respondenten, dus inclusief de gemiste antwoorden.

Kolom 4: valid percent

In de kolom *valid percent* staan de percentages van de antwoorden zonder de gemiste antwoorden. De percentages zijn dus berekend over het subtotaal van de 'valid' waarden (de eerste total in kolom 1).

Kolom 5: cumulative percent

Hierbij is van elke waarde het percentage uit de vierde kolom (de valid percent) steeds opgeteld bij de vorige waarde (*cumulative percent*). Op deze manier kun je soms sneller een conclusie trekken.

Je hebt bijvoorbeeld aan de respondenten gevraagd of ze de gekregen informatie van de gemeente voldoende vinden of niet (zie figuur 5.4). Als je nu een uitspraak wilt doen over het aantal respondenten dat de gemeente een voldoende heeft gegeven, dan kun je in de vijfde kolom (*cumulative percent*) bij voldoende aflezen dat 75 procent dit antwoord of het vorige antwoord (immers ook voldoende) gegeven heeft. De conclusie is dan ook dat 75 procent van de respondenten een voldoende waardering geeft. Wil je berekenen hoeveel mensen matig tot onvoldoende oordeelden dan bereken je met behulp van de kolom *cumulative percent*: 100-75 = 25%.

voldoende info gemeente

		Frequency	Percent	Valid percent	Cumulative percent
Valid	ruim voldoende	11	3,9	4,2	4,2
	voldoende	184	65,5	70,8	75,0
	matig	57	20,3	21,9	96,9
	onvoldoende	8	2,8	3,1	100,0
	Total	260	92,5	100,0	
Missing	geen mening	12	4,3		
	System	9	3,2		
	Total	21	7,5		
Total		281	100,0		

Figuur 5.4 Cumulatieve percentages in SPSS

De frequentietabel kun je naar Word kopiëren. Je klikt met de rechter muisknop op de tabel en kiest de optie *copy objects*. In Word klik je op *plakken*. Frequentietabellen komen in de bijlage.

Je kunt *alle* frequentietabellen in één keer door SPSS laten maken om ze vervolgens tegelijk naar Word te kopiëren. Klik op de tweede variabele (onder 'resp', want van respondentnummer maak je geen frequentietabel). Je houdt de shifttoets ingedrukt en klikt op de laatste variabele. Vervolgens klik je op het knopje met het driehoekje zodat alles in het rechter veld terecht komt. Tot slot klik je op de knop OK.

De gemaakte frequentietabellen (de output) kun je in één keer kopiëren naar Word. In het linkerdeel klik je weer op de tweede variabele (respondentnummer neem je niet mee). Vervolgens houd je de shifttoets vast en klik je op de laatste variabele. Daarna klik je in het blauwe gedeelte op de rechter muisknop en kies je voor *copy objects* (figuur 5.5).

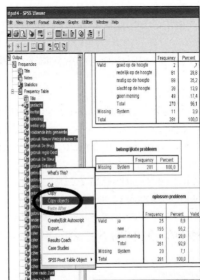

Figuur 5.5 Kopiëren in SPSS

Tot slot plak je alle frequentietabellen in Word (met de optie *bewerken* → *plakken*.
In Word plaats je op de eerste pagina een titel (bijvoorbeeld 'Bijlage 2: Frequentietabellen') en voeg je een paginanummering in. De bijlage is klaar!

Je onderzoeksrapport bestaat niet alleen uit bijlagen, maar ook uit een verslag.
Voor het verslag maak je grafieken. Het mooie van grafieken is dat je in een oogopslag de verschillen kunt zien. Niet alle tabellen worden grafieken. Het hangt
van je verhaal af welke grafieken je maakt (zie hoofdstuk 6).

Je kunt in spss zelf grafieken maken (de knop *charts* in het scherm *frequencies*).
Deze grafieken zijn grafisch minder goed te bewerken, daarom leer je hier grafieken te maken in Excel.

5.1.2   Een grafiek van een frequentietabel maken in Excel

Om een grafiek te maken kun je de gegevens vanuit spss kopiëren, bijvoorbeeld
de gegevens van de tabel uit figuur 5.7. Als je vanuit spss een frequentietabel met
copy objects in Excel wilt plakken gebeurt er niets. Je kiest daarom in spss voor
de optie *copy* om vervolgens in Excel de gegevens te plakken. Wat je dan krijgt
zie je in figuur 5.6. Je bepaalt van tevoren over welke gegevens uit de frequentietabel je een grafiek wilt maken. Meestal zijn dit percentages. Je beslist zelf of het
de tweede kolom (*percent*) of de derde kolom (*valid percent*) wordt. Hier gaan we
ervan uit dat je de grafiek maakt van de *valid percent* omdat er weinig *missing
values* zijn. De kolommen *frequency* en *percent* worden verwijderd.

Om een grafiek te maken moet je *alleen* cellen selecteren die naast elkaar staan.
Je maakt een blok van de gegevens waarover de grafiek gemaakt wordt. Vervolgens
klik je op het knopje *grafieken* (zie figuur 5.6).

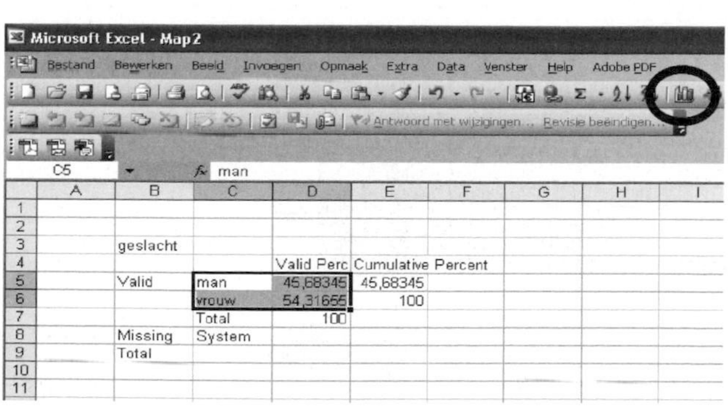

Figuur 5.6   Knop voor grafieken in Excel

In *vier* stappen maak je een grafiek.

Stap 1: kies een soort grafiek (zie figuur 5.7). Probeer daarbij verschillende soorten uit. Vaak is het een kwestie van smaak en niet alle grafieken zijn geschikt. Een cirkel (taartdiagram) bijvoorbeeld kun je alleen gebruiken voor frequentiever-delingen. Als je de keuze gemaakt hebt klik je op de knop *volgende*.

Figuur 5.7   Stap 1: keuze soort grafiek

Stap 2: kies de brongegevens. Omdat je van tevoren een gebied geselecteerd hebt, zijn de gegevens al ingevuld. Wissel ook eens van optie tussen *rijen* en *kolommen*, dit heeft gevolgen voor je weergave (zie figuur 5.8).

Bedenk steeds dat de grafiek in één oogopslag duidelijk moet maken wat je wilt vertellen.

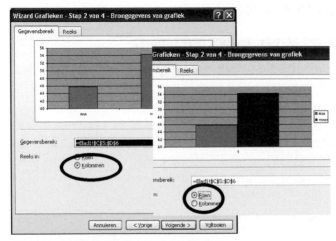

Figuur 5.8   Stap 2: brongegevens kiezen

grafiektitel *Stap 3*: voeg de titel in en maak andere keuzes. Elke *grafiek* heeft een *titel*. In dit geval kun je kiezen voor de titel 'geslacht'. Je vermeldt het aantal mensen waarover deze grafiek gaat. Omdat we de grafiek over de valid percent maken kijken we dus naar het totale aantal mensen exclusief de gemiste antwoorden. In dit geval zijn dat er 278 (zie figuur 5.9).

Zodra je begint te typen in een veld wordt het resultaat in het voorbeeld zichtbaar. Haal overbodige informatie weg. Het blokje 'reeks 1' zegt hier niets en kan dus weggehaald worden. Het blokje met 'reeks 1' is een legenda, je klikt op dat tabblad en verwijdert het vinkje. Probeer ook de andere mogelijkheden uit, weergegeven op de verschillende tabbladen.

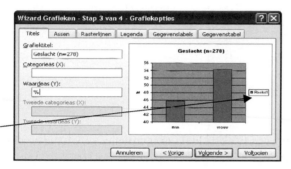

Figuur 5.9 Stap 3: informatie aan de grafiek toevoegen

Stap 4: maak een keuze waar de grafiek in Excel geplaatst moet worden; als een nieuw blad of als een object (zie figuur 5.10). Een object is gemakkelijk te kopiëren naar Word. Klik op *voltooien* en je grafiek is klaar.

Figuur 5.10 Stap 4: de plaats van de grafiek

Je kunt de grafiek naar eigen smaak aanpassen door met de rechter muisknop op een bepaald onderdeel te klikken. Dit neemt heel nauw. Vervolgens kies je de optie gegevensreeks opmaken (zie figuur 5.11).

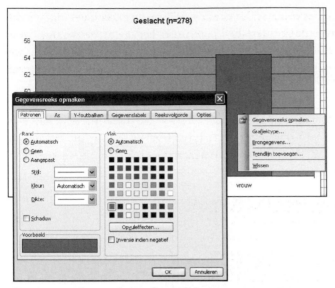

Figuur 5.11   Opmaak van de grafiek

Je kunt achtergronden veranderen (vlak-, kleur- of opvuleffecten), lettertypes aanpassen (tabblad gegevenslabels) enzovoort. Probeer het uit. Ook hier geldt weer, hoe worden de gegevens zo overzichtelijk mogelijk gepresenteerd. Denk ook aan het publiek dat je onderzoeksrapport gaat lezen. Veel bedrijven houden juist niet van te veel 'gefröbel'.

De grafiek kopieer je vervolgens naar Word in de tekst waar je de grafiek ter illustratie gebruikt. Je geeft een toelichting over de grafiek ('U ziet hier…') en doet een uitspraak, bijvoorbeeld: 'De meeste respondenten in dit onderzoek zijn vrouw (54 procent).'

5.1.3   Frequentietabellen maken in Excel

Je kunt in Excel ook een frequentietabel maken. Het is wel wat meer werk dan in SPSS. Je hebt alle waarden op 1 werkblad ingevoerd (zie hoofdstuk 4). Je vult in twee lege rijen de waarden 'vrouw' en 'man' in. Ga in de cel achter vrouw staan. Klik op de knop *fx*: functie invoeren. Zorg dat bij *selecteer een categorie* Alles staat en kies voor de optie *AANTAL.ALS* (zie figuur 5.12).

Bij *Bereik* voer je het gebied in waar je de antwoorden op de vraag geslacht hebt ingevoerd (in dit geval de tweede kolom, zie ook figuur 5.17). Bij *Criterium* voer je de waarde in die je wilt tellen, in dit geval 1 voor vrouw. Je klikt op OK.

Je herhaalt dit voor man in de cel achter man met het *Criterium 2*. Het programma telt nu het aantal 1-tjes en 2-tjes (zie figuur 5.13). Er is vier keer een 1 ingevoerd, dus vier vrouwelijke respondenten. Er is twee keer een 2 ingevoerd, dus twee mannen.

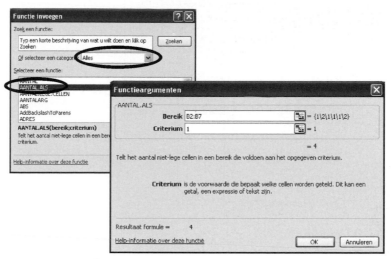

Figuur 5.12 De functie AANTAL.ALS

geslacht	
vrouw	4
man	2

Figuur 5.13 Frequentieverdeling

Je kunt nu percentages berekenen. Hiervoor heb je eerst het totaal nodig. Ga in de cel onder de totaalwaarden van vrouw en man staan. Klik op de knop Σ: autosom. De formule sluit je af met de <enter>. Je ziet daarna de formule zelf staan in de formulebalk.[63]

Vervolgens kun je het percentage vrouwen berekenen. Je kunt de formule meteen de formulebalk invoeren. Je typt = en vervolgens klik[64] je de bijbehorende cellen aan (zie figuur 5.14). Tot slot voeg je een dollarteken in voor de cel van het totaal. Sluit weer af met <enter>. De toevoeging van de dollartekens is handig want nu kun je de formule naar beneden slepen. Ga met de muis op het hoekje rechtsonder in de cel staan, je muisaanwijzer verandert in een plusteken. Druk de muisknop in en sleep de formule naar beneden.

Als je de muisknop loslaat staat de formule in de tweede cel.
Je kunt vervolgens van de percentages een grafiek maken.

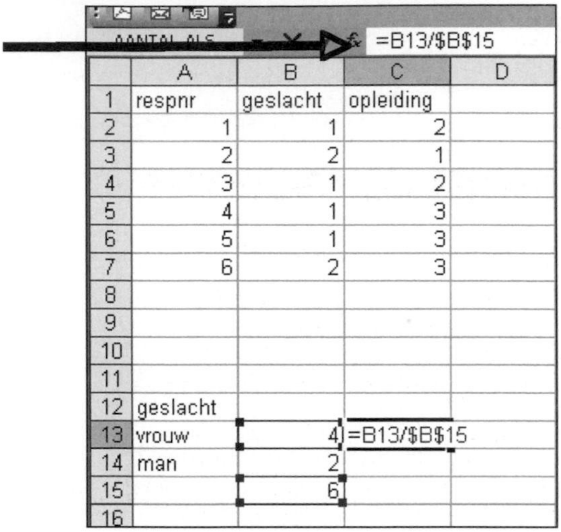

=B13/$B$15

	A	B	C	D
1	respnr	geslacht	opleiding	
2	1	1	2	
3	2	2	1	
4	3	1	2	
5	4	1	3	
6	5	1	3	
7	6	2	3	
8				
9				
10				
11				
12	geslacht			
13	vrouw	4	=B13/$B$15	
14	man	2		
15		6		
16				

Figuur 5.14 Berekening van percentages

5.2 Centrummaten

Er zijn drie centrummaten waarmee variabelen worden geduid, de twee meest voorkomende zijn de *modus* en *mean*. De mediaan wordt af en toe gebruikt. *modus*

Centrummaat	Betekenis	Meetniveaus
modus	meest voorkomend ('in de mode')	mogelijk bij alle vier de meetniveaus
mediaan	middelste waarneming	mogelijk bij ordinaal, interval en ratio-meetniveaus
gemiddelde	rekenkundig gemiddelde	alleen mogelijk bij interval- en ratio-meetniveaus

De modus is het antwoord dat het meest voorkomt. Je kunt bij alle meetniveaus uitrekenen welk antwoord het meest gegeven is. Kader 5.7 geeft een voorbeeld van de modus.

Voorbeeld modus glazen water

waarde	aantal
1	3
2	3
4	6
5	2
6 of meer	2
user missing	3
system missing	1
Totaal	20

In dit geval komt het antwoord vier het meeste voor (dit hebben zes respondenten geantwoord). De modus is dus 4.

Kader 5.7

Een ezelsbruggetje voor modus is het begrip 'Jan Modaal'. Hiermee bedoelen we de grootste groep in een bepaalde samenleving. Met de modus bepaal je immers ook de grootste groep. In figuur 5.15 illustreren we de modus nog eens.

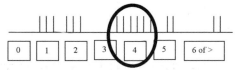

Figuur 5.15   Modus glazen water

Voorbeeld mediaan glazen water

waarde	aantal
1	3
2	3
4	6
5	2
6 of meer	2
Totaal	16

De mediaan is de waarde die inzit tussen de hoeveelheid water die de achtste persoon drinkt en de hoeveelheid water die de negende persoon drinkt. Je hebt immers zestien personen die glazen water drinken. In dit geval zit het midden (tussen 8 en 9) bij vier glazen water. De mediaan is dus 4.

Kader 5.8

De *mediaan* is de middelste waarneming, er zijn dan evenveel respondenten die   *mediaan*
een hogere waarde hebben als respondenten die een lagere waarde hebben op de
variabele. Dit kun je niet berekenen bij een nominale variabele. Pas wanneer er
orde in de antwoordmogelijkheden zit, dus vanaf het ordinale niveau, kun je de
mediaan bepalen. In kader 5.8 geven we een voorbeeld.

Met de mediaan geef je het midden aan: 50% van de respondenten geeft aan vier
glazen water of minder te drinken, 50% van de respondenten geeft aan vier glazen
water of meer te drinken. In figuur 5.16 geven we een illustratie.

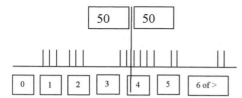

Figuur 5.16

Het *gemiddelde (mean)* is het rekenkundige gemiddelde. Dit wordt berekend over   *gemiddelde*
variabelen zoals leeftijd, aantal uren tv-kijken enzovoort, oftewel over variabelen   *mean*
met een ratio- of intervalniveau. Kader 5.9 geeft een voorbeeld.

Voorbeeld gemiddelde leeftijd

Stel, er is aan 13 respondenten de leeftijd gevraagd:

waarde	aantal
21 jaar	4
22 jaar	2
23 jaar	6
24 jaar	1

De *mean* wordt in twee stappen berekend. Stap 1: de leeftijd wordt steeds vermenig-
vuldigd met het aantal respondenten dat deze leeftijd geantwoord heeft.

4 respondenten	x 21 jaar =	84
2 respondenten	x 22 jaar =	44
6 respondenten	x 23 jaar =	138
1 respondent	x 24 jaar =	24
totaal		290

Stap 2: het totaal van deze som wordt gedeeld door het totale aantal respondenten:
290/13 = 22,3.

Kader 5.9

Bij het uitrekenen van centrummaten wordt gewerkt met cijfers achter de komma. De uitkomst van het gemiddelde is bijvoorbeeld 22,3. Maar waar gaat dat getal eigenlijk over? De vraag die gesteld werd ging over leeftijd. Het is dus de gemiddelde leeftijd van de respondenten. De 3 achter de komma is in dit geval geen 3 maar bijna 4 maanden (0,3 x 12 maanden). Je kunt ook het getal *achter de komma* (dus 0,0 tot en met 0,9) vermenigvuldigen met 1,2. Vervolgens ga je afronden. In kader 5.10 laten we een voorbeeld zien.

Rekenvoorbeeld

0 = 0   22,0 → 22,0   dus afgerond: de gemiddelde leeftijd is 22 jaar
1 = 1,2   22,1 → 22,12   dus afgerond: de gemiddelde leeftijd is 22 jaar en 1 maand
2 = 2,4   22,2 → 22,24   dus afgerond: de gemiddelde leeftijd is 22 jaar en 2 maanden
3 = 3,6   22,3 → 22,36   dus afgerond: de gemiddelde leeftijd is 22 jaar en 4 maanden
4 = 4,8   22,4 → 22,48   dus afgerond: de gemiddelde leeftijd is 22 jaar en 5 maanden
5 = 6   22,5 → 22,60   dus afgerond: de gemiddelde leeftijd is 22 jaar en 6 maanden
6 = 7,2   22,6 → 22,72   dus afgerond: de gemiddelde leeftijd is 22 jaar en 7 maanden
7 = 8,4   22,7 → 22,84   dus afgerond: de gemiddelde leeftijd is 22 jaar en 8 maanden
8 = 9,6   22,8 → 22,96   dus afgerond: de gemiddelde leeftijd is 22 jaar en 10 maanden
9 = 10,8 22,9 → 22,108 dus afgerond: de gemiddelde leeftijd is 22 jaar en 11 maanden.

Kader 5.10

Soms is het gemiddelde moeilijker te berekenen omdat je antwoordcategorieën niet geschikt zijn. In kader 5.11 laten we een voorbeeld zien.

Voorbeeld moeilijk te berekenen gemiddelde: aantal glazen water

waarde	aantal
1	3
2	3
4	6
5	2
6 of meer	2
user missing	3
system missing	1
Totaal	20

Kader 5.11

Vervolg

Dit geval is lastig, want de laatste categorie is onbekend: hebben de respondenten zes, zeven of wel twintig glazen water gedronken? Je kunt dus minder snel het gemiddelde bepalen. Als je een open vraag had gesteld (hoeveel glazen water drinkt u per dag?), dan had het misschien wel gekund. Nadeel was dan weer dat sommige respondenten geen eenduidig antwoord geven en bijvoorbeeld 1-3 glazen invullen.

Maak dus bij een vraag waarover je een gemiddelde wilt berekenen (bijvoorbeeld leeftijd) van tevoren geen categorieën (baby's, peuters, kleuters enzovoort). Het is dan veel lastiger de gemiddelde leeftijd te berekenen. Als je over bepaalde leeftijdscategorieën iets wilt zeggen kun je beter in de vragenlijst de geboortedatum of de leeftijd vragen. Achteraf kun je dit antwoord hercoderen in categorieën (zie verderop in dit hoofdstuk).

Welke centrummaat je mag gebruiken, hangt af van het meetniveau van je vraag. Je kunt immers geen gemiddelde bepalen van de waarde geslacht. In de onderstaande tabel geven we een overzicht van de centrummaten die je kunt gebruiken per meetniveau.

Meetniveau	Centrummaat
nominaal	modus
ordinaal	modus en mediaan
interval en ratio	modus, mediaan en gemiddelde

5.2.1 Centrummaten in spss

In spss kun je gelijktijdig met het maken van een frequentietabel de centrummaten laten berekenen. Kies dus weer voor *Analyze → Discriptive Statistics → Frequencies.* Kies bijvoorbeeld voor leeftijd. Klik op de knop *Statistics* (zie figuur 5.17).

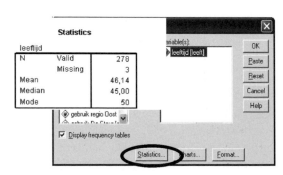

Figuur 5.17 Centrummaten in spss

Vink vervolgens de opties *Mean, Median* en *Mode* aan. Welke opties je kunt berekenen, bedenk je zelf (denk aan het meetniveau). SPSS berekent zelfs het gemiddelde geslacht als jij het programma die opdracht geeft. De gemiddelde leeftijd hier is 46,14, dus 46 jaar en 2 maanden (mean), de middelste waarde is 45, dus 45 jaar (median) en de meest voorkomende waarde is 50 (mode), oftewel de meeste mensen in het onderzoek zijn 50 jaar.

5.2.2 Centrummaten in Excel

Het berekenen van de modus, de mediaan en het gemiddelde doe je met behulp van de functies. Je klikt weer op *fx* om vervolgens de modus te kiezen (zie figuur 5.18). In het veld van *Getal1* selecteer je alle antwoorden uit de kolom *leeftijd*. Vervolgens wordt de meest voorkomende leeftijd berekend, in dit geval 50 (modus). Net als in SPSS is de mediaan 45 en de mean is 46,14.

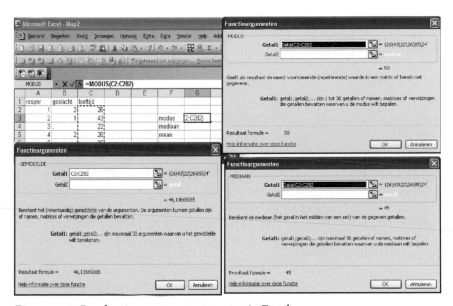

Figuur 5.18 Berekening van centrummaten in Excel

5.3 Standaarddeviatie

Standaard-
deviatie *Standaarddeviatie* is nog een term die je tegen kunt komen in je analyse. Dit is geen centrummaat, maar een spreidingsmaat. De standaarddeviatie zegt iets over de diversiteit van de gegeven antwoorden. Bij een lage standaarddeviatie is

de diversiteit laag: de antwoorden van de respondenten liggen dan dicht bij elkaar. Bij een hoge standaarddeviatie is de diversiteit hoog: de antwoorden van de respondenten liggen ver van elkaar af. De standaarddeviatie met betrekking tot de vraag over glazen water is hoger: er zijn zowel mensen die één glas hebben geantwoord als mensen die zes of meer glazen hebben geantwoord (figuur 5.19).

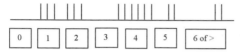

Figuur 5.19 Hogere standaarddeviatie

Als mensen vooral tussen de twee en vier glazen water drinken is de standaarddeviatie lager (figuur 5.20).

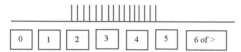

Figuur 5.20 Lagere standaarddeviatie

De standaarddeviatie gebruik je om aan te geven of de antwoorden erg overeenkomen (lage standaarddeviatie) of juist erg verschillen. Je hebt bijvoorbeeld met behulp van rapportcijfers gevraagd hoe tevreden mensen zijn over de manier waarop de docent de vragen van studenten beantwoordt. Het gemiddelde cijfer is bijvoorbeeld een 7,5. Als de standaarddeviatie laag is dan hebben de meeste studenten een cijfer 'in de buurt' van de 7,5 gegeven (bijvoorbeeld cijfers tussen de 6 en de 8). Als de standaarddeviatie hoog is dan kunnen studenten ook een 3 hebben gegeven of een 10. Er is dan dus meer verschil in de mening van studenten. Een docent die een 7,5 krijgt waarbij de standaarddeviatie laag is doet het dus volgens de studenten beter dan een docent die een 7,5 krijgt, maar een hogere standaarddeviatie heeft.

5.3.1 Standaarddeviatie in SPSS

In het scherm waar je de centrummaten gekozen hebt kun je ook kiezen voor standaarddeviatie (*St. deviation*). Als je gekozen hebt voor twee frequentietabellen (bijvoorbeeld cijfer internetsite en cijfer *Welzijnshuizer Almanak*) dan worden de gemiddelden en de standaarddeviaties met elkaar vergeleken (zie figuur 5.21).
Zo is het gemiddelde cijfer voor de *Welzijnshuizer Almanak* (afgerond) een 7,7 terwijl het gemiddelde cijfer voor de internetsite een 7 is. Als we echter naar de

standaarddeviatie kijken dan valt iets op. De standaarddeviatie bij *Welzijnshuizer Almanak* is veel lager (0,791) dan de standaarddeviatie van de internetsite (1,741). Wat zegt dit nu? De respondenten dachten veel gelijkmatiger over de *Welzijnshuizer Almanak* dan over de internetsite. Over de internetsite zijn sommige mensen zelfs erg ontevreden (acht respondenten gaven de site een 2) terwijl anderen juist erg tevreden waren (twee respondenten gaven de site een 10). Het oordeel over de *Welzijnshuizer Almanak* is veel gelijkmatiger (tussen de 6 en de 9). De standaarddeviatie zegt dus iets over de diversiteit van de meningen. Voor de *Welzijnshuizer Almanak* hoef je dus minder maatregelen ter verbetering te adviseren dan voor de internetsite.

Statistics

		cijfer internetsite	cijfer Welzijnshuizer Almanak
N	Valid	153	136
	Missing	128	145
Mean		6,95	7,66
Std. Deviation		1,714	0,791

Figuur 5.21   Vergelijking gemiddelden

5.3.2   Standaarddeviatie in Excel

Met de functieknop (f_x) kun je statistische functies kiezen, zoals bijvoorbeeld standaarddeviatie. Vervolgens selecteer je de gegevens in het dataveld waarover je de standaarddeviatie wilt berekenen. Ook hier is de uitkomst voor het cijfer internetsite: 18,14 (zie figuur 5.22).

Figuur 5.22   Standaarddeviatie in Excel

5.4   Kruistabellen

Je kunt gegevens weergeven in frequenties, procenten, grafieken of centrum-maten, maar je kunt ook gegevens vergelijken.

In het onderzoek van het CBS[65] naar beroepskeuze blijkt dat ook in 2006 deze keuze mede bepaald wordt door iemands geslacht. Typische mannenberoepen zijn automonteur, verwarmingsinstallateur en lasser. Typische vrouwenberoepen zijn secretaresse en doktersassistente (zie figuur 5.23).

CBS: Mannen houden van auto's, vrouwen verzorgen

DEN HAAG ▪ De beroepen auto-monteur, verwarmingsinstal-lateur en lasser zijn in Neder-land nog steeds exclusief voor-behouden aan mannen. Vrou-wen domineren daarentegen in de verzorgende beroepen.

Dat cliché-beeld bevestigt het Centraal Bureau voor de Statis-tiek (CBS) in een gisteren gepu-bliceerd onderzoek. Vooral in technische en verzorgende be-roepen op laag en middelbaar niveau is de emancipatie nog niet of nauwelijks doorgedron-gen.

Zo moeten vrouwen nog steeds niets hebben van techni-sche beroepen. Volgens de CBS-cijfers zijn vrouwen zelfs ge-heel afwezig onder automon-teurs, verwarmingsinstalla-teurs en lassers. Verder bestaat ook 99,5 procent van de tim-merlieden, elektriciens of vrachtwagenchauffeurs uit mannen. Het cliché dat vrou-wen kiezen voor verzorgende of administratieve beroepen gaat ook nog steeds op. Apothe-kers- en doktersassistentes en medisch- en directiesecretares-ses zijn vrijwel altijd vrouw. Toch is 1 procent van hun colle-ga een man. Onder ziekenver-zorgers en crècheleiders ligt het percentage mannen nog hoger, 6 procent.

De beroepen waar evenveel mannen als vrouwen werken, zijn meestal van hoger of we-tenschappelijk niveau. Zo is de sekseverdeling bij marketing-adviseurs, grafische ontwer-per, advocaten, rechters en no-tarissen fifty-fifty. (GPD)

Figuur 5.23   Beroepskeuze en geslacht

De vraag is: hoe komen deze gegevens tot stand? Er zijn hierbij twee variabelen gecombineerd: beroepskeuze en geslacht. Om te kunnen zien of er verschil in keuze is tussen geslacht en beroepskeuze wordt een kruistabel gemaakt. Er wordt samenhang onderzocht.

5.4.1   Kruistabellen in SPSS

In SPSS maak je een kruistabel door middel van de opdracht: *Analyze → Descriptive Statistics → Crosstabs*.

Stel, je hebt onderzocht op welke manier mensen in de Gemeente Welzijnshuizen hun informatie over de gemeente krijgen. Je wilt weten of er een verschil is tussen het lezen van een bepaald blad (gebruik *Nieuw Welzijnshuizer Dagblad*) en het geslacht (geslacht). Je maakt dan een kruistabel.

Je kunt de variabelen in twee velden kwijt: *Row(s)* en *Column(s)*. Het meest eenvoudig is de te vergelijken variabele in de Kolom te plaatsen *(Column(s))*. In dit geval wil je mannen met vrouwen vergelijken, dus plaats je geslacht in de kolom. Je wilt weten of ze het *Nieuw Welzijnshuizer Dagblad* verschillend gebruiken, dus plaats je deze variabele in de rij *(Row(s))*. Je verplaatst de variabelen weer van het ene veld naar het andere veld met het knopje met het driehoekje. Als je op OK drukt dan komt er een kruistabel tevoorschijn (zie figuur 5.24).

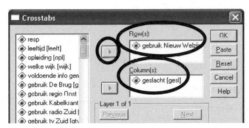

gebruik Nieuw Welzijnshuizer Dagblad * geslacht Crosstabulation

Count

		geslacht		
		man	vrouw	Total
gebruik Nieuw	ja	67	98	165
Welzijnshuizer Dagblad	nee	60	53	113
Total		127	151	278

Figuur 5.24 Kruistabel in SPSS

Wat kun je nu over deze kruistabel zeggen? We willen weten of er een verband is tussen geslacht en *Nieuw Welzijnshuizer Dagblad*.

Figuur 5.25 Verband tussen geslacht en gebruik NWD

Je hebt de keuze uit twee uitspraken:
1) Er is *wel* verband tussen geslacht en gebruik *Nieuw Welzijnshuizer Dagblad*.
2) Er is *geen* verband tussen geslacht en gebruik *Nieuw Welzijnshuizer Dagblad*.

Om te kunnen beoordelen of de uitkomsten in de kruistabel uitspraak 1 dan wel uitspraak 2 ondersteunen, heb je twee waarden nodig:
– de werkelijk gevonden waarde uit je onderzoek, deze noemen we in SPSS de *observed count*

– de waarde die in een cel staat als er geen verband is, deze noemen we in SPSS de *expected count*.

De *expected count* is dus de verwachte waarde als er geen verband is tussen twee variabelen. Deze verwachte waarde kun je uitrekenen. Aan de hand van het volgende voorbeeld wordt het verschil tussen *expected count* en *observed count* uitgelegd. Stel je hebt vijftig mannen en vijftig vrouwen. In het onderzoek blijkt dat er ook vijftig hoog opgeleide mensen zijn en vijftig laag opgeleide mensen. Hieronder is dit in een kruistabelletje weergegeven. De cellen zelf zijn nog leeg. Wat moet er in elke cel staan als er geen verband is tussen geslacht en opleiding?

	Man	Vrouw	
Hoog			50
Laag			50
	50	50	100

Figuur 5.26a *Verwachte waarde geen verband*

De cellen waar waarden in staan, worden marginale waarden genoemd; het zijn de (sub)totalen per waarde van een variabele. We hebben hier dus vijftig mannen en vijftig vrouwen, waarvan vijftig hoog opgeleiden en vijftig laag opgeleiden. Je kunt berekenen wat er in de cellen moet staan (als er geen verband is tussen de variabelen) door de marginalen van de opleiding (bijvoorbeeld de marginale van hoog) te delen door het totaal (*alle* mensen). Vervolgens deel je de marginalen van het geslacht (bijvoorbeeld de marginale van man) door het totaal. Deze twee getallen vermenigvuldig je met elkaar. Tot slot vermenigvuldig je dit getal met het totaal. Je krijgt de volgende som:

((Hoog/totaal) x (Man/totaal)) x totaal:((50/100) x (50/100)) x 100 = (0,5 x 0,5) x 100 = 0,25 x 100 = 25

Omdat alle subtotalen gelijk zijn, worden dus ook alle verwachte waarden gelijk. In elke cel komt dus 25 te staan. Dit is de waarde die je zult zien als er *geen* verband is tussen in dit geval geslacht en opleiding.

	Man	Vrouw	
Hoog	25	25	50
Laag	25	25	50
	50	50	100

Figuur 5.26b *Verwachte waarde geen verband*

In je eigen onderzoek zul je zelden tegenkomen dat de marginale waarden zo mooi verdeeld zijn (allemaal 50). Veel vaker zullen de marginale waarden verschillen. Als we teruggaan naar het voorbeeld geslacht en gebruik *Nieuw Welzijnshuizer Dagblad* (figuur 5.24) dan zie je dat daar de marginale waarden 127 (alle mannen), 151 (alle vrouwen), 165 (alle mensen die het *Nieuw Welzijnshuizer Dagblad wel* gebruiken) en 113 (alle mensen die het *Nieuw Welzijnshuizer Dagblad niet* gebruiken).

Als je nu wilt berekenen wat de expected count is van vrouwen die het *Nieuw Welzijnshuizer Dagblad wel* gebruiken dan krijg je de volgende som:

((vrouwen)/totaal) x (gebruik Nieuw Welzijnhuizer Dagblad/totaal)) x totaal:

$((151/278)$ x $(165/278)$ x $278 = (0,5431654$ x $0,5935251)$ x $278 = 0,3223822$ x $278 = 89,622251 = 89,6$

Als er dus geen verband is tussen geslacht en *Nieuw Welzijnshuizer Dagblad* dan zou je in de cel 89,6 zien staan.

In SPSS bereken je de expected count door deze optie te kiezen bij het maken van de kruistabel. Je kiest weer de opdracht *Analyze →Descriptive Statistics → Crosstabs.* Voordat je op OK klikt zijn er nog een paar zaken die je moet regelen. Klik op de knop *Cells* om te bepalen wat er moet worden berekend (zie figuur 5.27). Onder *Counts* staat standaard een vinkje bij *Observed.* Om de verwachte waarde te berekenen kies je ook de optie *Expected.* Klik vervolgens op *Continue.*

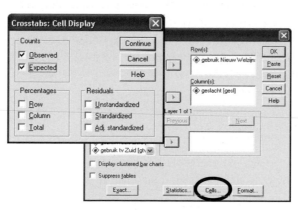

gebruik Nieuw Welzijnshuizer Dagblad * geslacht Crosstabulation

			geslacht		
			man	vrouw	Total
gebruik Nieuw Welzijnshuizer Dagblad	ja	Count	67	98	165
		Expected Count	75,4	89,6	165,0
	nee	Count	60	53	113
		Expected Count	51,6	61,4	113,0
Total		Count	127	151	278
		Expected Count	127,0	151,0	278,0

Figuur 5.27 Berekenen van expected count in SPSS

Je ziet nu dat er steeds verschil is tussen de werkelijk gevonden waarden in je onderzoek en de verwachte waarden als er geen verband zou zijn. De werkelijk gevonden waarde (*observed*) bij vrouwen die het *Nieuw Welzijnshuizer Dagblad* gebruiken is 98, terwijl de verwachte waarde als er geen verband zou zijn (*expected*) 89,6 is (een verschil van 8,4). Ook in de andere cellen is een verschil tussen de *observed* en de *expected*. Als er een waarneembaar verschil is, dan kies je voor uitspraak 1: er is een verband zichtbaar in je steekproef tussen geslacht en gebruik *Nieuw Welzijnshuizer Dagblad*. Of dit verband veelzeggend is kunnen we nog niet concluderen (zie daarvoor de Chi^2-toets).

Hoe ziet zo'n kruistabel eruit als uitspraak 2 waar is (er is geen verband)? We herhalen dezelfde stappen voor een ander mogelijk verband, bijvoorbeeld het verband tussen geslacht en de vraag over het gebruik van een ander blad, *De Brug* (de variabele gebruik *De Brug*).

Figuur 5.28 Verband tussen geslacht en gebruik 'De Brug'

Je maakt weer een kruistabel met de opties *observed count* en *expected count*. Figuur 5.29 laat de kruistabel zien die je dan krijgt. De volgende kruistabel wordt weergegeven. Je ziet hier dat er nauwelijks verschil is tussen de werkelijke waarden (*observed*) en de verwachte waarden (*expected*). Kijk je bijvoorbeeld in de cel 'man - ja' dan is de werkelijk gevonden waarde (*observed*) 116 terwijl de verwachte waarde als er geen verband is (*expected*) 117,4 is (een verschil van 1,4). Dit verschil is minimaal in alle cellen. Er is dus waarschijnlijk geen verband tussen het gebruik van *De Brug* en het geslacht van de respondenten.

gebruik De Brug * geslacht Crosstabulation

			geslacht		Total
			man	vrouw	
gebruik De Brug	ja	Count	116	141	257
		Expected Count	117,4	139,6	257,0
	nee	Count	11	10	21
		Expected Count	9,6	11,4	21,0
Total		Count	127	151	278
		Expected Count	127,0	151,0	278,0

Figuur 5.29 Expected count voor gebruik van 'De Brug'

We gaan weer terug naar het voorbeeld van de kruistabel tussen gebruik *Nieuw Welzijnshuizer Dagblad* en geslacht en willen onze uitspraak grafisch weergeven (zie voor uitleg over het maken van een grafiek verderop). Vraag is over welke getallen gaan we de grafiek maken? Je kunt niet eenvoudig op basis van aantallen concluderen dat vrouwen het *Nieuw Welzijnshuizer Dagblad* vaker lezen dan mannen. Je hebt in dit onderzoek immers minder mannen (127) dan vrouwen (151) onderzocht. Dat kun je zien aan de totalen, de zogenoemde marginale waarden. Zou je op basis van aantallen een vergelijking trekken, dan vergelijk je appels met peren. Je vergelijkt de ene groep (127 mannen) met de andere groep (151 vrouwen). Als je mannen en vrouwen met elkaar wilt vergelijken, dan maak je beiden 100%. Op die manier kun je ze wel vergelijken. Deze optie vind je (net als de *Expected*) onder de knop *Cells.* Je hebt verschillende keuzes bij *Percentages*. Dit wordt de manier van percenteren genoemd, de manier waarop je procenten hebt gemaakt. Je kunt ook kiezen voor *Row*: alle rijwaarden worden dan 100%, in dit geval worden alle ja-antwoorden 100% *en* alle nee-antwoorden 100%. Dit kun je doen als je de ja-antwoorden met de nee-antwoorden wilt vergelijken. Wil je mannen met vrouwen vergelijken dan kies je voor de optie *Column*. De optie *Total* berekent in elke cel de percentages van het totaal. Als je alle vijf de opties kiest (*Observed, Expected, Row, Column* en *Total*) dan krijg je een kruistabel met veel waarden (zie figuur 5.30).

				geslacht		
				man	vrouw	Total
gebruik Nieuw Welzijnshuizer Dagblad	ja	Count		67	98	165
		Expected Count		75,4	89,6	165,0
		% within gebruik Nieuw Welzijnshuizer Dagblad		40,6%	59,4%	100,0%
		% within geslacht		52,8%	64,9%	59,4%
		% of Total		24,1%	35,3%	59,4%
	nee	Count		60	53	113
		Expected Count		51,6	61,4	113,0
		% within gebruik Nieuw Welzijnshuizer Dagblad		53,1%	46,9%	100,0%
		% within geslacht		47,2%	35,1%	40,6%
		% of Total		21,6%	19,1%	40,6%
		Count		127	151	278
		Expected Count		127,0	151,0	278,0
		% within gebruik Nieuw Welzijnshuizer Dagblad		45,7%	54,3%	100,0%
		% within geslacht		100,0%	100,0%	100,0%
		% of Total		45,7%	54,3%	100,0%

Figuur 5.30 Kruistabel met alle counts en percentages

Welke conclusies kun je nu voor elke waarde trekken?

Er zijn twee *counts*: observed en expected. De observed komt in de kruistabel terug als *Count.* Dit zijn de werkelijke aantallen. Je kunt op basis van de *Count* bijvoorbeeld de volgende uitspraak doen:

- *In dit onderzoek hebben 98 vrouwen gezegd dat ze het* Nieuw Welzijnshuizer Dagblad *gebruiken.*

De tweede count, de *expected,* zie je in de kruistabel terug als *Expected Count.* Dat wil zeggen:

- *Als er geen verband is tussen geslacht en gebruik* Nieuw Welzijnshuizer Dagblad *dan is de verwachte waarde voor vrouwen die het* Nieuw Welzijnshuizer Dagblad *gebruiken 89,6.*

Er zijn drie percentages (Row, Column en Total). De rij (Row) percentages zie je in de kruistabel terug als *% within gebruik Nieuw Welzijnshuizer Dagblad.* Een mogelijke uitspraak is:

- *Van alle mensen die het* Nieuw Welzijnshuizer Dagblad *gebruiken is 59,4% vrouw.*

'Alle mensen die het *Nieuw Welzijnshuizer Dagblad* gebruiken (ja)' is immers 100% (rijpercentage)

Als je rij-waarden met elkaar wilt vergelijken is een mogelijke uitspraak:

- *Vrouwen gebruiken vaker wel (59,4%) dan niet (46,9%) het* Nieuw Welzijnshuizer Dagblad.

De kolom (column) percentages zie je in de kruistabel terug *als % within geslacht.* Een mogelijke uitspraak is:

- *Van alle vrouwen gebruikt 64,9% het* Nieuw Welzijnshuizer Dagblad.

In dit geval is 'alle vrouwen' 100% (kolompercentages). Ook nu wil je graag vergelijken, in dit geval een vergelijking tussen de verschillende kolomwaarden:

- *Het* Nieuw Welzijnshuizer Dagblad *wordt vaker door vrouwen (64,9%) dan door mannen (52,8%) gebruikt.*

Je kunt ook een uitspraak doen op basis van de totale percentages van alle respondenten van dit onderzoek. In de kruistabel wordt deze waarde weergegeven achter % of *Total.* 'Alle respondenten' is 100%. De uitspraak is dan:

– *Van alle respondenten is 35,3% een vrouw die het* Nieuw Welzijnshuizer Dagblad *wel gebruikt.*

De kruistabel bevat veel informatie die niet zo relevant is. Het hangt af van de waarden die je met elkaar wilt vergelijken welke gegevens je gaat gebruiken. Omdat we hier willen vergelijken tussen mannen en vrouwen kies je voor alleen kolompercentages (zie figuur 5.31). De kruistabel is nu een stuk overzichtelijker. De kruistabel komt in de bijlage van het rapport.

gebruik Nieuw Welzijnshuizer Dagblad * geslacht Crosstabulation

			geslacht		
			man	vrouw	Total
gebruik Nieuw Welzijnshuizer Dagblad	ja	Count	67	98	165
		Expected Count	75,4	89,6	165,0
		% within geslacht	52,8%	64,9%	59,4%
	nee	Count	60	53	113
		Expected Count	51,6	61,4	113,0
		% within geslacht	47,2%	35,1%	40,6%
Total		Count	127	151	278
		Expected Count	127,0	151,0	278,0
		% within geslacht	100,0%	100,0%	100,0%

Figuur 5.31   Kruistabel met kolompercentages

5.4.2   Een grafiek van een kruistabel

We maken weer een grafiek in Excel van deze gegevens. Als je echter de kruistabel uit figuur 5.31 naar Excel kopieert, dan moet je verschillende gegevens verwijderen. Het is gemakkelijker dit door spss te laten doen. Je maakt eerst een nieuwe kruistabel met ditmaal alleen kolompercentages (cells → column). Met behulp van *Copy* wordt de tabel gekopieerd naar Excel.

Je selecteert zowel de waarde-labels (man-vrouw en ja-nee) als de percentages en klikt op de grafiekknop (figuur 5.32). De vier stappen zijn weer gelijk aan de eerder beschreven stappen. Let op: je kunt nu niet kiezen voor een cirkeldiagram, dat kan immers alleen met enkelvoudige gegevens (probeer het maar eens uit).

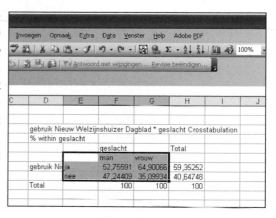

Figuur 5.32   Grafiek maken van de kruistabel

In het verslag geef je een korte toelichting op de grafiek en doe je een uitspraak.

'In dit onderzoek is gekeken of er een verschil is in het gebruik van het *Nieuw Welzijnshuizer Dagblad* tussen mannen en vrouwen. Zoals u in de grafiek ziet wordt het *Nieuw Welzijnshuizer Dagblad* vaker door *vrouwen* (64,9%) dan door *mannen* (52,8%) gebruikt (figuur 5.33).

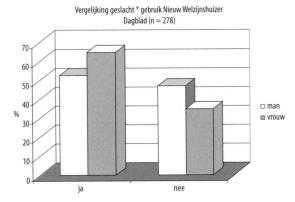

Fig. 5.33: *De grafiek in kolompercentages in Excel*

5.4.3 Kruistabellen in Excel

Ook in Excel kun je een kruistabel maken. Je kiest de optie *Data → Draaitabel- en draaigrafiekrapport…*

Stap 1 is het bepalen van het soort gegevens en het type rapport. Klik op *Volgende* (zie figuur 5.34).

Figuur 5.34 Maken van een draaitabel in Excel

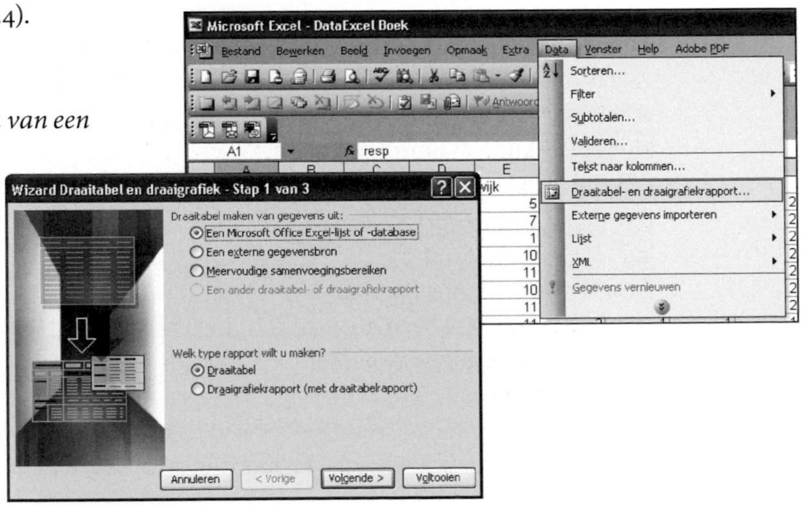

Figuur 5.35   Variabelen in de rijen en in de kolommen plaatsen

In *Stap 2* geef je aan waar de gegevens vandaan komen (zie figuur 5.36). Klik op *Volgende*.

Figuur 5.36   Keuze gegevens kruistabel

In de laatste stap *(stap 3)* bepaal je waar de nieuwe gegevens naar toe gaan (zie figuur 5.37). Klik op *Voltooien*.

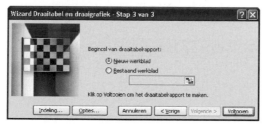

Fig. 5.37   Plaats van de kruistabel in Excel

In Excel is nu een nieuw werkblad toegevoegd waar je de kruistabellen kunt gaan maken. Sleep de variabelen uit de lijst naar de rijvelden en de kolomvelden.

In het voorbeeld (figuur 5.38) is de variabele *gesl* gesleept naar de *kolomvelden*. Vervolgens is de variabele *info1rec* gesleept naar de *rijvelden*. De variabele *geslacht* is ook naar het veld *gegevensitems hier neerzetten* gesleept.

Als je met de rechter muisknop in dit veld klikt dan krijg je opties. Zo kun je er voor kiezen met behulp van *veldinstellingen* de gegevens in procenten weer te geven.
Let wel op dat de missing values in Excel de lege cellen zijn. De 9 is hier de antwoordmogelijkheid geen mening.

Hoe een kruistabel in Excel eruitziet zie je in figuur 5.39.

3	Aantal van gesl	gesl			
4	info1rec	man	vrouw	(leeg)	Eindtotaal
5	voldoende	56,69%	68,87%	#DEEL/0!	63,31%
6	matig	27,56%	21,19%	#DEEL/0!	24,10%
7	onvoldoende	9,45%	2,65%	#DEEL/0!	5,76%
8	geen mening	3,94%	3,97%	#DEEL/0!	3,96%
9	(leeg)	2,36%	3,31%	#DEEL/0!	2,88%
10	Eindtotaal	100,00%	100,00%	#DEEL/0!	100,00%

Figuur 5.38 Kruistabel in Excel

Bij de bespreking van kruistabellen in spss heb je gezien dat het soms handig is om uit te rekenen wat de verwachte waarden in de cellen van een kruistabel zijn als er geen verband is tussen de twee variabelen. In Excel kun je ook verwachte waarden uitrekenen. Je gaat dan als volgt te werk:

Kopieer de gegevens uit de kruistabel met de *aantallen* (dus niet de percentages). Plak met *Plakken speciaal* alleen de *Waarden*. Je verwijdert dan de inhoud van de cellen, zodanig dat je een tabel overhoudt met alleen de *marginale waarden*. In de cel vul je vervolgens de formule in die je ziet in de formulebalk in figuur 5.39.

De verwachte waarden verschillen een beetje met spss. Dit heeft te maken met het aantal lege cellen (missing values) die in spss niet en in Excel wel meegenomen zijn.

B14 =(($E14/$E$19)*(B$19/$E$19)*$E$19)

	A	B	C			
3	Aantal van gesl	gesl				
4	info1rec	man	vrouw	(leeg)	Eindtotaal	
5	voldoende	72	104	0	176	
6	matig	35	32	0	67	
7	onvoldoende	12	4	0	16	
8	geen mening	5	6	0	11	
9	(leeg)	3	5	0	8	
10	Eindtotaal	127	151	0	278	
11						
12	Aantal van gesl	gesl				
13	info1rec	man	vrouw	(leeg)	Eindtotaal	
14	voldoende	80,4	95,6		176	
15	matig	30,6	36,4		67	
16	onvoldoende	7,3	8,7		16	
17	geen mening	5,0	6,0		11	
18	(leeg)	3,7	4,3		8	
19	Eindtotaal	127,0	151,0	0,0	278	

Figuur 5.39 Berekenen verwachte waarden

5.5   De Chi²-toets

Je hebt nu in je steekproef een verband gevonden, maar wat zegt dit verband? Er is een verschil tussen de *expected* en de *observed*, maar is dit verschil groot genoeg om iets te zeggen? Oftewel is het verband wel statistisch significant? Dit kunnen we toetsen met de Chi²-toets. Dit is een toets voor nominale waarden. Als *beide* variabelen een ander meetniveau hebben, (bijvoorbeeld *allebei* ordinaal), dan kun je andere toetsen gebruiken.

5.5.1   De Chi²-toets in SPSS

Je vindt de toetsen onder de knop *Statistics* naast de knop *Cells* in het scherm waar je de kruistabel maakt (zie figuur 5.40).

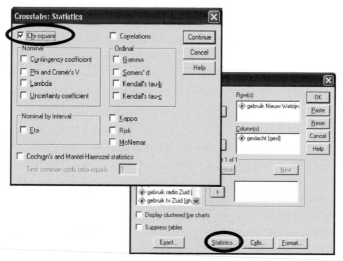

Figuur 5.40   Toetsen bij een kruistabel

In het scherm *Statistics* zie je de verschillende toetsen, gesorteerd per meetniveau. Je vinkt de *Chi-square* aan. De tabel van de Chi²-toets zie je in figuur 5.41.

Chi-Square Tests

	Value	df	Asymp. Sig. (2-sided)	Exact Sig. (2-sided)	Exact Sig. (1-sided)
Pearson Chi-Square	4,217[b]	1	,040		
Continuity Correction[a]	3,729	1	,053		
Likelihood Ratio	4,218	1	,040		
Fisher's Exact Test				,050	,027
Linear-by-Linear Association	4,202	1	,040		
N of Valid Cases	278				

a. Computed only for a 2x2 table

b. 0 cells (,0%) have expected count less than 5. The minimum expected count is 51,62.

Figuur 5.41   Resultaten Chi²-toets in SPSS

Om een Chi^2-toets te interpreteren kijk je naar de eerste regel: *Pearson Chi-Square*, onder de kolom *Asymp. Sig (2-sided)*. Daar staat nu het getal ,040 oftewel 0,040. Dit is het getal waar we naar kijken. Op basis van dit getal kun je aantonen of het gevonden verband uit de steekproef statistisch significant is.

Statistisch significant betekent dat het verband betekenisvol is (significant) op basis van de statistiek (statistisch). Je kunt met het blote oog zien dat er verschil is tussen de *observed* en de *expected* aantallen, maar hoe groot moet dit verschil zijn om er iets toe te doen? Dat bereken je met behulp van de Chi^2-toets. — *statistisch significant*

Of het hier om een *causaal* verband gaat of om *samenhang* is vanuit SPSS niet te beoordelen. Zoals in hoofdstuk 2 is besproken, moet een causaal verband voldoen aan drie voorwaarden: co-variatie, tijdsvolgorde en geen storende derde variabele. In SPSS toon je alleen de eerste voorwaarde aan: de co-variatie. Als je een kruistabel maakt moet je dus wel eerst zelf beslissen wat een logisch verband kan zijn (denk aan tijdsvolgorde en geen storende derde variabelen). We kunnen immers met behulp van SPSS zelfs bewijzen dat er een verband is tussen ooievaars en baby's. Als in een bepaald dorp veel ooievaars leven en dat dorp een hoger geboortecijfer heeft dan andere dorpen, dan 'bewijs' je met behulp van SPSS dat dit een statistisch significant verband is. Maar of er ook echt sprake is van oorzaak en gevolg: ooievaars bezorgen baby's, is een keuze die je zelf maakt.

Communicatieonderzoek valt onder de sociale wetenschappen. Net als bij de steekproefformule worden in de sociale wetenschappen uitspraken gedaan met een zekerheid van 95%. Als we dit toepassen op het voorbeeld, dan heb je de keuze tussen de volgende uitspraken:

1) Het gevonden verband tussen geslacht en gebruik *Nieuw Welzijnshuizer Dagblad* is met een zekerheid van 95 procent statistisch significant.

2) Het gevonden verband tussen geslacht en gebruik *Nieuw Welzijnshuizer Dagblad* is met een zekerheid van 95 procent *niet* statistisch significant.

Bij de Chi^2-toets wordt uitgegaan van een *nulhypothese*: de H$_0$. De H$_0$ is uitspraak 2: het gevonden verband is *niet* statistisch significant. Eigenlijk zeg je daarmee dat het verband dat je in je steekproef ziet te klein is om betekenisvol te zijn. — *nulhypothese*

1) Het gevonden verband tussen geslacht en gebruik *Nieuw Welzijnshuizer Dagblad* is statistisch significant. In dat geval is de H$_0$ *niet waar*, de H$_0$ wordt *verworpen*. Het gevonden verband is op basis van berekeningen (statistiek) betekenisvol (significant).

2) Het gevonden verband tussen geslacht en gebruik *Nieuw Welzijnshuizer Dagblad* is *niet* statistisch significant. In dat geval is de H_0 is *waar*, de H_0 wordt *aangenomen.*

We gaan weer terug naar de tabel van de Chi^2-toets en kijken onder de kolom *Asymp. Sig (2-sided).* De waarde die daar onder staat (in ons geval 0,040) wordt *p-waarde*   de *p-waarde* genoemd. Deze p-waarde bepaalt of we de H_0 aannemen of verwerpen. De grenswaarde daarvoor is 0,05. Als de p groter is dan 0,05 dan wordt de H_0 aangenomen en is er dus geen statistisch significant verband (uitspraak 2). Als de p kleiner is dan of gelijk is aan 0,05 dan wordt de H_0 verworpen (uitspraak 1).

In het voorbeeld hebben we een uitkomst van 0,040, dit is kleiner dan 0,05. Je kunt dus concluderen dat het gevonden verband statistisch significant is. In het verslag doe je de uitspraak, de tabel komt in de bijlage en in het verslag verwijs je naar de bijlage.

– Met een zekerheid van 95 procent is het gevonden verband tussen geslacht en gebruik *Nieuw Welzijnshuizer Dagblad* is statistisch significant. De p-waarde in de Chi^2-toets is 0,040 (zie bijlage….).

5.5.2   De Chi^2-toets in Excel

In Excel kun je ook een Chi^2-toets doen om te kijken of een verband tussen twee nominale variabelen significant is. Dit doe je via f_x. Onder de statistische functies kun je de Chi^2-toets vinden. Bij *Waarnemingen* selecteer je de cellen uit de draaitabel. Bij *Verwacht* selecteer je de cellen uit de tabel met door jezelf berekende verwachte waarden. In figuur 5.42 is de uitkomst weergegeven. Dit is de p-waarde die je in SPSS in de derde kolom afleest. In Excel wordt geen rekening gehouden met de twee voorwaarden (zie verderop). Deze tellen natuurlijk wel. Het is dus belangrijk zelf de kruistabel te controleren op de twee voorwaarden.

Figuur 5.42   Selectie van cellen voor Chi^2-toets in Excel

5.5.3   Twee voorwaarden voor een Chi^2-toets

Met een Chi^2-toets kun je dus iets zeggen over een verband. Maar daar zijn wel voorwaarden aan verbonden. Je mag de Chi^2-toets alleen doen als:

1 de kleinste verwachte waarde groter of gelijk aan 1 is
2 maximaal twintig procent van de verwachte waarden (*expected*) tussen de 1 en 5 ligt.

Je kunt deze voorwaarden vinden onder de tabel met de resultaten van de toets in spss. In figuur 5.41 zie je dat er geen verwachte waarden tussen de 1 en 5 liggen: *0 cells (,0%) have expected count less than 5.* De laagste waarde is hier groter of gelijk aan 1: *the minimum expected count is 51,62.* In dit voorbeeld voldoet de Chi^2-toets en mag je dus conclusies trekken.

Wanneer voldoet de Chi^2-toets niet aan één of beide voorwaarden? In figuur 5.43 is de Chi^2-toets weergegeven van de kruistabel *voldoende info gemeente* en *geslacht.*

Chi-Square Tests

	Value	df	Asymp. Sig. (2-sided)
Pearson Chi-Square	14,059ᵃ	3	,003
Likelihood Ratio	15,752	3	,001
Linear-by-Linear Association	5,160	1	,023
N of Valid Cases	259		

a. 2 cells (25,0%) have expected count less than 5. The minimum expected count is 1,84.

Figuur 5.43   Voorwaarden Chi^2-toets in spss

Aan de tekst onder de tabel kunnen we aflezen dat aan in elk geval één voorwaarde niet is voldaan: 25 procent van de verwachte waarden ligt tussen de 1 en 5. Als we de bijbehorende kruistabel (figuur 5.44) bekijken zien we dat dit vooral komt door de antwoordmogelijkheid *ruim voldoende.* De verwachte waarde (*expected*) bij mannen is 1,8 en bij vrouwen 2,2.

voldoende info gemeente * geslacht Crosstabulation

			geslacht man	geslacht vrouw	Total
voldoende info gemeente	ruim voldoende	Count	4	0	4
		Expected Count	1,8	2,2	4,0
	voldoende	Count	82	95	177
		Expected Count	81,6	95,4	177,0
	matig	Count	27	31	58
		Expected Count	26,8	31,2	58,0
	onvoldoende	Count	6	13	19
		Expected Count	8,8	10,2	19,0
Total		Count	119	139	258
		Expected Count	119,0	139,0	258,0

Figuur 5.44   Kruistabel behorend bij figuur 5.42

We kunnen iets doen om te zorgen dat de kruistabel voldoet aan de voorwaarden: we kunnen hercoderen.

5.6   Hercoderen in SPSS

In de kruistabel *voldoende info gemeente * geslacht* blijken maar vier responden-ten het antwoord *ruim voldoende* te hebben gegeven. Om toch conclusies te mogen trekken kunnen we de waarden *ruim voldoende* en *voldoende* bij elkaar optellen. In beide gevallen hebben respondenten een *voldoende* waardering gegeven, maar enkelen geven het een ruim *voldoende*. Het bij elkaar optellen van waarden mag alleen als het logisch is. Je kunt uiteraard niet zomaar onvoldoende en voldoen-de bij elkaar optellen. Heb je een variabele *politieke partij* met waarden PvdA, VVD, D66, CDA en GroenLinks dan moet je weten welke partijen je bij elkaar kunt voegen qua ideeën. Je bedenkt bijvoorbeeld een driedeling: linkse partijen, recht-se partijen en partijen die in het midden zitten. Ook dan is het best lastig om te bedenken welke partijen je bij elkaar kunt voegen. GroenLinks en PvdA links, VVD rechts, maar zet je het CDA in het midden of toch links of rechts? En waar kun je D66 plaatsen? Kortom, hoe je waarden kunt herdefiniëren in nieuwe ca-tegorieën (hercoderen) is niet altijd eenvoudig. Je beslist zelf op grond van logica wat de mogelijkheden zijn.

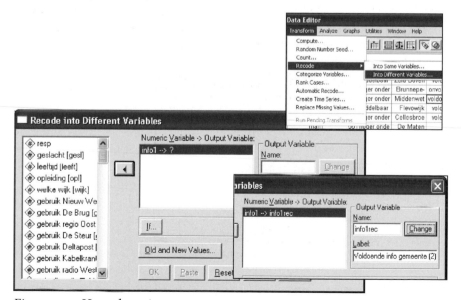

Figuur 5.45   Hercoderen in SPSS

Om te hercoderen kun je in SPSS klikken op de optie *Transform → Recode → Into Different Variables* (zie figuur 5.45). Je kiest *niet* de optie *Into Same Variables*: dan worden de originele variabelen gewijzigd. Als je ergens een fout hebt gemaakt of je wilt de originele variabele bekijken, dan kan dat niet meer als je de originele variabelen niet meer hebt. Je hercodeert de oude variabele dus in een nieuwe variabele.

Je kiest in het linker veld de variabele, in dit geval *info1* (zie figuur 5.45). Eerst vul je in het veld *Name* de nieuwe naam in (maximaal 8 karakters). In dit geval bijvoorbeeld *info1rec*. Met *rec* geef je aan dat je de variabele gehercodeerd hebt (rec is hier een afkorting van recode). Bij *Label* kun je het oude label overnemen: *voldoende info gemeente (2)*. Met de toevoeging 2 geef je aan dat er nog een andere variabele bestaat met hetzelfde label. Als je op de knop *Change* klikt zie je dat de nieuwe naam in het middelste scherm komt te staan.

Vervolgens klik je op de knop *Old and New Values...* Het volgende scherm is in tweeën te delen (zie figuur 5.46). Links zie je alle opties met betrekking tot de oude waarden (*Old Value*). Rechts staan alle mogelijkheden met betrekking tot de nieuwe waarden (*New Value*).

Van tevoren kun je het beste even kort op papier zetten hoe je wilt gaan hercoderen. In dit geval gaat het om de vraag 'Vindt u dat de gemeente Welzijnshuizen u voldoende of onvoldoende informeert over zaken die voor u van belang zijn?' De bijbehorende oude antwoordmogelijkheden zijn:

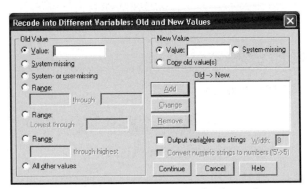

Figuur 5.46 Oude en nieuwe waarden hercoderen

1 ruim voldoende   2 voldoende 3 matig   4 onvoldoende   9 geen mening

Je wilt er met hercoderen dit van maken:

1 voldoende   2 matig   3 onvoldoende   9 geen mening

Oude waarde	Nieuwe waarde
1 ruim voldoende	1 voldoende
2 voldoende	1 voldoende
3 matig	2 matig
4 onvoldoende	3 onvoldoende
9 geen mening	9 geen mening

Figuur 5.47   Waarden herdefiniëren in nieuwe categorieën: hercoderen

Omdat de waarden 1 *en* 2 samen de nieuwe waarde 1 worden, kun je gebruikmaken van de optie *Range*. Je activeert een bepaalde optie door in het rondje ervoor te klikken.

In het linker deel vul je het cijfer 1 *through* 2 in, in het rechter deel vul je 1 in (zie figuur 5.48). De knop *Add* is nu geactiveerd en daar klik je op. Voor het hercoderen van de waarde 3 in de nieuwe waarde 2 kies je *Value*. Verder herhaal je alle stappen per waarde:

4 → 3

9 → 9

Je klikt op *Continue* en vervolgens op de knop OK. Je hebt nu de oude waarden omgezet naar nieuwe waarden. Er moeten nu nog labels aan de nieuwe waarden worden toegevoegd.

Net als bij het maken van een nieuwe variabele ga je naar het tabblad *Variabele View*. De nieuwe variabele vind je onderaan. Je kunt nu bij *Value labels* de nieuwe labels toevoegen.

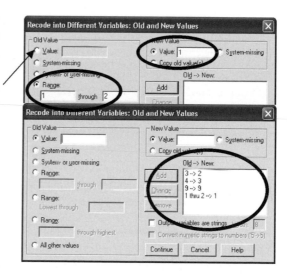

Figuur 5.48   Opgeven van waarden bij hercoderen

Je kunt nu weer een kruistabel maken. Belangrijk is wel dat je de nieuwe variabele kiest. Je maakt de nieuwe kruistabel met een Chi²-toets. Na het hercoderen van de variabele, voldoet de toets wel aan de voorwaarden (zie figuur 5.49).

Voldoende info gemeente (2) * geslacht Crosstabulation

			geslacht		Total
			man	vrouw	
Voldoende info gemeente (2)	voldoende	Count	72	104	176
		Expected Count	80,8	95,2	176,0
		% within geslacht	58,1%	71,2%	65,2%
	matig	Count	35	32	67
		Expected Count	30,8	36,2	67,0
		% within geslacht	28,2%	21,9%	24,8%
	onvoldoende	Count	12	4	16
		Expected Count	7,3	8,7	16,0
		% within geslacht	9,7%	2,7%	5,9%
		Count	5	6	11
		d Count	5,1	5,9	11,0
		geslacht	4,0%	4,1%	4,1%
			124	146	270
		d Count	124,0	146,0	270,0
		geslacht	100,0%	100,0%	100,0%

Chi-Square Tests

	Value	df	Asymp. Sig. (2-sided)
Pearson Chi-Square	8,306ª	3	,040
Likelihood Ratio	8,467	3	,037
Linear-by-Linear Association	,979	1	,323
N of Valid Cases	270		

a. 0 cells (,0%) have expected count less than 5. The minimum expected count is 5,05.

Figuur 5.49 Kruistabel met gehercodeerde variabele en Chi²-toets

5.7 Andere meetniveaus, andere toetsen

De Chi²-toets is een toets die iets zegt over het verband tussen twee variabelen waarbij minimaal één variabele van nominaal meetniveau is. Je kunt met deze toets alleen zeggen *of* er samenhang is. Je kunt daarmee nog niets zeggen over de *richting* van het verband: is het een positief verband of een negatief verband? Een voorbeeld waarbij de richting aangegeven kan worden is bijvoorbeeld het verband tussen leeftijd en lengte. Beide variabelen zijn ratio-meetniveau. Als de leeftijd stijgt, stijgt ook de lengte van een persoon. Dit noemen we een positief verband.

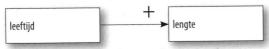

Figuur 5.50 Verband tussen leeftijd en lengte

Ook kun je met een Chi²-toets niets zeggen over de *sterkte* van het verband: is het verband heel sterk of juist heel zwak? Bij toetsen voor verbanden tussen variabelen die zijn gemeten op interval- of rationiveau kun je wel iets zeggen over de richting en sterkte van het verband. Voor deze toetsen wordt verwezen naar literatuur over statistische toetsen.

5.8   Representativiteit in SPSS

Je kunt in SPSS op bepaalde aspecten controleren of je steekproef representatief is (voor meer over representativiteit op kenmerken zie hoofdstuk 3). Stel, je wilt de representativiteit van de steekproef op geslacht controleren omdat dit in je onderzoek een belangrijk kenmerk is.

In de vragenlijst is een vraag opgenomen over geslacht. Zo kun je van je steekproef vertellen hoe de man-vrouw verhouding is. Daarnaast heb je de gegevens van de populatie nodig. Kader 5.12 geeft een voorbeeld over inwoners van een gemeente. Gegevens hierover kun je via het CBS of via de website van de gemeente opzoeken.

Voorbeeld representativiteit Welzijnshuizen

Populatiegegevens gemeente Welzijnshuizen geslacht (N=24625) (1 januari 2005, Bron: gemeente Welzijnshuizen).

	Absolute aantallen	Procenten
Mannen	11972	48,6%
Vrouwen	12653	51,4%
Totaal	24625	100,0%

Met behulp van een frequentietabel in SPSS kom je achter de steekproefgegevens voor wat betreft geslacht.

	Absolute aantallen	Procenten
Mannen	127	45,2%
Vrouwen	151	53,7%
Subtotaal	278	98,9%
System missing	3	1,1%
Totaal	281	100,0%

Kader 5.12

Je kunt nu de Chi^2-toets doen voor representativiteit. Deze staat op een andere plaats dan de Chi^2-toets die je bij de kruistabel hebt gebruikt. Je kunt immers geen kruistabel maken omdat de populatiegegevens niet in SPSS zijn ingevoerd.

Je kiest in SPSS de optie *Analyze → Nonparametric Tests → Chi-Square* (zie figuur 5.51).

Bij *Test Variable List* vul je het kenmerk in waar
je representativiteit voor wilt controleren. In
het voorbeeld dus de variabele geslacht.

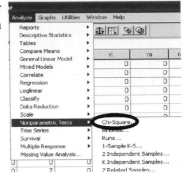

*Figuur 5.51 Chi²-toets voor vergelijking met
populatiegegevens in* SPSS

Om in SPSS te controleren of je steekproef overeenkomt met de populatie, moet
je eerst de verwachte waarden (expected values) uitrekenen. Dit doe je door de
populatiepercentages te vermenigvuldigen met het totaal aantal respondenten
(zonder de missing values, hier dus 278). De verwachte aantallen worden in dit
geval 48,6 x 278 = 135,1 mannen en 51,4 x 278 = 142,9 vrouwen.

Bij de *Expected Values* vul je vervolgens *op volgorde* (dus als in je steekproef de
eerste antwoordmogelijkheid man is, vul je eerst man in) *de verwachte aantallen*
van de populatie in (figuur 5.52).

De tabel die je dan te zien krijgt in SPSS is weergegeven in figuur 5.53. Je ziet in dit
voorbeeld een verschil tussen het werkelijke aantal (bij zowel mannen als vrouwen)
en het verwachte aantal (als de steekproef representatief zou zijn) van 8,1. Is dit
hoog? Daarvoor kijken we naar de resultaten van de bijbehorende Chi²-uitkomst.
Als je kijkt naar de p-waarde (*Asymp. Sig.*) dan zie je dat deze groter is dan 0,05 :
0,331. Het verschil is dus *niet* significant, oftewel het is een *klein* verschil. In dit
geval mag je concluderen dat de steekproef representatief is voor het kenmerk
geslacht.

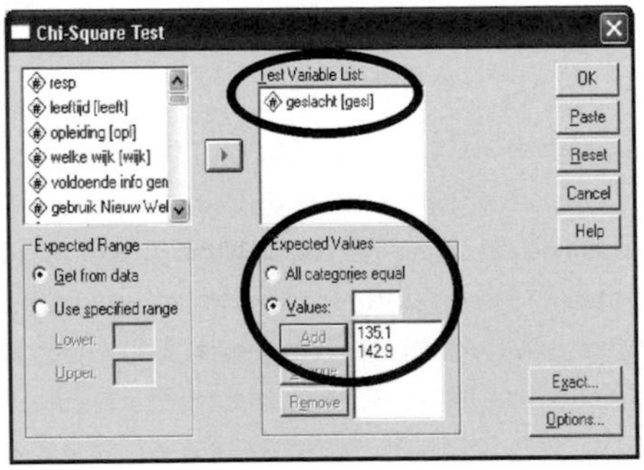

*Figuur 5.52 Invullen van verwachte
waarden voor Chi²-toets in* SPSS

geslacht

	Observed N	Expected N	Residual
man	127	135,1	-8,1
vrouw	151	142,9	8,1
Total	278		

Test Statistics

	geslacht
Chi-Square^a	,945
df	1
Asymp. Sig.	,331

a. 0 cells (,0%) have expected frequencies less than
5. The minimum expected cell frequency is 135,1.

Figuur 5.53   Representativiteit toetsen

Als in een steekproef bijvoorbeeld veel minder mannen dan vrouwen hadden gezeten, was de steekproef niet representatief geweest. Figuur 5.54 laat dat zien. Er is een verschil waar te nemen van 57,6. Kijk je naar de p-waarde dan is deze 0,000 dus *kleiner* dan 0,05. Het verschil is in dat geval *wel* statistisch significant. Je kunt op basis hiervan concluderen dat de steekproef op het kenmerk geslacht niet representatief is voor de populatie, er is immers een significant verschil tussen de steekproef en de populatie.

geslacht

	Observed N	Expected N	Residual
man	79	136,6	-57,6
vrouw	202	144,4	57,6
Total	281		

Test Statistics

	geslacht
Chi-Square^a	47,196
df	1
Asymp. Sig.	,000

a. 0 cells (,0%) have expected frequencies less than
5. The minimum expected cell frequency is 136,6.

Figuur 5.54   Niet-representatieve uitkomst

Als achteraf blijkt dat je steekproef niet representatief is op een bepaald kenmerk, dan noemen onderzoekers dit meestal niet expliciet, tenzij er een bijzondere reden is waarom je bijvoorbeeld veel minder vrouwen dan mannen hebt kunnen onderzoeken. Nogmaals, het kenmerk dat je hier onderzoekt moet er wel toe doen: er moet verschil (te verwachten) zijn in opvattingen tussen mannen en vrouwen. Als zowel mannen als vrouwen dezelfde mening hebben zal het voor je onderzoek geen verschil maken dat je meer vrouwen dan mannen hebt onderzocht.

5.9 Andere statistische analyses in Excel

In Excel kun je verschillende statistische functies vinden met behulp van de f_x-knop. Voor meer uitgebreide analyses in Excel moet je eerst een invoegtoepassing starten. Ga naar *Extra → invoegtoepassingen* en klik de optie *Analysis ToolPak* aan (zie figuur 5.55).

In het menu *Extra* heb je nu de extra optie *gegevensanalyse* (figuur 5.56). Je kunt verschillende functies uitvoeren. Voor interval- en ratiovariabelen kun je de optie *Beschrijvende statistiek* kiezen (zie figuur 5.57). Je voert bij *Invoerbereik* de cellen in waar de antwoorden van een variabele staan, bijvoorbeeld van leeftijd. Je vinkt *Samenvattingsinfo* aan en je klikt op OK. Je krijgt dan op een nieuw werkblad een overzicht van enkele standaardmaten (zie figuur 5.58). Voor meer uitleg over de verschillende statistische mogelijkheden kun je gebruikmaken van de Help-functie in Excel.

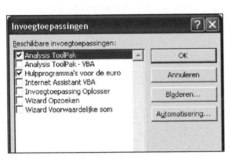

Figuur 5.55 Invoegtoepassingen voor statistische analyses in Excel

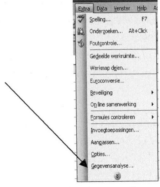

Figuur 5.56 Gegevensanalyse

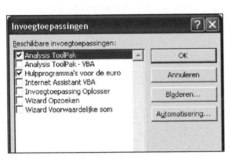

Figuur 5.57 Beschrijvende statistiek

	A	B
1	*Kolom1*	
2		
3	Gemiddelde	46,13669
4	Standaardfout	1,014727
5	Mediaan	45
6	Modus	50
7	Standaarddeviatie	16,91888
8	Steekproefvariantie	286,2484
9	Kurtosis	-0,56147
10	Scheefheid	0,345149
11	Bereik	71
12	Minimum	18
13	Maximum	89
14	Som	12826
15	Aantal	278

Figuur 5.58 Samenvattingsinformatie

5.10   Het resultaat: conclusies trekken

Als je gaat analyseren dan houd je de vraagstellingen als leidraad bij de keuze van
de te analyseren enquêtevragen. Per vraagstelling bekijk je welke enquêtevragen
te maken hebben met de vraagstelling om vervolgens met behulp van percentages, centrummaten en kruistabellen conclusies te trekken. Sommige enquêtevragen kunnen dus meermalen (afhankelijk van de vraagstellingen) terugkomen.
Als je bijvoorbeeld bij elke vraagstelling vergelijkingen wilt trekken op basis van
geslacht, dan zal de variabele geslacht op meerdere momenten in de analyse terugkomen.

Heb je open vragen in een schriftelijke enquête gesteld, kijk dan bij de data-analyse van kwalitatieve gegevens. In je rapport kun je wel degelijk individuele opmerkingen plaatsen. Als je maar duidelijk vermeldt dat één persoon een bepaalde opmerking gemaakt heeft. In hoofdstuk 6 wordt dieper ingegaan op de
verslaglegging van de conclusies per vraagstelling en de eindconclusie van het
onderzoek.

5.11   Data-analyse van kwalitatieve gegevens

De analyse van kwalitatieve gegevens die zijn verzameld met behulp van een
interview of de analyse van bestaande teksten gebeurt in verschillende fasen.

De uitgeschreven interviews, waar zal ik beginnen?

5.11.1 Opvallende zaken

Allereerst vallen je, op het moment dat je de interviews uitschrijft, al zaken op. Je merkt bijvoorbeeld al dat bepaalde antwoorden vaker weergegeven worden. Terwijl je alles opschrijft wordt je aandacht getrokken naar opmerkelijke antwoorden. Het is handig tijdens het uitschrijven hier al meteen aandacht aan te besteden. Geef deze antwoorden bijvoorbeeld een andere kleur. Op deze manier kun je tijdens het analyseren snel terugvinden wat je al eerder opviel.

Het analyseren van de interviews is vergelijkbaar met de inhoudsanalyse beschreven bij het bureauonderzoek in hoofdstuk 3. De uitgeschreven interviews zijn te vergelijken met een tekst die je op bepaalde, van tevoren bedachte zaken, analyseert. Van tevoren heb je vraagstellingen geformuleerd. Daarbij heb je topics bedacht. Achteraf ga je de interviews herstructureren op die topics. Daarnaast kun je een steekproef hebben met verschillende kenmerken (denk aan afdelingen en geslacht). Achteraf wil je analyseren of de kenmerken gevolgen hebben voor de antwoorden. Oftewel, hebben mannen werkelijk andere antwoorden gegeven dan vrouwen? Denkt de directeur anders dan de schoonmaker? Enzovoort. Het analyseren kun je op verschillende manieren aanpakken.

5.11.2 Herstructureren

Je begint vaak met het *herstructureren* van je materiaal. Je kunt een groot vel papier pakken (denk aan flip-overvellen). Dat papier verdeel je in vlakken op kenmerken en vraagstellingen. In elk vlak noteer je de antwoorden. Afhankelijk van het aantal kenmerken van je steekproef en het aantal topics heb je meerdere flip-overvellen nodig. Nummer de uitgeschreven interviews en geef in elk vakje aan, uit welk interview de opmerking komt. Op deze manier kun je bijvoorbeeld later weer terugkijken wat die persoon nog meer heeft gezegd over hetzelfde onderwerp. Vervolgens kun je in Word een tabel maken waarbij je de gegevens van de flip-overvellen invoert. Sommige mensen werken direct in Word, anderen zien het liever eerst op een flip-overvel. Dit laatste is vooral ook handig als je met meerdere mensen gelijktijdig gaat analyseren. De ene persoon schrijft op de flip-over, de rest zoekt in de uitgeschreven interviews naar de antwoorden. In figuur 5.59a laten we een schema zien dat je kunt gebruiken om de resultaten van je onderzoek te herstructureren.

her-structureren

	Vrouw & management	Man & management	Vrouw & docent	Man & docent
Topic 1	R1:	R? enzovoort	R? enzovoort	R? enzovoort
	R2: enzovoort			
Topic 2	R1:	R? enzovoort	R? enzovoort	R? enzovoort
	R2: enzovoort			

Figuur 5.59a Schema voor herstructureren

5.11.3 Interpreteren

inter-
preteren
Vervolgens ga je de antwoorden *interpreteren*. Zijn er veel verschillende antwoorden gegeven of zijn er juist veel overeenkomsten? Als de antwoorden niet veel verschillen kun je soortgelijke antwoorden samenvoegen in een categorie. Ook tussen groepen kun je antwoorden samenvoegen. Als de mening over een bepaald topic wel verschilt tussen managers en docenten, maar niet tussen mannelijke of vrouwelijke managers, dan kun je die antwoorden samenvoegen in: antwoorden management.

Management	Vrouwelijke docenten	Mannelijke docenten
Topic 1		
Topic 2		

Figuur 5.59b   Vervolg schema herstructureren

In deze fase vat je antwoorden samen in je eigen woorden. Dit is heel lastig: je wilt de objectiviteit bewaren, maar aan de andere kant kun je geen verslag doen van alle letterlijk gegeven antwoorden. Je interpreteert en vertaalt antwoorden in overkoepelende categorieën. Leidraad bij het verslag zijn de vraagstellingen, dus voordat je verslag kunt doen, moet je eerst nog een vertaalslag van topic naar vraagstelling maken. De gecategoriseerde antwoorden per topic kun je herstructureren naar de vraagstellingen.

	Topic 1	Topic 2	Topic 3	Topic 4
Vraagstelling 1	management:	management:	management:	management:
	vrouwelijke docenten:	vrouwelijke docenten:	vrouwelijke docenten:	vrouwelijke docenten:
	mannelijke docenten:	mannelijke docenten:	mannelijke docenten:	mannelijke docenten:
Vraagstelling 2	management:	management:	management:	management:
	vrouwelijke docenten:	vrouwelijke docenten:	vrouwelijke docenten:	vrouwelijke docenten:
	mannelijke docenten:	mannelijke docenten:	mannelijke docenten:	mannelijke docenten:

Figuur 5.59c   Vervolg schema herstructureren

Kader 5.13 geeft een voorbeeld van een inhoudsanalyse van interviews.

Voorbeeld van een inhoudsanalyse van interviews bij basisschool Roosje

Stel dat in dit onderzoek de focus gelegd is op de redenen waarom niet alle medewerkers de ICT-middelen optimaal gebruiken. Het kan zijn dat niet iedereen alle mogelijkheden kent. Maar er kan ook iets anders aan de hand zijn: mensen kennen de mogelijkheden wel, maar kunnen er bijvoorbeeld niet mee werken. We spitsen het in dit voorbeeld toe op de elektronische informatievoorziening binnen de school: het intranet. In de onderzoeksopzet is de volgende probleemstelling geformuleerd:

Doelstelling:
- Inzicht krijgen in de redenen waarom medewerkers van basisschool Roosje op dit moment (voorjaar 2006) wel of niet gebruikmaken van intranet om advies te geven over de rol van intranet binnen deze school.

Hoofdvraagstelling:
- Wat zijn redenen waarom medewerkers van basisschool Roosje op dit moment (voorjaar 2006) wel of niet gebruikmaken van intranet?

Subvraagstellingen:
- Hoeveel medewerkers van basis-

school Roosje gebruiken op dit moment (voorjaar 2006) intranet?
- Waarom gebruiken medewerkers van basisschool Roosje intranet wel?
- Waarom gebruiken medewerkers van basisschool Roosje intranet niet?
- Is er verschil in intranetgebruik tussen mannen en vrouwen?
- Is er verschil in intranetgebruik tussen de diverse soorten personeel?

Omdat de waarom-vraag hier centraal staat, is er gekozen voor exploratief onderzoek, dus voor een kwalitatief (veld)onderzoek. Enkele topics zijn:

topic 1: wel/geen gebruik intranet
topic 2: reden wel/geen gebruik intranet
topic 3: het belang van intranet voor de respondent zelf
topic 4: het belang van intranet voor de school volgens de respondent

Vervolgens heb je alle interviews helemaal uitgeschreven. Je hebt de interviews genummerd en achteraf gecontroleerd of nergens namen genoemd worden waardoor de anonimiteit in gevaar komt.

Kader 5.13

5.11.4   Opnieuw categoriseren

Hieronder gaan we het onderzoek uit kader 5.13 verder uitwerken. De uitgeschreven interviews verdeel je onder je collega's en één persoon pakt een flip-over. Je maakt een schema. Welke kolommen je maakt, hangt van de kenmerken af. Heb je verschillende soorten personeelsleden geïnterviewd, dan maak je op basis daarvan een indeling. In dit voorbeeld komt in de kolommen het management, de docenten, het schoonmaakpersoneel, het secretariaat enzovoort. Ieder soort personeel wordt weer onderverdeeld in geslacht omdat van tevoren verwacht werd dat vrouwen anders met ICT omgaan dan mannen. In het verdere schema hieronder is hier voor de overzichtelijkheid alleen gekozen voor management en docenten en het kenmerk geslacht.

	Vrouw & management	Man & management	Vrouw & docent	Man & docent
Topic 1: gebruik intranet	R1: Ik maak regelmatig gebruik van intranet, ik kan daar mooi alle informatie op kwijt. R7: Ja, intranet, dat gebruik ik. R12: Intranet is belangrijk voor me.	R10: Ik maak bijna dagelijks gebruik van intranet. R45: Ja, we kunnen niet meer zonder, hè, dus gebruik ik het. R54: Tja, intranet, ik gebruik het wel, je moet wel hè.	R25: Intranet, ja daar kan ik niet meer zonder. R44: Intranet, als het even kan probeer ik het op een andere manier te weten te komen, dus liever niet. R71: Als je een beetje op de hoogte wilt blijven dan kun je niet meer zonder intranet.	R66: Intranet... eh... wat kun je daar mee? Ik heb er geloof ik wel eens naar gekeken, maar... eh... nee, daar doe ik niet aan. R21: Dagelijks kijk ik er op, ja, voor mij is intranet een must. R36: Nee, daar begin ik niet aan, dat moderne gedoe.
Topic 3: belang intranet voor respondent	R1: Ik kan daar mooi alle informatie op kwijt. R7: Ik zoek uit wanneer de vergaderingen gepland zijn en waar, ik kan daar mooi wijzigingen zien. R12: Intranet zou Ik willen gebruiken om met medewerkers in discussie te gaan over allerlei onderwerpen.	R10: Voor allerlei zaken: onze managementinformatie kan erop, je zou een forum erop kunnen zetten over bepaalde onderwerpen, waar iedereen zijn mening op kwijt kan. R45: Tja, informatie staat erop hè, over onze doelstellingen als school enzo. R54: Anders weet ik niet wanneer een vergadering plaatsvindt.	R25: Intranet, ja daar kan ik niet meer zonder. R44: Vind ik niet zo belangrijk, ik wil liever persoonlijk geïnformeerd worden. Als ik nu mee kon praten over bepaalde onderwerpen, dan zou het wel nuttig kunnen zijn. R71: Intranet Is het middel waarmee je alles over de school kunt vinden. Informatie van het management, maar ook onderling, denk aan nieuwe lesmethoden.	R66: Ik weet het niet hoor, is het moeilijk? Ik kan me wel voorstellen dat ik het ooit ga gebruiken als er bijvoorbeeld iets staat over nieuwe rekenmethodes of zo. R21: Het is belangrijk voor van alles en nog wat, ik haal er mijn informatie over het beleid van de school, ik kan daar adresgegevens van andere medewerkers op vinden, of het rooster, wanneer iemand er wel of niet is. R36: Ik zie daar het belang niet zo van in, ik weet niet waarvoor het allemaal nodig is, dat nieuwerwetse gedoe.

Figuur 5.59d   Vervolg schema herstructureren

De volgende stap is het samenvatten, interpreteren en categoriseren van de informatie.

	Management	Vrouwelijke docenten	Mannelijke docenten
Topic 1	Het management maakt regelmatig tot bijna dagelijks gebruik van intranet.	De meeste vrouwen maken gebruik van intranet. Een vrouw geeft aan het liever niet te gebruiken.	De meeste mannen maken geen gebruik van intranet. Een man vindt het juist wel een belangrijk middel en gebruikt het dagelijks.
Topic 3	Het management ziet het belang vooral in het informeren van de medewerkers en het zelf vinden van relevante informatie zoals vergadertijden. Daarnaast ziet een manager het belang in van het gebruik van intranet als discussieforum.	De meeste vrouwen gebruiken intranet voor het halen van informatie. Een respondent noemt intranet als mogelijke bron van uitwisseling van lesmethoden. De respondent die aangaf geen gebruik te maken zou dit wel doen als ze over onderwerpen mee zou kunnen praten.	Door een respondent wordt intranet gebruikt voor het halen van informatie. Een andere man gaf aan het eventueel wel te willen gebruiken als er informatie over nieuwe lesmethodes op te vinden zou zijn.

Figuur 5.59e   Vervolg schema herstructureren

5.11.5   Conclusies trekken

Vervolgens maak je de stap van topics naar het trekken van conclusies voor de oorspronkelijke vraagstellingen.

	Topic 1
vraagstelling 1: hoeveel medewerkers gebruiken intranet?	management: 3 vrouwelijke docenten: 2 wel, 1 niet mannelijke docenten: 1 wel, 2 niet.

Figuur 5.59f   Vervolg schema herstructureren

	Topic 2 Topic 3 Topic 4
vraagstelling 2: waarom gebruiken medewerkers intranet wel?	management: informeren medewerkers, halen informatie, gebruik discussieforum. vrouwelijke docenten: halen informatie, uitwisseling lesmethoden, gebruik discussieforum. mannelijke docenten: halen informatie, uitwisseling lesmethoden.

Figuur 5.59g   Vervolg schema herstructureren

	Topic 2 Topic 3 Topic 4
vraagstelling 4: is er verschil in intranetgebruik tussen mannen en vrouwen?	vrouwen gebruiken intranet vaker dan mannen. beiden: halen informatie, uitwisseling lesmethoden. vrouwen extra: gebruik discussieforum.

Figuur 5.59h   Vervolg schema herstructureren

Wees voorzichtig met conclusies die met meer of minder te maken hebben. We willen ook bij kwalitatieve gegevens hierover soms uitspraken doen, maar als er maar 3 mannen en 3 vrouwen onderzocht zijn dan gaat de hier getrokken conclusie: *'Vrouwen gebruiken intranet vaker dan mannen'* wel wat ver! In het voorbeeld zijn lang niet alle topics en vraagstellingen uitgewerkt. Het gaat hier om een globale indruk.

Naast de topics en de vraagstellingen hebben respondenten misschien ook dingen gezegd die niet direct gevraagd zijn. Controleer nadat je hebt geanalyseerd nogmaals de interviews: zijn er nog andere zaken gezegd die het vermelden waard zijn? Het is zonde dit soort informatie te laten liggen omdat je er niet van tevoren naar op zoek was. Dat is juist de kracht van een diepte-interview: in het gesprek komen onderwerpen aan bod waarvan je van tevoren niet wist dat je ze zou kunnen gebruiken.

5.11.6   Observaties

Tijdens het interview heb je ook bepaalde zaken geobserveerd en genoteerd. De non-verbale communicatie heb je gedeeltelijk tijdens het interview gebruikt om door te vragen. Als je bepaalde gedragingen hebt geobserveerd die relevant zijn voor je onderzoek, dan kun je deze observaties volgens hetzelfde principe van de inhoudsanalyse beschrijven. In kader 5.14 geven we daarvan een voorbeeld.

Voorbeeld van een inhoudsanalyse van observaties bij basisschool Roosje

Stel, je hebt in dit onderzoek ook observaties meegenomen, je hebt gekeken in de klaslokalen hoe docenten in de lessen ICT gebruiken. Je hebt hierover een vraagstelling geformuleerd.

Hoe wordt ICT in de lessen gebruikt?

Methode van dataverzameling: In het interview vragen stellen over ICT-gebruik. Topic 5: de mening van de docent over het ICT-gebruik. Daarnaast ge-

Kader 5.14

Vervolg	
bruikmaken van observaties: kijken in de klaslokalen wat docenten doen. De volgende observaties staan hierbij centraal: – mate van ICT-gebruik in overbrengen	stof – aanbieden ICT-mogelijkheden aan leerlingen – begeleiden leerlingen bij ICT-mogelijkheden.

De observaties werk je als volgt uit:

Observaties	Vrouwelijke docenten	Mannelijke docenten
mate van ICT-gebruik in overbrengen stof.	R32: gebruikt laptop met beamer. R21: gebruikt laptop met beamer en een internetverbinding. Docent laat leerlingen zoeken op internet. R45: gebruikt bord met krijtjes.	R55: gebruikt laptop met beamer. R75: gebruikt bord met krijtjes. R65: gebruikt laptop met beamer. R25: gebruikt voor les laptop met beamer.
aanbieden ICT-mogelijkheden aan leerlingen.	R21: een leerling vroeg aan de docente waar hij iets meer kon vinden over de olifant. De docente verwees hem naar de bibliotheek. Zoeken op internet werd hier niet vermeld.	R55: docent verwees leerlingen naar zowel bibliotheek als internet. Docent hielp leerlingen met zoeken in verschillende databases. R65: docent leert leerlingen hoe chatten werkt.

Figuur 5.59i Vervolg schema herstructureren

Ook hier geldt weer: de observator interpreteert de resultaten. Probeer de observaties en analyses zo dicht mogelijk te houden bij wat is gebeurd, zonder er een waardeoordeel aan te hangen zoals in het voorbeeld hieronder wel gebeurt.

Observaties	Vrouwelijke docenten
mate van ICT-gebruik in overbrengen stof.	R32: is een moderne docent, want ze gebruikt laptop met beamer. R21: ook modern. Gebruikt laptop met beamer en een internetverbinding. Docent laat leerlingen zoeken op internet. R45: is een ouderwetse docent die nog gebruikmaakt van bord met krijtjes.
aanbieden ICT-mogelijkheden aan leerlingen.	R21: een leerling vroeg aan de docente waar hij iets meer kon vinden over de olifant. De docente verwees hem naar de bibliotheek en vergat daarbij internet.

Figuur 5.59j Vervolg schema herstructureren

Opmerkingen als modern en ouderwets zijn je eigen opvattingen. Misschien is het voor sommige klassen helemaal niet handig om in de les met een computer te werken. Je kunt daarover geen oordeel vellen zoals 'ouderwets' of 'modern'. Ook het woordje 'vergat' in de tweede observatie geeft aan dat jij als onderzoeker eigenlijk vindt dat de docent dit wel had moeten doen. Probeer dus dit soort toevoegingen zo veel mogelijk te vermijden, ook in de analysefase.

Het analyseren van kwalitatieve gegevens vraagt herstructurering, interpretatie, opnieuw categoriseren en conclusies trekken. In de diverse literatuur kun je nog meer specifieke analysemethoden vinden die van toepassing kunnen zijn op je eigen onderzoek. Duidelijk is dat bij het analyseren van kwalitatieve gegevens de 'objectieve 'rol van de onderzoeker lastig is. Omschrijf daarom helder welke stappen je gemaakt hebt, laat zien hoe de vertaalslagen gemaakt zijn. Op deze manier maak je het andere onderzoekers mogelijk te controleren of je dicht bij de antwoorden van de geïnterviewden gebleven bent. Hierdoor verhoog je de betrouwbaarheid van je onderzoek (zie hoofdstuk 3).

Over een toegepast communicatieonderzoek kunnen rapporteren

6

In de vorige hoofdstukken heb je geleerd hoe je een onderzoek uitvoert. Je hebt gegevens verzameld en geanalyseerd. De laatste fase is het rapporteren van de gegevens om deze vervolgens te gebruiken in je advies. In dit hoofdstuk gaan we dieper in op de rapportage van de onderzoeksgegevens.

We bespreken echter eerst de onderzoeksopzet. Sommige delen van deze opzet worden herschreven en opnieuw gebruikt in de rapportage. De oorspronkelijke opzet kun je na de uitvoering weggooien, alleen de eindrapportage zal worden bewaard. In dit hoofdstuk besteden we ook kort aandacht aan de mondelinge presentatie van onderzoeksgegevens.

Vooraf willen we nog de volgende opmerking maken: elke communicatieopleiding in Nederland heeft over de inhoud van rapportages verschillende opvattingen. Zelfs binnen dezelfde opleiding verschillen docenten van mening over de inhoud, stijl en vorm. Als student moet je zelf achterhalen wat de docent van je verwacht. De onderdelen die we in dit hoofdstuk bespreken zijn richtlijnen voor zaken die minimaal in een onderzoeksopzet en/of een rapportage thuishoren. In je rapport moet je over de hier genoemde onderwerpen dus zeker iets zeggen, daar zijn de meeste docenten het wel over eens. De plaats en volgorde van de onderdelen kan verschillen. Aan de hand van de verschillende onderdelen in dit hoofdstuk kun je zelf het verslag op je eigen manier inrichten. Maak daarbij verantwoorde keuzes. Het allerbelangrijkste is dat een rapport logisch is opgebouwd (onderwerpen volgen elkaar logischerwijs en onderdelen sluiten op elkaar aan) en doelgroepgericht is geschreven.

Kader 6.1

Doelstellingen bij dit hoofdstuk:

- weten welke onderdelen er in een onderzoeksopzet horen te staan;
- weten welke onderdelen er in een onderzoeksrapport horen te staan;
- weten waar je op moet letten bij het gebruiken van grafieken bij kwantitatief onderzoek;
- weten waar je op moet letten bij het gebruiken van citaten bij kwalitatieve gegevens;
- weten hoe je in een bronnenlijst verwijst naar boeken, artikelen, internetpagina's, rapporten, databanken en mondelinge gesprekken;
- weten wat de mogelijkheden zijn bij het verwijzen naar het werk van anderen in de tekst en hoe je daarbij omgaat met citaten;
- weten wat een passende stijl is voor een onderzoeksrapport en een artikel over het rapport;
- weten waar je op moet letten bij mondelinge presentaties.

6.1   Een onderzoeksopzet schrijven

Voordat je een onderzoek uitvoert, schrijf je eerst een opzet: een plan waarin staat hoe je het aan wilt pakken. Tijdens het onderzoeksproces kan dit plan op sommige punten bijgesteld worden. Dat is op zich geen bezwaar, de onderzoeksopzet is niet voor niets een *plan*. In de opzet komen de volgende onderdelen aan bod:
- inleiding
- probleemanalyse in vier stappen
- probleemstelling, bijbehorende (communicatie)theorieën en operationalisatie
- keuze onderzoekssoort
- keuze bijpassende strategie
- verantwoording aan de hand van de onderzoekscriteria (betrouwbaarheid, representativiteit enzovoort)
- planning
- kosten en baten
- bijlagen.

Per onderdeel zullen we nu kort ingaan op de inhoud.

Inleiding – Een hulpmiddel voor het schrijven van een inleiding zijn de volgende twee vragen van de lezer:
- Waarom lees ik dit?
  • Wie schrijft het?

- Waarom schrijf je het?
- Wie is de opdrachtgever?
- Wat is het doel van dit stuk?
- Wat ga ik lezen?
  - Hoe is het stuk opgebouwd?

In een inleiding omschrijf je dus kort het doel van het document (kader) en geef je aan welke onderwerpen je gaat behandelen (leeswijzer).

Probleemanalyse in vier stappen – De aanleiding, de probleemanalyse, is het deel dat beschreven is in hoofdstuk 1. Aan de hand van de vier stappen kun je beschrijven wat de aanleiding van het onderzoek is (zie hoofdstuk 1).

Probleemstelling – Hier beschrijf je de probleemstelling met de bijbehorende communicatietheorieën (zie hoofdstuk 2). Je beschrijft binnen de probleemstelling het doel van het onderzoek (doelstelling) en de vraagstellingen waarvan sommige voortkomen uit de (communicatie)theorie. Je legt per vraagstelling steeds een stukje theorie uit, zodat de lezer begrijpt waarom je juist die vraagstellingen geformuleerd hebt. Het is dus niet de bedoeling eerst enkele bladzijden met theorie op te schrijven (het 'omgevallen boekenkast'-idee). Een opdrachtgever zit daar vaak niet op te wachten. Het gebruik van theorie moet dus functioneel zijn. In de probleemstelling komen begrippen naar voren die uit de theorie komen. Die begrippen leg je met behulp van de theorie uit. Dit is een onderdeel van de operationalisatie. Vervolgens leg je uit hoe je de vraagstellingen geoperationaliseerd hebt naar de enquêtevragen of de topics en/of wat je gaat observeren. Je probeert hier vooral de begripsvaliditeit te waarborgen (zie hoofdstuk 2). Als je verbanden wilt aantonen, dan leg je bij de betreffende vraagstellingen aan de hand van een schematische weergave uit welke variabelen volgens jou samenhang vertonen en of er mogelijk sprake kan zijn van een causaal verband.

Keuze onderzoekssoort – Je beschrijft aan de hand van het soort vraagstellingen (beschrijvend en/of verklarend) wat voor soort onderzoek je doet (beschrijvend, evaluatief, exploratief of toetsend onderzoek). Je beargumenteert waarom je voor een bepaald soort onderzoek hebt gekozen (zie hoofdstuk 2).

Keuze bijpassende strategie – Je beschrijft welke strategieën je kiest (zie hoofdstuk 3). Het is handig per vraagstelling aan te geven of je de gegevens verkrijgt met behulp van bureauonderzoek dan wel met behulp van aanvullende strategieën. Je legt dus per strategie uit hoe je het concreet aan gaat pakken. Daarbij geef je antwoord op de volgende vragen:

- Wie ga je concreet onderzoeken?
  - Wat is de populatie?
  - Hoe trek je de steekproef (soort steekproef)?
  - Hoe groot moet je netto steekproef zijn?
    - * (Als je een formule gebruikt kan de formule zelf in de bijlage van de opzet en geef je hier alleen de grootte aan.)
  - Hoeveel mensen ga je benaderen om de netto steekproefgrootte te bereiken (bruto steekproef)?
- Waar ga je onderzoeken?
  - Op welke plaats ga je het onderzoek concreet uitvoeren?
- Hoe ga je onderzoeken?
  - Hoe verzamel je de data (mondeling, schriftelijk (per post of elektronisch), observatie)?
  - Wat ga je precies met welke strategie onderzoeken?
    - * Welke gegevens zoek je op met behulp van bureauonderzoek (zoekplan)?
    - * Welke vragen stel je aan de respondent (enquête, topiclijst)?
    - * (De vragenlijst/topiclijst zelf komt in de bijlage, hier verwijs je alleen naar de vraagnummers.)
    - * Welke observaties ga je doen?

Verantwoording aan de hand van onderzoekscriteria – In de opzet geef je aan in welke mate je onderzoek betrouwbaar is. Je legt uit welke aspecten van betrouwbaarheid in jouw geval (bij de gekozen strategieën) een rol spelen. Geef per aspect aan wat je gaat doen om mogelijke nadelen zo klein mogelijk te houden. Geef ook aan in hoeverre je wilt generaliseren. Leg uit waarom je wilt gaan generaliseren en wat dat concreet inhoudt.

Planning – Een onderzoek vindt gefaseerd plaats. Je kunt een planning maken in vier fasen, verdeeld over de periode waarbinnen het onderzoek plaats moet vinden:

1 onderzoeksopzet
2 dataverzameling
3 data-analyse
4 rapportage.

Geef bij de planning duidelijk aan wanneer de opdrachtgever welke producten kan ontvangen. In figuur 6.1 geven we een voorbeeld van een planning in zeven weken.

Fase	Periode	Product
Onderzoeksopzet	Week 1-2 (9 t/m 20 januari)	20 januari: definitieve onderzoeksopzet
Dataverzameling	Week 3-4 (23 januari t/m 3 februari)	SPSS-bestand Uitgeschreven interviews Uitgeschreven observaties
Data-analyse	Week 4-5 (30 januari t/m 10 februari)	Tussentijdse conclusies
Rapportage	Week 5-6 (6 t/m 17 februari)	17 februari: definitief onderzoeksrapport
	Week 7 (20 t/m 24 februari)	24 februari: mondelinge presentatie onder-zoeksgegevens

Figuur 6.1 Voorbeeld van een vierfaseplanning in zeven weken

Kosten en baten – Elk onderzoek brengt kosten met zich mee, denk aan kopieer-kosten van de vragenlijsten, kosten van de huur van opnameapparatuur, reiskos-ten, printkosten van rapportages enzovoort. Maak inzichtelijk welke kosten je denkt te gaan maken (specificeer zo veel mogelijk). Geef daarbij tevens aan welke opbrengsten het onderzoek zal opleveren voor de opdrachtgever (bijvoorbeeld een onderzoeksverslag, inzicht in een bepaald probleem enzovoort). In figuur 6.2 geven we een voorbeeld van een kostenoverzicht.

Overzicht onderzoekskosten	
schriftelijke enquêtes (1000 x 4 blz. à € 0,07)	€ 280,00
antwoordenveloppen + postzegel (1000 x € 0,39)	€ 390,00
onderzoeksopzet (15 blz. à € 0,07)	€ 1,05
onderzoeksrapport (50 blz. à € 0,07 x 4 exempl.)	€ 14,00
totaal	€ 685,05

Figuur 6.2 Voorbeeld kostenoverzicht

Bijlagen – De bronnenlijst is in elk geval een bijlage (zie paragraaf 6.2.7). Een andere bijlage bij de onderzoeksopzet is de enquête of de topiclijst. Ook kan een begeleidend schrijven als bijlage toegevoegd worden.

6.2 Een onderzoeksrapport schrijven

Het onderzoeksverslag is te verdelen in de volgende onderdelen:
– inleiding
– aanleiding/probleemanalyse
– methodologische verantwoording
– diverse hoofdstukken

- eindconclusie
- aanbevelingen
- bijlagen.

6.2.1 Inleiding

Dit lijkt veel op de inleiding van de onderzoeksopzet: weer het kader (waarom lees ik dit) en de
opbouw van het verslag (wat ga ik lezen?). In
de inleiding staat dit keer niet: ... we gaan
onderzoek doen ... Je schrijft nu op wat je
hebt gedaan ... we hebben onderzoek gedaan ... Je past de stijl hier en daar dus
aan en zet het in de verleden tijd. Je hebt
immers het onderzoek achter de rug.

*Het schrijven van een rapportage: een
geconcentreerd werkje*

6.2.2 Aanleiding/probleemanalyse

De aanleiding is dezelfde als de aanleiding in je onderzoeksopzet. De probleemanalyse kun je dus overnemen van de onderzoeksopzet.

6.2.3 Methodologische verantwoording

Nu je het onderzoek hebt uitgevoerd, kan het plan in de prullenbak. Toch maak
je er nog wel gebruik van. De informatie uit het plan gebruik je voor de verantwoording: je legt in het onderzoeksrapport uit hoe je het onderzoek hebt gedaan.
In de methodologische verantwoording komen dezelfde onderwerpen aan de
orde als in de onderzoeksopzet:
- probleemstelling, bijbehorende (communicatie)theorieën en operationalisatie
- keuze onderzoekssoort
- keuze bijpassende strategie
- verantwoording aan de hand van de onderzoekscriteria.

Je moet de tekst wel enigszins herschrijven. Je hebt het onderzoek immers achter
de rug en gaat nu vertellen wat je hebt gedaan. Het kan zijn dat je gaandeweg
tijdens het onderzoeksproces andere keuzes gemaakt hebt. Vandaar dat je de
onderzoeksopzet herschrijft: je vertelt hoe het werkelijk gegaan is. In kader 6.2
geven we een voorbeeld.

Voorbeeld herschreven onderzoeksopzet

Onderzoeksopzet

Om met een betrouwbaarheid van 95% en een nauwkeurigheidsmarge van 3% te mogen generaliseren moeten we 1076 mensen enquêteren (zie formule in bijlage 2). Omdat we verwachten dat de nonrespons bij een schriftelijke enquête hoog is versturen we 2000 enquêtes.

Achteraf heb je 780 enquêtes teruggekregen.

Methodologische verantwoording

De bruto steekproef is 2000 respondenten in de gemeente Welzijnshuizen. De netto steekproef is 780 respondenten. In dit onderzoek is er dus sprake van een respons van 39%. Dit is laag. De onderzoeksresultaten mogen dus niet nauwkeurig worden gegeneraliseerd naar de populatie Welzijnshuizen. Toch zijn de resultaten wel een indicatie. Er hebben zowel mensen gereageerd die tevreden als ontevreden waren. Ook is de steekproef representatief op de volgende kenmerken (enzovoort, hier ga je verder met de verslaglegging over de representativiteit van de steekproef op kenmerken).

Kader 6.2

6.2.4 Diverse hoofdstukken

Hier begint de eigenlijke rapportage van de uitkomsten van je onderzoek. Het is handig de vraagstellingen als kapstok te gebruiken voor het verhaal dat je wilt vertellen. Je maakt een hoofdstukindeling per vraagstelling en deelt elk hoofdstuk in subhoofdstukken in. Maak sprekende koppen boven elk stuk, want je wilt de lezer uitnodigen te lezen. Ook hier geldt weer dat je doelgroepgericht schrijft. Is het rapport alleen voor de opdrachtgever of gaat het rapport ook naar anderen binnen het bedrijf? Bestaat het publiek vooral uit het management of ook uit de medewerkers? Soms wordt voor de medewerkers een aparte samenvatting geschreven. De opbouw van een rapport is voor de verschillende strategieën hetzelfde, of je nu bureauonderzoek gedaan hebt, een survey of interviews. Je kunt binnen de strategieën verschil maken tussen de manier waarop je rapporteert over kwantitatieve gegevens en de manier waarop je dat doet over kwalitatieve gegevens. In de verslaglegging vat je verschillende vragen samen die bij elkaar horen, die over de zelfde vraagstelling gaan. Waar nodig werk je met tussenconclusies.

Kwantitatieve gegevens illustreer je met grafieken. Aan een grafiek worden verschillende eisen gesteld:
– duidelijkheid over het soort gegevens en aantal respondenten
– duidelijkheid over de gebruikte maat voor de gegevens
– consequentie in het soort grafiek
– duidelijkheid over de inhoud.

kwantitatieve gegevens

Soort gegevens en aantal respondenten – Elke grafiek is in elk geval voorzien van een titel met daarin de vermelding van de vraag over het soort gegeven (bijvoorbeeld geslacht) en het aantal waarover de grafiek gaat (n=…). Dit kan per grafiek verschillen, want de ene keer neem je misschien wel missing values mee en de andere keer niet.

Gebruikte maat – Je geeft altijd aan of je grafiek aantallen, percentages of gemiddelden weergeeft. Er zijn opdrachtgevers die alleen grafieken in percentages willen zien als het gaat om gegevens van honderd of meer respondenten. Alle grafieken met minder dan honderd mensen moeten in dat geval in aantallen weergegeven worden. Dit is een smaakkwestie. Een grafiek in percentages kan ook acceptabel zijn als er minder dan honderd respondenten zijn, zo lang maar duidelijk is over hoeveel mensen het gaat (zie hiervoor de grafiektitel).

Consequentie soort grafiek – Als je over één gegeven een grafiek maakt kun je een cirkeldiagram gebruiken. Meestal wordt de staafdiagram gebruikt, zeker als het gaat over gegevens uit een kruistabel. Je kunt ook een spinnenweb (in Excel radar genoemd) gebruiken, bijvoorbeeld om rapportcijfers te vergelijken. Zorg ervoor dat je rapport rust uitstraalt. Geef de grafieken zo veel mogelijk hetzelfde uiterlijk en wees consequent in het soort grafieken dat je gebruikt. Gebruik dus niet de ene keer een staafdiagram en de andere keer lijnen of kegels. Kies alleen verschillende grafieken om verschillende soorten gegevens weer te geven (bijvoorbeeld alle 'tevredenheidsschalen' met een staafdiagram, alle rapportcijfers met een spinnenweb). Kader 6.3 geeft een voorbeeld.

Voorbeeld rapportage kwantitatieve gegevens

Oordeel medewerkers over de formele communicatiemiddelen

U ziet hier een vergelijking tussen de gemiddelde rapportcijfers die medewerkers van basisschool Roosje gaven voor de formele communicatiemiddelen. Opvallend is dat zowel de folder als de poster in 2003 beter beoordeeld werden (folder: 8,2 en poster: 7,5) dan op dit moment (folder: 6,4 en poster: 6,2). De respondenten zijn op dit moment over Intranet het meest te spreken, ze geven dit middel het gemiddelde rapportcijfer 8 (zie bijlage 3, kruistabel 4). In 2003 was

er nog geen intranet, vandaar dat het cijfer hiervoor ontbreekt.

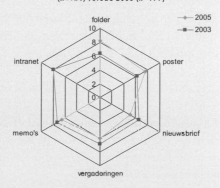

Gemiddelde rapportcijfer communicatiemiddelen 2003 (n=154) versus 2005 (n=177)

Kader 6.3

Toelichting en uitspraak – Elke grafiek is voorzien van een toelichting en een uitspraak. Mensen lezen vaak tekst *of* kijken naar plaatjes. Het is dus handig in de tekst te vermelden waar een grafiek over gaat. Vervolgens doe je een uitspraak, bijvoorbeeld over het antwoord dat het vaakst voorkwam (modus), of als dit heel bijzonder is, juist het minst gegeven antwoord. Als je een grafiek van een kruistabel hebt gemaakt, gaat het verhaal juist over vergelijkingen. In de uitspraak geef je ook weer aan welke maat er is gebruikt. Je verwijst vervolgens in de tekst naar de bijlage waar de frequentie- of kruistabel staat waar je grafiek van is gemaakt. Pas op voor opsommingen in de tekst. Trek conclusies over de grafiek en doe heldere uitspraken. Als je een verband wilt leggen dan is het handig dit verband eerst schematisch weer te geven waarna je de gegevens presenteert in een grafiek. Ik kader 6.4 laten we zien hoe je dit kunt doen.

Voorbeeld verband

We hebben in ons onderzoek gekeken naar de samenhang tussen opleiding en geslacht, weergegeven in het volgende schema.

Ook anno 2005 blijkt het geslacht nog steeds verschil te maken voor wat betreft de keuze voor een opleiding. Binnen de opleiding communicatie (75%) en verpleegkunde (70%) studeren voornamelijk vrouwen. Het merendeel van de techniekstudenten is man (90%). Met een zekerheid van 95% is het verband tussen opleiding en geslacht statistisch significant, de p-waarde is 0,003 (zie bijlage 3 kruistabel 7 en Chi^2-toets 2).

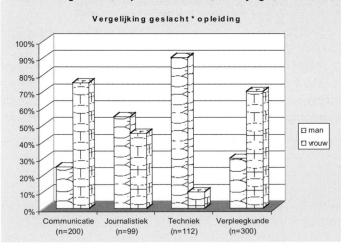

Kader 6.4

kwalitatieve Ook bij de analyse van *kwalitatieve gegevens* zijn de vraagstellingen de leidraad
gegevens voor je verhaal. Dit verhaal illustreer je nu niet met grafieken, maar met mooie
citaten. Geef het citaat een opvallende opmaak zodat duidelijk is dat een respondent dit heeft gezegd. In kader 6.5 zie je een voorbeeld.

Voorbeeld rapportage kwalitatieve gegevens

Het nut van intranet volgens de medewer-
kers
Intranet wordt door de medewerkers op
verschillende manieren gebruikt. Het
management wil via intranet medewerkers informeren. Zowel het management als de docenten halen informatie
van intranet, bijvoorbeeld de data voor
vergaderingen, de agenda, gegevens
over collega's enzovoort. Sommige docenten geven ook aan intranet te willen
gebruiken voor het uitwisselen van
lesmethoden. Zowel managers als docenten zien intranet ook als toepassing
voor een discussieforum. Eén van de
managers verwoordt dit als volgt: *'Intra-*
net zou ik willen gebruiken om met mede-
werkers in discussie te gaan over allerlei
onderwerpen.'

Kader 6.5

Anonimiteit

Zowel voor kwantitatieve als kwalitatieve gegevens geldt dat je deze altijd anoniem
verwerkt. Zowel in het rapport zelf als in de bijlagen geef je nummers aan respondenten. Tenzij je nadrukkelijke schriftelijke toestemming hebt van de respondent zelf, mag je geen namen gebruiken. Controleer zowel het verslag als de
bijlagen op deze anonimiteit.

6.2.5 Eindconclusie

In de eindconclusie staat niets nieuws. Je kunt hier niet ineens een nieuw onderwerp introduceren. Alle conclusies die je hier beschrijft, heb je al eerder in het
verslag vermeld. Je geeft in de eindconclusie nogmaals kort antwoord op de vraagstellingen en daarmee uiteindelijk op de hoofdvraagstelling. In feite geef je in de
eindconclusie aan in welke mate de doelstelling van je probleemstelling bereikt
is.

6.2.6 Aanbevelingen

Vaak wordt het onderzoeksverslag geschreven in het kader van een project waarbij de rapportage slechts een onderdeel is. Daarnaast schrijf je een advies of een
plan van aanpak (zie hoofdstuk 7). Toch doe je in het onderzoeksrapport kort al

wat aanbevelingen. Deze aanbevelingen kun je in twee categorieën indelen: aanbevelingen met betrekking tot de inhoud van het onderzochte (de communicatie) en aanbevelingen met betrekking tot vervolgonderzoek.

6.2.7   Bijlagen

Net als de onderzoeksopzet bevat ook de onderzoeksrapportage bijlagen. Denk aan bronnenlijst, de gebruikte enquête of topiclijst, een begeleidend schrijven enzovoort. Verder plaats je in de bijlagen alle frequentietabellen, kruistabellen, Chi^2-toetsen en andere opsommingen. Voor de kwalitatieve dataverzameling geldt dat je de uitgeschreven interviews en de herstructurerings- en analyseschema's in de bijlagen plaatst. Het is wel belangrijk dat het te lezen rapport een handzaam formaat houdt. Veel opdrachtgevers willen het rapport in het bedrijf rond laten gaan, maar de bijlagen zoals frequentietabellen en uitgeschreven interviews niet. In overleg met de opdrachtgever kun je ervoor kiezen deze in een apart document bij te voegen.

6.2.8   Extra onderdelen

Naast het basisrapport zijn er nog enkele onderdelen die soms wel en soms niet verwacht worden. Zo heeft een redelijk groot onderzoeksrapport een samenvatting. Soms wordt een voorwoord en of een nawoord gemaakt.

Samenvatting – Een samenvatting wordt vaak door opdrachtgever gewaardeerd. Deze wordt dan voorin (nog voor de inhoudsopgave) in het verslag geplaatst. Een samenvatting is maximaal twee A4-tjes lang. Je vat de belangrijkste zaken samen: de probleemstelling met hoofdvraag en hooguit twee à drie subvragen, de strategieën in het kort en de belangrijkste conclusies.

Voorwoord – In een voorwoord worden vaak mensen bedankt, het is een persoonlijke noot. Een voorwoord wordt na de samenvatting en voor de inhoudsopgave geplaatst.

Nawoord – Een nawoord is ook een persoonlijk verhaal. Hierin blik je terug op het onderzoeksproces. Je kunt hier ook aangeven wat tegenviel, of wat je eventueel anders zou doen nu je terugblikt. Een nawoord komt na de aanbevelingen.

6.3   Algemene eisen aan opzet en verslag

Behalve de bovenstaande indeling van onderzoeksopzet en onderzoeksrapport is er ook nog een aantal algemene aanwijzingen te geven voor het schrijven. Dit heeft vooral te maken met het gebruik van bronnen en citaten en met de lay-out en vormgeving.

6.3.1   *Bronnenlijst*

In zowel de onderzoeksopzet als het rapport maak je gebruik van teksten van anderen. Als je communicatietheorie uitlegt, dan maak je daarvoor gebruik van verschillende bronnen. Deze bronnen noem je vervolgens in je bronnenlijst. Er wordt verschil gemaakt tussen de informatie uit een boek, een artikel uit een tijdschrift, een internetsite en een persoonlijk gesprek.

Boeken in de bronnenlijst

Verwijs je naar een boek dan is een veelgebruikte stijl:
– Achternaam auteur, voorletters, eventueel tussenvoegsels, *titel (schuine op-maak),* Plaats uitgeverij, uitgever, jaartal, versie c.q. hoeveelste druk.
Als je van één auteur meerdere boeken gebruikt die in hetzelfde jaar geschreven zijn, dan vermeld je achter het jaartal een letter (A voor het eerste boek in de lijst, B voor het volgende boek enzovoort). Als je meerdere auteurs gebruikt, dan volgen de voorletters en de achternaam van de tweede auteur achter de voorletters van de eerste auteur:

Achternaam eerste auteur, voorletters eerste auteur (eventueel tussenvoegsels), achternaam tweede auteur, voorletters tweede auteur, achternaam derde auteur, voorletters derde auteur enzovoort (jaartal, eventueel hoeveelste druk). *Titel (cursief).* Plaats uitgeverij: uitgever. Kader 6.6 geeft een voorbeeld.

Voorbeeld bronnenlijst, boeken

Damoiseaux, V.M.G., Ruler A.A. van & Weisink, A. (1998). *Effectiviteit in communicatiemanagement. Zoektocht voor criteria voor professioneel succes.* Deventer/Diegem: Samsom.

Grinten, J. van der (2004). *Mind the Gap, stappenplan identiteit en imago.* Amsterdam: Boom.

Swanborn, P.G. (2002, vierde druk). *Basisboek sociaal onderzoek.* Amsterdam: Boom.

Verschuren, P.J.M. (1999). *De probleemstelling voor een onderzoek.* Utrecht: Het Spectrum B.V.

Kader 6.6

Artikelen in de bronnenlijst

Gebruik je een artikel uit een tijdschrift dan wordt deze stijl veel gebruikt:

Achternaam auteur, voorletters (jaartal). Titel artikel. *Titel tijdschrift (cursief)*, *jaargang (cursief)*, *tijdschriftnummer (cursief)*, bladzijden van het artikel. Kader 6.7 laat een voorbeeld zien.

Voorbeeld bronnenlijst, artikel	
Buizen, M., Valkenburg, P.M. en Bie, M. de (2001). Humor in commercials gericht op kinderen, tieners en volwassenen.	*Tijdschrift voor Communicatieweten-schap, 29, nr. 3, 150-167.*

Kader 6.7

Internetsites in de bronnenlijst

Steeds vaker worden internetsites gebruikt. Als de bron oorspronkelijk een boek of een artikel in een tijdschrift is, dan verwijs je zoals gebruikelijk is bij een boek of artikel. Vervolgens vermeld je erachter van welke site je het artikel hebt afgehaald (gedownload) en de datum waarop je dat hebt gedaan. Soms heb je informatie van de site zelf gehaald. Je noemt dan de betreffende sites in je bronnenlijst. In kader 6.8 zie je een voorbeeld.

Voorbeeld bronnenlijst, internetsites		
www.communicatie.com *www.vvonet.nl.* *www.postbus51.nl*	**Beroepsvereniging voor Communicatie: www.communicatie.com. Vereniging voor Overheidcommunica-**	**tie: www.vvonet.nl. Postbus 51: www.postbus51.nl.**

Kader 6.8

Rapporten in de bronnenlijst

Soms maak je gebruik van rapporten van een instelling of organisatie. Hierbij is het niet altijd mogelijk een auteur te vermelden. Kader 6.9 geeft weer een voorbeeld.

Voorbeeld bronnenlijst, rapporten zonder auteurs

Beroepsniveauprofielen Communicatie-management (juli 2002, derde druk). Den Haag/Apeldoorn: Beroepsvereniging voor Communicatie/Vereniging voor Overheidscommunicatie. Ingezien op 24 april 2004 via www.communicatie. com.

www.communicatie.com.

Kader 6.9

Databanken in de bronnenlijst

Soms maak je gebruik van bepaalde databanken. Deze noem je in de bronnenlijst (zie kader 6.10).

Voorbeeld bronnenlijst, databanken

Picarta
LexisNexis Newsportal
Academic Search Elite
Nederlandse Onderzoeksdatabank

Kader 6.10

Mondelinge gesprekken in de bronnenlijst

Je kunt informatie verkregen in een gesprek ook opnemen in je verslag. Je vermeldt dit gesprek in je bronnenlijst. Kader 6.11 geeft een voorbeeld.

Voorbeeld bronnenlijst, mondelinge gesprekken

Telefonisch gesproken met de heer Jansen, voorlichter van de thuiszorgorganisatie Weltevreden in Welzijnshuizen (11-07-2005).

Kader 6.11

6.3.2 Verwijzingen in de tekst

Als je iets opschrijft wat je ergens anders gelezen hebt dan moet je volgens het Nederlandse auteursrecht verwijzen naar deze tekst van anderen. Doe je dat niet dan is het strafbaar, dan pleeg je *plagiaat*. Er zijn verschillende soorten verwijzingen. Zo kun je tekst uit een boek in eigen woorden samenvatten waarbij je met behulp van een voet- of eindnoot verwijst. Het lettertype en de opmaak van de tekst blijven dan hetzelfde als de rest van de tekst. Als het samengevatte deel uit een beperkt aantal pagina's gehaald is, kun je dat erbij vermelden, anders laat je de pagina's weg. Kader 6.12 geeft een voorbeeld.

plagiaat

Voorbeeld samenvattende tekst

Met reputatie wordt de beeldvorming van diverse groepen, zoals personeel, klanten, stakeholders enzovoort bedoeld. Reputatie kan gemeten worden met behulp van het reputatiequotiënt.

Deze bestaat uit zes verschillende drivers. Per groep spelen bepaalde drivers in meer of mindere mate een rol.[1]

[1] Zie Fombrun, 2004.

Kader 6.12

Letterlijke tekst die van anderen overgenomen wordt noemen we *citaten*. In één oogopslag moet duidelijk zijn dat het om een citaat gaat. Dit kun je doen door de tekst tussen aanhalingstekens te zetten. Je kunt de tekst ook cursiveren. Sommigen geven citaten zelfs een ander lettertype. Als maar duidelijk is dat de te lezen tekst 'anders' is dan de rest, je hebt het immers niet zelf bedacht. Bij de verwijzing (in de voet- of eindnoot) geef je precies aan van welke pagina de tekst komt. In kader 6.13 geven we een voorbeeld.

citaten

Voorbeeld citaat

'De dagboekmethode is een soort zelfobservatie. De medewerkers van de organisatie wordt gevraagd om gedurende een bepaalde periode (een dag of een week) het aantal telefoontjes, besprekingen, gesprekken en de geschreven en digitale post bij te houden. Met behulp van deze

(tijdrovende) methode kan de onderzoeker inzicht krijgen in de communicatiefrequentie en de verhouding tussen de verschillende vormen van communicatie.'[2]

[2] Koeleman, 1999, blz. 181.

Kader 6.13

Citaten mag je niet veranderen, het is immers tekst van iemand anders. Wel mag je delen weglaten. Als je halverwege een citaat tekst weglaat dan wordt dit meestal aangegeven met puntjes tussen vierkante haakjes […]. Drie puntjes betekent dat het om een woord gaat dat je hebt weggelaten. Vier puntjes betekent dat je meer woorden hebt weggelaten. Door tussen de vierkante haakjes het woord 'sic' met een uitroepteken toe te voegen [sic!] geef je aan dat je het niet eens bent met de auteur. Als je zelf, om de leesbaarheid te vergroten, woorden toevoegt doe je dat ook tussen vierkante haakjes. De auteur heeft het bijvoorbeeld over 'ze', zonder dat in het citaat duidelijk is dat het bijvoorbeeld gaat om communicatiefunctionarissen (zie kader 6.14).

Voorbeeld citaat met vierkante haakjes

'De dagboekmethode is een soort zelfobservatie. De medewerkers [....] wordt gevraagd om gedurende een bepaalde periode (een dag of een week) het aantal telefoontjes, besprekingen, gesprekken en de
geschreven en digitale post bij te houden.'[3]

[3] Koeleman, 1999, blz. 181.

'Ze [de communicatiefunctionarissen]
worden door hogerhand aangesteld om
het communicatiebeleid uit te voeren en
worden daarom pas ingeschakeld als het
beleid al is vastgesteld.'[4]

[4] Zweekhorst, 2001, blz. 242.

Kader 6.14

Er zijn auteurs die het verwijzen liever in de tekst zelf doen. Vooral in wetenschappelijke literatuur zie je verwijzingen in de tekst zelf. In plaats van in een voetnoot
komt de verwijzing nu tussen haakjes in de tekst te staan (zie kader 6.15).

Voorbeeld verwijzing in de tekst zelf

'Ze [de communicatiefunctionarissen]
worden door hogerhand aangesteld om
het communicatiebeleid uit te voeren en

worden daarom pas ingeschakeld als het
beleid al is vastgesteld'
(Zweekhorst, 2001, blz. 242).

Kader 6.15

Als je een opvatting van iemand anders weer wilt geven en je wilt benadrukken
dat dit de mening is van iemand anders, dan gebruik je de naam van de auteur
meteen in de tekst. Kader 6.16 laat een voorbeeld zien.

Voorbeeld nadruk leggen andere auteur

Volgens Koeleman ligt het accent bij onderzoek 'naar de basisstructuur van communicatie [....] op de combinatie van mid-

delen en overlegvormen als totaalpak-
ket.'[5]
[5] Koeleman, 1999, blz. 179.

Kader 6.16

Soms citeer je iets van internet zonder dat er een auteur bekend is. Als de auteur
wel bekend is vermeld je die erbij (hier naam en jaartal). Anders vermeld je alleen
de volledige internetsite. Je vermeldt de datum waarop je het citaat van internet
gehaald hebt. Deze informatie is immers vluchtig, misschien staat het er over een
jaar niet meer op. In kader 6.17 zie je een voorbeeld.

*http://www.post-bus51.nl/index.
cfm?vID=51026A50-F096-7DC1-C1BD83D85927718C*

Kader 6.17

'De Dienst Publiek en Communicatie eva-lueert alle Postbus 51-campagnes op basis van wekelijks publieksonderzoek. In dit onderzoek wordt de campagnewaarde-ring gemeten en de campagnedoelstellin-

gen geëvalueerd.[6]

[6] http://www.postbus51.nl/index.
cfm?vID=51026A50-F096-7DC1-C1BD83D85927718C, mei 2005.

Ook als je een artikel uit de krant of tijdschrift haalt, is niet altijd een auteur be-kend. Tegenwoordig kun je via Lexis Nexis NewsPortal alle krantenartikelen opvragen. Je weet dan echter niet op welke pagina in de krant het artikel oor-spronkelijk stond. Je vermeldt dan alleen de naam van de auteur en de datum (zie kader 6.18), in de bronnenlijst vermeld je de naam van de krant, de auteur, de titel van het artikel en de datum.

Kader 6.18

'In Nederland is het intermenselijke ver-trouwen heel erg hoog. Dat blijkt uit een onderzoek dat De Nederlandsche Bank heeft laten doen naar 'vertrouwen' in Ne-derland en dat jongstleden dinsdag op

een conferentie in De Rode Hoed werd ge-presenteerd.'[7]

[7] Van Dam, 24-11-2005.

Je kunt soms ook informatie verzamelen met behulp van een mondeling gesprek (face to face of telefonisch). Dit gesprek is geen onderdeel van je strategie; het is geen interview met een respondent. Je kunt naar dit gesprek verwijzen en ver-volgens maak je hiervan een melding in je bronnenlijst. Kader 6.19 laat zien hoe je dit doet.

Kader 6.19

Voorlichter Jansen van welzijnsorgani-satie Weltevreden gaf aan dat internet eerst door een ander bureau was opge-zet. Omdat veel klanten klaagden over de site besloot Weltevreden een ander bureau in de arm te nemen. Sindsdien

waren de klanten volgens voorlichter Jansen beter te spreken over de inter-netsite.[8]

[8] Telefonisch gesprek met dhr. Jansen, 11-07-2005.

6.3.3   Lay-out, opmaak en stijl

Uiteraard heeft zowel de opzet als het onderzoeksrapport een voorblad met daarop onder meer een titel, je naam, de datum, de opdrachtgever enzovoort. Daarnaast heeft elk verslag natuurlijk paginanummers en een inhoudsopgave. De inhoudsopgave komt voor de inleiding. Verder let je op spelling en schrijfstijl. Je schrijft doelgroepgericht: de lezer, vaak de opdrachtgever, moet kunnen begrijpen wat je van plan bent te doen of hebt gedaan. Je vraagt je dus van tevoren af wie deze lezer is. Misschien moet je er rekening mee houden dat het rapport ook naar bijvoorbeeld de medewerkers gaat. Het rapport moet dus aan enkele basiskwaliteitseisen voldoen. Een goed rapport:

– voldoet aan vorm- en stijleisen van het beoogde product
– is in correct en aantrekkelijk Nederlands geschreven
– is voldoende gericht op het uiteindelijke doel
– bevat toelichting en verantwoording van keuzes
– geraadpleegde bronnen zijn betrouwbaar en up-to-date
– bevat literatuurverwijzingen waar nodig en een referentielijst.

Zakelijke stijl

Een onderzoeksrapport verschilt qua stijl van bijvoorbeeld een advies of een plan van aanpak. Een onderzoeksrapport wordt zakelijk geschreven. Je geeft de mening van anderen weer, het doet er niet toe wat je er zelf van vindt. Je eigen mening laat je dus zo veel mogelijk achterwege. In een advies of plan van aanpak echter gaat het juist om jouw mening. In een advies is het van belang aan te geven waarom iets juist wel of niet beter is. Je gebruikt dan de onderzoeksgegevens als onderbouwing voor je advies. De stijl hangt natuurlijk ook af van de lezer voor wie het verslag bestemd is.

Het onderzoeksrapport hoeft niet het enige te zijn dat je schrijft over je bevindingen. Een organisatie kan bijvoorbeeld vragen om een *artikel* over het onderzoek voor bijvoorbeeld de nieuwsbrief. Soms wordt er van je verwacht dat je een artikel schrijft dat geplaatst wordt op intranet. Een artikel kun je vergelijken met een samenvatting. Een artikel moet leesbaar zijn voor iedereen die het verslag niet heeft. Het artikel bevat in elk geval een korte en bondige omschrijving van de aanleiding, de probleemstelling en de aanpak van het onderzoek (voornamelijk wie en kort hoe). Kern van het artikel is een verhaal over de belangrijkste, meest opvallende conclusies. Een artikel kun je illustreren met een paar citaten of een enkele grafiek.

6.4   Presentatie onderzoeksgegevens

In veel bedrijven verwacht men dat je een mondelinge presentatie kunt geven van de onderzoeksresultaten. Vaak wordt dan een korte presentatie (tien minuten) verwacht, waarna het publiek vragen kan stellen. Je kunt bij de presentatie als hulpmiddel bijvoorbeeld het computerprogramma PowerPoint gebruiken. Het gaat hier te ver een presentatiecursus te geven. We beperken ons tot een paar basistips:

Kort en krachtig – Houd de presentatie kort en krachtig. Je wilt mensen overtuigen van het belang van iets, je wilt ze warm laten lopen voor bepaalde veranderingen. Lange verhalen over een moeizaam onderzoeksproces of slecht meewerkende respondenten is niet iets waar het publiek op zit te wachten. Ook uitgebreide verhandelingen over de gekozen strategie werken slaapverwekkend in plaats van enthousiasmerend. Je hoeft geen herhaling van het verslag te geven, dan moeten ze maar gaan lezen. Je pakt er de voor jou (en voor je publiek) belangrijkste zaken uit en brengt die onder de aandacht. De presentatie moet wel als geheel te volgen zijn. Je gaat ervan uit dat er in het publiek ook mensen zitten die het verslag niet gelezen hebben. Je presentatie heeft dus een korte inleiding, een midden en een afsluiting. Je kunt dezelfde onderwerpen gebruiken als genoemd bij het artikel.

Binnenkomer en afsluiting – Een presentatie is voor de meeste mensen in je publiek even iets anders doen dan hun dagelijkse werk. Ze mogen nu luisteren; ze worden 'beziggehouden'. Een leuke binnenkomer, een originele intro, zal de aandacht meteen op scherp zetten (zie kader 6.20). Maak er geen show van, de manier van presenteren moet ook passen bij het onderwerp. Aan de andere kant: een presentatie is wel een vorm van optreden. Geef aan het begin duidelijk aan:
- hoe lang de presentatie duurt
- de structuur van het verhaal
- wanneer er vragen gesteld mogen worden (tijdens of na de presentatie)
- of je aan het eind nog iets uitdeelt (zie hand-out).

Voorbeeld 'binnenkomer'

Kader 6.20

De opdrachtgever is een discotheek. Het onderzoek gaat over de behoefte van jongeren betreffende uitgaan en de manier waarop een discotheek met haar doelgroep kan communiceren. Het projectgroepje bestaat uit vijf mensen: Suzanne, Marjon, Kelly, Esther en Vincent. De presentatie vindt plaats in een van de zalen van de discotheek. In het publiek zitten de eigenaars, iemand van de bierbrouwerij (die veel weet van discotheken in Nederland), een accountant (die vooral de financiële haalbaarheid controleert) en iemand van de Vereniging voor Horecaondernemingen, kortom een publiek met kennis van zaken.

Het projectgroepje begint de presentatie door met elkaar op een rij te gaan staan. Vervolgens doet er steeds één van het groepje een stap naar voren en zegt met heldere stem: *'Uitgaan is voor mij… lekker dansen op zaterdagavond.'* Daarna doet ze een stap achteruit en gaat de volgende naar voren: *'Uitgaan is voor mij…. met vrienden aan de bar zitten.'* Dit herhaalt zich nog drie keer. De laatste zegt vervolgens: *'Uitgaan is voor de doelgroep van deze discotheek…. wij gaan u de komende tien minuten vertellen wat de doelgroep vindt van uitgaan…'* en zo gaat de presentatie verder.

Naast een goede binnenkomer is een mooie afsluiting belangrijk. Veel presentaties eindigen met een dia met een groot vraagteken. Misschien kun je zelf iets origineels bedenken waardoor er meteen discussie kan ontstaan.

PowerPoint – De begeleidende presentatie dient ter *ondersteuning* van je verhaal. Plaats dus niet te veel tekst op een dia, houd het zakelijk en overzichtelijk. Te veel vliegende objecten zullen alleen maar afleiden van het verhaal dat je wilt vertellen. Als het een presentatie voor een bedrijf is, dan kun je hun logo's en huisstijl gebruiken. Maak dan wel gebruik van origineel materiaal, haal geen (soms verouderd) materiaal van andere sites, maar vraag gewoon aan de begeleider van het project of je het materiaal mag gebruiken. Juist bij een presentatie van onderzoeksresultaten kun je gebruikmaken van grafieken en citaten. Laat een paar sprekende grafieken zien of zet een paar mooie citaten van respondenten op een dia. Zorg er wel voor dat de gegevens in de grafiek goed leesbaar zijn voor iedereen. Een grafiek waarbij de percentages bijvoorbeeld niet te lezen zijn, vraagt om speculatie: het publiek gaat raden wat er staat.

Controle – Houd zo veel mogelijk de regie in handen. Bepaal zelf de opstelling; beslis waar jullie willen staan, beslis waar het publiek zit, dus waar je de beamer neerzet. Controleer of iedereen in het publiek alles goed kan zien. Kom op tijd en test alle apparatuur van tevoren uit. Het zal niet de eerste keer zijn dat een stekkertje ontbreekt of iets niet helemaal werkt zoals afgesproken.

Kijken naar het publiek – Spreek tegen het publiek door ze aan te kijken. Veel beginnende sprekers staren naar het scherm waarop de PowerPoint-presentatie wordt weergegeven. Je weet wel wat daar staat, dus kijk er niet naar. Als je naar dat scherm kijkt zul je zeer waarschijnlijk met de rug naar het publiek toe staan. Het is lastig luisteren naar iemands achterhoofd. Als je niet meer weet waar je bent, kun je beter een vluchtige blik op het computerscherm werpen. De computer kun je zo neerzetten dat, als je naar *dit* scherm kijkt, je nog steeds met het gezicht naar het publiek staat. Maak daar niet te veel gebruik van, het publiek heeft het echt wel door als je er veel naar kijkt.

Kies drie personen in het publiek uit met wie je oogcontact maakt

Als je zenuwachtig bent en je hebt een groot publiek, pak er dan drie mensen uit: één persoon geheel links van je, één persoon in het midden en één persoon geheel rechts van je. Door steeds contact te maken met deze drie personen lijkt het alsof je iedereen aanspreekt. Kies wel personen uit die er vriendelijk en welwillend uitzien. Als iemand je steeds heel nors aan zit te kijken, kan dit natuurlijk de zenuwen juist verhogen.

Werken met kaartjes – Niets is saaier dan te luisteren naar een presentatie die letterlijk wordt opgelezen. Het kan een boeiend onderwerp zijn, er zijn maar weinig mensen die de kunst van het voorlezen goed beheersen. Het is handig om een paar kaartjes te maken met enkele steekwoorden per kaartje. In het publiek zitten vaak mensen die ook zelf presentaties hebben gehouden en zij weten als geen ander dat je zenuwachtig bent en soms even de draad kwijt kunt zijn. Niemand vindt het gek als je even op je kaartje 'spiekt' waar je gebleven was.

Stiltes – Wees niet bang om af en toe even een stilte te laten vallen. Je kunt een slokje water nemen, diep ademhalen, rondkijken en daardoor rust uitstralen. Als iemand gelijk gebruikmaakt van die stilte door een vraag te stellen (wat niet zo vaak voorkomt), kun je altijd antwoorden dat je de vraag parkeert en deze aan het eind graag wilt beantwoorden. Sommige sprekers kunnen overal op inspelen en verliezen de draad niet. Deze sprekers gaan wel in op tussentijdse vragen. Het hangt van je eigen stijl, ervaring en zenuwen af wat je prettig vindt.

Testen – Oefen een presentatie. Als je met meer mensen de presentatie doet, kun je ook afspraken maken: als de een aan het woord is, gaat de ander klikken met de muis om de begeleidende PowerPoint-dia's te voorschijn te toveren. Zeker als je dit een paar keer geoefend hebt, wordt het een stuk rustiger voor de kijker. Vaak ben je zelf daardoor ook minder zenuwachtig.

Hand-out – Deel achteraf een hand-out uit van de PowerPoint-presentatie. Je kunt dit beter wel van tevoren zeggen zodat mensen weten dat ze deze zaken niet op hoeven te schrijven. In figuur 6.3 zie je hoe je in het afdrukmenu van PowerPoint aan kunt geven wat voor hand-outs je wilt hebben.

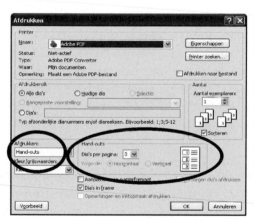

Figuur 6.3   Het printen van hand-outs

Onderzoeksresultaten als input voor beleidsontwikkeling en -aanpassing

7

Wanneer je een onderzoek uitvoert is het van belang dat je duidelijk voor ogen hebt wat het doel van het onderzoek is. In hoofdstuk 2 heb je gezien hoe je een probleemstelling formuleert. Daar werd duidelijk dat je in de doelstelling aangeeft wat je met het onderzoek wilt bereiken. Het doel was bijvoorbeeld om input te krijgen voor het opstellen van een marketingcommunicatieplan, of een (marketing)advies. Maar wat betekent dat precies, input krijgen voor je plan of advies? In dit hoofdstuk gaan we in op deze vraag.

We beginnen met een korte beschrijving van een aantal ontwikkelingen in het vakgebied communicatie. Daarna pakken we de vier voorbeelden uit het eerste hoofdstuk erbij en gaan we concreet in op de vraag: 'Op welke manier dragen onderzoeksresultaten bij aan het ontwikkelen of bijstellen van het beleid?' We sluiten af met een stappenplan, waarin de rol van onderzoek bij de verschillende fasen bij het opstellen van (een advies over) beleid expliciet wordt gemaakt.

Doelstellingen bij dit hoofdstuk:

– weten welke rol onderzoek kan spelen bij het zichtbaar maken van resultaten van beleid

– weten welke rol onderzoek kan spelen bij het leveren van input voor beleid.

Kader 7.1

7.1 Ontwikkelingen in het vakgebied communicatie

De eisen die tegenwoordig gesteld worden aan een communicatiemedewerker zijn behoorlijk toegenomen. Terwijl het accent eerder vooral lag op het leuk en aantrekkelijk kunnen schrijven, is het nu vooral van belang dat je oog hebt voor ontwikkelingen in de organisatie en de maatschappij. Er wordt van je verwacht dat je een brede interesse hebt en van alle markten thuis bent. Een voorbeeld van de eisen die gesteld kunnen worden aan een communicatiemedewerker vind je hieronder.

Voorbeeld advertentie junior communicatieadviseur bij de overheid.

Functieomschrijving communicatieadviseur:

Binnen de unit Communicatie werkt u aan het op een hoger plan brengen van de gemeentelijke communicatie. Met frisse ideeën en impulsen zet u – samen met de collega's – Welzijnshuizen beter op de kaart. U adviseert voor zowel de 'reguliere' gemeentelijke taken als voor de grote projecten.

De werkzaamheden bestaan uit beleidsadvisering over communicatievraagstukken en het duidelijker en actiever profileren van de gemeente in de samenleving. Verder vervult u het consulentschap voor een deel van de organisatie. Vanuit deze rol adviseert en ondersteunt u gevraagd en ongevraagd het gemeentebestuur, management en medewerkers.

Functie-eisen:

U beschikt over een academische of hbo+-opleiding Communicatie. Vanuit uw ruime ervaring bent u in staat om een professionele bijdrage te leveren aan communicatievraagstukken. Verder werkt u resultaatgericht en hebt u gevoel voor bestuurlijke en politieke verhoudingen en ambtelijke processen. U kunt anderen enthousiasmeren voor nieuwe ontwikkelingen. Met uw open, stimulerende, proactieve en toegankelijke houding bent u in staat om een goede relatie op te bouwen met externe partners en overige spelers op het communicatieveld. U hebt veel ervaring met public relations, relatienetwerken opbouwen en het opzetten van bedrijfsmatige activiteiten.

Werk-/denkniveau: HBO+

Kader 7.2

Dat de eisen aan communicatiefuncties zijn toegenomen, heeft te maken met het feit dat de positie van de afdeling Communicatie in de organisatie langzaam aan het veranderen is. Terwijl de afdeling Communicatie vroeger vaak pas betrokken werd op het moment dat de beslissingen al door de directie en/of het management waren genomen, zie je nu steeds vaker dat de afdeling Communicatie betrokken wordt bij de besluitvorming. Communicatie wordt dan ook steeds meer als een managementinstrument gezien dat een bijdrage levert aan het behalen van organisatiedoelen.

Deze ontwikkeling zie je het sterkste bij de overheid. Jaren geleden werd communicatie bij de overheid vooral gezien als een instrument om te communiceren *over* beleid. Tegenwoordig wordt communicatie beschouwd als beleidsinstrument en wordt er zelfs gesproken over communicatie *voor* beleid. Hier bedoelen we mee dat communicatie niet alleen een gevolg is van beleid, maar dat beleid ook een gevolg is van communicatie.[66]

De opkomst van het vak komt ook tot uitdrukking in de toename in kwantitatieve zin: tegenwoordig hebben negen van de tien organisaties in Nederland met meer dan vijftig personeelsleden één of meer medewerkers die communicatietaken uitvoeren. Deze medewerkers houden zich dan primair bezig met taken op het gebied van communicatiemanagement en -advies. Daarnaast zijn er nog ongeveer 11.500 adviesbureaus op dit terrein.[67]

Een ontwikkeling die je tegenwoordig ziet, is dat er steeds meer meetinstrumenten ontwikkeld worden om (effecten van) communicatie te meten. Lange tijd werd beweerd dat het communicatievak niet meetbaar is. Oneerbiedig gezegd zou je kunnen stellen dat communicatie vooral vanuit een onderbuikgevoel werd gedaan. Hierdoor werd het communicatievak soms als mysterieus, abstract en zweverig beschouwd. Vanuit het bedrijfsleven is echter een duidelijk signaal gekomen dat dit niet langer acceptabel is. Bestuurders willen een manier van werken zien die voor hen de zaken doorzichtig maakt. Er is een duidelijke tendens naar *accountability*, het afrekenen op resultaten. Het meetbaar maken van resultaten zorgt ervoor dat je meetelt. Ook in het communicatievak is deze tendens zichtbaar geworden.

accountability

Iemand die zich al jaren hard maakt voor het helder en meetbaar maken van het communicatievak is Van Riel. Hij verricht veel wetenschappelijk onderzoek om tot objectieve meetinstrumenten te komen. Zo hebben hij en Fombrun in samenwerking met Harris Interactive de RQ (Reputatie Quotiënt) ontwikkeld.[68] De RQ drukt een totaalscore uit van de reputatie van een organisatie. Jaarlijks worden er in verschillende landen metingen verricht naar de reputaties van de meest zichtbare bedrijven in de betreffende landen. Deze scores worden verwerkt in een ranglijst. Hierdoor kunnen bedrijven zien hoe ze scoren ten opzichte van andere organisaties. Ook kunnen ze hun score vergelijken met de score van de jaren ervoor. Van Riel en Fombrun (2004) hebben ook aangetoond dat een sterke reputatie nauw samenhangt met de winst, liquiditeit en groei van een onderneming. Hiermee willen ze aantonen dat een goede reputatie bijdraagt aan het behalen van de organisatiedoelstellingen.
Ook heeft Van Riel onlangs een nieuwe meetmethode ontwikkeld voor de interne communicatiemanager, de Employee Communication Quotient (EcQ)[69]. Deze EcQ meet de bijdrage van de verschillende inspanningen op het gebied van interne communicatie aan de ondernemingsdoelstellingen.

Het zijn niet alleen wetenschappers die zich bezighouden met het ontwikkelen van dergelijke meetinstrumenten, ook in het bedrijfsleven is hier aandacht voor. Een voorbeeld: de communicatiedeskundige van de Rabobank heeft duidelijk voor ogen hoe consumenten en medewerkers het merk Rabobank dienen te ervaren. Er is speciaal beleid ontwikkeld op dit gebied. De vraag is alleen, ervaren consumenten en medewerkers het merk ook op deze manier? Met andere woorden: is het beleid op dit gebied effectief geweest? Om dit te kunnen achterhalen heeft de Rabobank een 'merkkompas' ontwikkeld. Dit kompas maakt inzichtelijk hoe consumenten en medewerkers het merk Rabobank ervaren.[70]

Het doel van bovenstaande onderzoeken is vooral om achteraf verantwoording af te leggen voor communicatie-inspanningen die al gepleegd zijn. Een bedrijf dat bijvoorbeeld een dure campagne ontwikkelt om de reputatie te verbeteren, wil de resultaten van deze campagne zien. Je zou bijvoorbeeld voor en na de campagne de RQ-score kunnen meten.

Bij dit soort onderzoeken blijft het altijd lastig om aan te tonen wat de exacte bijdrage van de communicatie-inspanningen aan een hogere score is. Communicatie vindt namelijk niet plaats in een isolement. Er zijn ook ontwikkelingen gaande in de organisatie, bij stakeholders en in de maatschappij die invloed kunnen hebben op de RQ-score. Het is dan ook van belang om dergelijke ontwikkelingen mee in te nemen in je probleemanalyse (zie ook hoofdstuk 1).

De conclusie die we kunnen trekken op grond van het bovenstaande is dat onderzoek een belangrijke bijdrage kan leveren aan het professionaliseren van het communicatievak omdat onderzoek de manier is om het vak helder en meetbaar te maken. Vanuit verschillende hoeken wordt dit ook erkend en er wordt dan ook hard gewerkt aan het ontwikkelen van methoden die de resultaten van de communicatie-inspanningen meten. Zowel in het bedrijfsleven als in de wetenschap is hier aandacht voor. Voor communicatiedeskundigen is dit een gunstige ontwikkeling. Op deze manier kunnen ze namelijk hard maken dat communicatie-inspanningen wel degelijk resultaten opleveren en een belangrijke bijdrage leveren aan het behalen van de organisatiedoelstellingen.

7.2   Onderzoek ten behoeve van beleid

In de vorige paragraaf hebben we geconcludeerd dat onderzoek een belangrijke rol speelt in het communicatievak. We hebben het dan vooral over de rol die onderzoek speelt in de fasen van de beleidscyclus. Deze beleidscyclus bestaat uit de volgende vier fasen:

- fase één: ontwikkelen van beleid
- fase twee: vormgeving van beleid
- fase drie: uitvoeren van beleid
- fase vier: evalueren van beleid.

Onderzoek kan in al deze fasen een rol spelen. Zo kan onderzoek input leveren voor het ontwikkelen van operationele activiteiten, zoals het opstellen van een advertentie (fase drie). In dit hoofdstuk gaan we echter alleen in op de rol van onderzoek bij fase één en vier aangezien deze vormen van onderzoek het meest zichtbaar zijn in de praktijk.

Voor fase één geldt dat onderzoek wordt verricht op een deelgebied van de communicatie met als doel om op basis van de onderzochte feiten communicatiebeleid te ontwikkelen (beleidsvormend onderzoek). Bij fase vier wordt er onderzoek gedaan nadat er bepaalde communicatieactiviteiten hebben plaatsgevonden. Onderzoek wordt dan ingezet als instrument om verantwoording van het gevoerde beleid af te leggen. Dit duiden we aan met beleidsevaluerend onderzoek. In paragraaf 7.2.1 gaan we in op het beleidsvormend onderzoek en in paragraaf 7.2.2 gaan we in het beleidsevaluerend onderzoek.

7.2.1   Beleidsvormend onderzoek

Wanneer je communicatiebeleid opstelt of hierover adviseert, is het raadzaam om onderzoek te verrichten. Hierdoor ben je namelijk beter in staat inschattingen te maken van de effecten van de geplande communicatieactiviteiten. Op deze manier kun je deels voorkomen dat je achteraf voor onaangename verrassingen komt te staan. Uiteraard is het verrichten van onderzoek niet afdoende om effectief en efficiënt beleid te ontwikkelen. Als communicatiedeskundige dien je ook inzicht te hebben in de communicatietheorie en dien je deze inzichten te kunnen gebruiken op het juiste moment. Daarnaast moet je het beleid afstemmen op de organisatie. Een goed inzicht in de organisatie en de omgeving van de organisatie is zeker zo belangrijk.

We pakken de voorbeelden die centraal staan in dit boek op om de vertaalslag van onderzoek naar beleid concreet te kunnen maken. We beginnen met het eerste voorbeeld, de interne communicatie bij basisschool Roosje (zie kader 7.3).

Basisschool Roosje: interne communicatie en ICT.

Bij basisschool Roosje is duidelijk dat er actie moet worden ondernomen, onder meer op het gebied van communicatie. Er wordt niet goed gebruikgemaakt van de ICT-mogelijkheden. De medewerkers maken niet of slecht gebruik van de digitale communicatiemiddelen.

Stel dat uit onderzoek blijkt dat tachtig procent van de medewerkers ontevreden is over de informatie die ze krijgen. De medewerkers geven aan dat ze de documenten die op het intranet staan niet snel genoeg vinden. Bovendien vinden ze het vervelend dat ze zelf moeten zoeken. Ook geeft 65 procent aan dat ze niet voldoende kennis hebben om met deze manier van informatievoorziening om te gaan. Een citaat hierbij is: 'We zijn gewoon in het diepe gegooid. We werden ineens geacht onze informatie zelf te zoeken, in plaats van dat we die kregen aangereikt. Ik weet echter niet waar ik het moet zoeken. Ik snap ook niet waarom we de informatie niet gewoon krijgen zoals vroeger, dat is toch veel makkelijker?'
Tot slot geeft veertig procent van de medewerkers aan niet of nauwelijks gebruik te maken van het intranet.

Als communicatiedeskundige trek je de conclusie dat een deel van het probleem zit in het gebrek aan kennis van de medewerkers. Blijkbaar weten veel medewerkers niet hoe het intranet precies is opgebouwd en waar de informatie te vinden is. Ook concludeer je dat de hou-

ding van de medewerkers erg negatief is. Veel medewerkers staan niet positief tegenover de omslag van de breng- naar de haalcultuur. Tot slot constateer je dat door het gebrek aan kennis en de negatieve houding te weinig medewerkers gebruikmaken van het intranet (gedrag). Om dit gedrag te kunnen veranderen moet je er dus eerst voor zorgen dat de kennis en de houding van de medewerkers verandert. Je schrijft een plan waarin je deze bevinden uiteenzet in de situatie- en probleemanalyse en je formuleert doelstellingen die erop gericht zijn de problemen op te lossen. Voorbeelden van doelstellingen op dit gebied zijn:
–   Binnen één maand weet negentig procent van de medewerkers hoe het intranet is opgebouwd en waar ze de verschillende soorten informatie kunnen vinden.
–   Binnen drie maanden vindt tachtig procent van de medewerkers intranet een overzichtelijk en handig communicatiemiddel.
–   Binnen zes maanden maakt zeventig procent van de medewerkers minimaal één keer per week gebruik van het intranet.

Vervolgens bedenk je als communicatiedeskundige een strategie die gericht is op het behalen van deze doelstellingen. Ook kom je tot concrete acties. Je kunt voor het bepalen van de strategie gebruikmaken van communicatietheorieën op dit gebied. De vraag die je Je-

Vervolg

zelf bijvoorbeeld kunt stellen is: 'Wat zegt de literatuur over het ombuigen van een breng- naar een haalcultuur?' Op grond van de onderzoeksresultaten, de theoretische inzichten en je inzicht in de organisatie kun je tot een goed doordacht en onderbouwd plan komen.

Als communicatiedeskundige is het van belang dat je in staat bent de onderzoeksresultaten te interpreteren zodat je een goede situatie- en probleemanalyse kunt maken. Voor het onderzoek kon je dit niet doen. Je kon alleen maar speculeren. Wellicht had je wel een vermoeden waar het probleem zat, maar je kon het niet hard maken. Nu je de onderzoeksresultaten tot je beschikking hebt, kun je de noodzaak voor het inzetten van communicatieactiviteiten die erop gericht zijn de kennis, houding en gedrag van de medewerkers om te buigen, duidelijk maken.

In het bovenstaande voorbeeld was er geen beleid ontwikkeld dat gericht was op de omslag van de breng- naar de haalcultuur en de invoering van ICT-middelen. De directie heeft dit proces onderschat en voorzag vooraf geen problemen: de medewerkers waren immers ook in staat om informatie op het internet te zoeken, waarom zouden ze dan geen informatie kunnen vinden via het intranet? Achteraf bleek dat het niet zo simpel was. Uit het onderzoek kwam naar voren dat er toch wel problemen waren. Daarom wordt er nu wel beleid ontwikkeld.

Onderzoek is niet alleen nuttig om nieuw beleid te ontwikkelen, het is ook nuttig om bestaand beleid bij te stellen. Dit is het geval bij de dameskledingzaak For You (zie kader 7.4).
Uit het voorbeeld van de dameskledingzaak blijkt dat er wel communicatiebeleid is ontwikkeld, maar dat dit al enige tijd geleden is opgesteld. De organisatie heeft ervoor gekozen de doelgroep rechtstreeks te benaderen. Daarom is er gekozen voor een accent op het instrument direct marketing ten koste van het instrument reclame. Door een aantal ontwikkelingen denkt de organisatie dat het wellicht verstandig is het bestaande beleid bij te stellen. Ze weet echter niet precies hoe ze dit moet doen. Er moet eerst een aantal zaken worden uitgezocht voordat het communicatiebeleid aangepast kan worden. In dit voorbeeld levert het onderzoek input voor het aanpassen van het beleid.

Dameskledingzaak For You: marketingcommunicatie.

De dameszaak heeft ervoor gekozen zich naast de klassieke kleding ook te richten op de jonge merken. Zij wil hiermee de jongere doelgroep beter bereiken. Onderzoek moet uitwijzen in hoeverre ze het jonge publiek bereikt en in hoeverre de klassieke doelgroep zich nog aangesproken voelt door deze formule.

Stel dat de resultaten van het onderzoek als volgt zijn:
65 procent van de jongeren en negentig procent van de ouderen kent de kledingzaak. Tien procent van de jongeren geeft aan het afgelopen jaar een bezoek te hebben gebracht aan deze winkel. Bij de ouderen ligt dit percentage op 75 procent. Verder blijkt dat tachtig procent van de jongeren niet precies weet wat de winkelformule van deze zaak is. Bij de ouderen ligt dit percentage lager, daar geeft twintig procent aan dat ze niet weten wat de winkelformule is. Zeventig procent van de jongeren geeft aan dat ze denken dat de winkel geen hippe kleding verkoopt en dat het meer een zaak voor ouderen is. Ouderen geven massaal aan (85 procent) dat de winkel leuke vlotte kleding verkoopt. Ook blijkt dat drie procent van de jongeren wel eens een mailing van de kledingzaak heeft bekeken. Bij de ouderen ligt dit hoger, twintig procent geeft aan wel eens een mailing te hebben bekeken.

Als communicatiedeskundige kun je op grond van de bovenstaande uitkomsten de volgende conclusies trekken:
de ouderen zijn beter bekend met de winkel en de winkelformule dan de jongeren. Het imago onder jongeren is slecht. Indien de winkel de jongere doelgroep wil aantrekken zal ze flink moeten investeren in deze groep. De vraag is alleen of het wel een verstandige keuze is van de winkel om zich te richten op alle doelgroepen. Het gevaar is namelijk dat je boodschap dan te algemeen wordt en dat niemand zich meer aangesproken voelt. Als communicatiedeskundige zul je over de positionering in discussie moeten gaan met de marketingafdeling.

Stel dat uit deze discussie komt dat de kledingzaak toch blijft vasthouden aan het idee dat ze ook de jongeren wil aantrekken, dan zul je als communicatiedeskundige een campagne moeten bedenken waarmee je de jongeren aanspreekt, zonder dat je de ouderen afstoot. Je kunt weer doelstellingen formuleren in termen van kennis, houding en gedrag. Voorbeelden van doelstellingen hierbij zijn:
- Na drie maanden kent 75 procent van de jongeren de kledingzaak For You en weet vijftig procent wat de winkelformule van de kledingzaak inhoudt.
- Na zes maanden vindt veertig procent van de jongeren de kledingzaak For You een aantrekkelijke winkel

Kader 7.4

Vervolg

met een modieus aanbod voor alle leeftijdsgroepen.

– Na negen maanden heeft dertig procent van de jongeren een bezoek gebracht aan de kledingzaak For You.

Belangrijk bij het bepalen van de percentages is dat je rekening houdt met de situatie zoals die nu is. Uit het onderzoek blijkt bijvoorbeeld dat 65 procent van de jongeren de winkel al kent. Je doelstelling in het plan moet dus hoger liggen dan deze 65 procent, anders boek je geen vooruitgang als organisatie. Verder dien je een strategie te bedenken die gericht is op het behalen van deze doelstellingen. Ook kom je weer tot concrete acties. Je kunt voor het bepalen van de strategie gebruikmaken van communicatietheorieën en relevante informatie op dit gebied. De vraag die

je jezelf bijvoorbeeld kunt stellen is: 'Wat is het mediagedrag van jongeren?' Dit moet je weten omdat je anders niet weet hoe je deze doelgroep moet bereiken. Wanneer je je verdiept in inzichten die er zijn op dit gebied, dan kom je al gauw tot de conclusie dat het verzenden van mailings niet de manier is om jongeren te bereiken. Mailings worden over het algemeen vrij slecht gelezen en vooral jongeren bekijken mailings nauwelijks. Dit wordt ook ondersteund door de uitkomsten van je onderzoek. Uit het onderzoek bleek namelijk dat slechts drie procent wel eens een mailing heeft bekeken. Als communicatiedeskundige zou je op grond van deze inzichten tot de conclusie moeten komen dat de winkel beter niet kan investeren in mailings om jongeren te bereiken.

Als communicatiedeskundige begin je, net als in het vorige voorbeeld, met een probleem- en situatieanalyse. Het probleem in dit geval is dat de jongeren erg slecht bereikt worden en dat ze niet goed weten wat de winkelformule is en dat ze een verkeerd beeld hebben van winkel. De kernvraag hierbij is: 'Hoe kan ik de jongeren beter bereiken?' Vervolgens ga je nadenken over de doelen die je wilt bereiken. Indien je SMART (Specifiek, Meetbaar, Acceptabel, Realistisch, Toetsbaar) wilt formuleren is het van belang percentages te kiezen die aansluiten bij de uitkomsten van het onderzoek. Daarna ga je nadenken over de strategie en de tactiek. Ook in deze fase kijk je naar de uitkomsten van je onderzoek. Deze uitkomsten probeer je dan te koppelen aan de theoretische inzichten die betrekking hebben op het probleem. Op deze manier kun je uitspraken onderbouwen met onderzoeksresultaten en met theoretische inzichten. Hiermee verhoog je de kans op draagvlak voor je plan enorm!

Uit de bovenstaande voorbeelden blijkt dat er onderzoek nodig was om het probleem inzichtelijk te krijgen. Het onderzoeksrapport biedt dan input voor het ontwikkelen van beleid. Dit geldt ook voor het voorbeeld op het terrein van de corporate communicatie (zie kader 7.5).

Thuiszorginstelling Weltevreden: corporate communicatie.

De thuiszorgorganisatie Weltevreden in Welzijnshuizen wil haar reputatie verbeteren. Om goed beleid te kunnen ontwikkelen voor het managen van de reputatie is het van belang dat de organisatie eerst een onderzoek uitvoert naar de reputatie onder de stakeholders. De organisatie moet immers eerst weten op welke onderdelen de organisatie goed en slecht scoort.

Als communicatiedeskundige kun je voor het opzetten van dit onderzoek gebruikmaken van theorieën over reputatiemanagement. Je kunt dan bijvoorbeeld in je onderzoek ingaan op de verschillende onderdelen van een reputatie, zoals 'visie en leiderschap', 'producten en diensten' en 'maatschappelijk verantwoord ondernemen' (zie Fombrun en Van Riel 2004).

Stel dat uit het onderzoek blijkt dat de organisatie een zeer matige reputatie heeft. Dit komt vooral omdat ze slecht scoort op de onderdelen 'visie en leiderschap' en op 'maatschappelijk verantwoord ondernemen' (bijvoorbeeld een score van 3). De stakeholders hebben geen idee wat het beleid van de organisatie is en waar ze naartoe wil. Ook weten ze niet wat de organisatie doet op het gebied van maatschappelijk verant-

woord ondernemen. Ze denken dat dit niet veel is.

De score op producten en diensten is wel hoog. De stakeholders weten over het algemeen vrij goed wat de organisatie te bieden heeft aan diensten en zijn ook tevreden over deze diensten.

Als corporate communicatiedeskundige kun je dan de conclusie trekken dat de marketingcommunicatie in orde is, de organisatie scoort immers goed op de diensten. Op het gebied van visie en leiderschap en maatschappelijk verantwoord ondernemen valt nog veel winst te behalen. Als je een advies schrijft dat gericht is op het managen van de reputatie van de organisatie, kan het doel zijn: het verbeteren van de reputatie op het onderdeel maatschappelijk verantwoord ondernemen. De score van de organisatie op dit onderdeel moet van een 3 naar een 6 worden gebracht. Je strategie om dit doel te bereiken zal dan vooral gericht zijn op het verbeteren van de communicatie rondom het beleid van de organisatie. De afdeling Organisatiecommunicatie kan dit dan uitwerken tot een concreet plan.
Verder kun je als communicatiedeskundige adviseren een *corporate story* te ontwikkelen zodat de organisatie een

Kader 7.5

Vervolg	
duidelijk gezicht krijgt. Het verhaal van de organisatie is dan leidend voor de verschillende communicatie-uitingen van de organisatie. Zowel de afdeling	Marketingcommunicatie als de afdeling Organisatiecommunicatie dienen rekening te houden met de uitgangspunten van dit verhaal.

Ook in dit voorbeeld komt duidelijk naar voren dat onderzoek nodig was om input te krijgen voor verder te ondernemen acties. De afdeling Communicatie kon onmogelijk een effectief beleid opstellen om de gesignaleerde problemen op te lossen, aangezien niet duidelijk was waar precies het probleem zat. Het onderzoek heeft dit duidelijk gemaakt. De corporate communicatiedeskundige heeft nu duidelijke aanknopingspunten om een strategie te bepalen die gericht is op het verbeteren van de reputatie van de organisatie.

7.2.2   Beleidsevaluerend onderzoek

Bij beleidsevaluerend onderzoek wordt er achteraf kritisch gekeken naar het gevoerde beleid. Vragen als 'in hoeverre zijn de doelstellingen gehaald' en 'in hoeverre heeft het beleid ervoor gezorgd dat de huidige situatie is omgebogen naar de gewenste situatie', zijn hierbij leidend. Door achteraf onderzoek te doen naar het gevoerde beleid, kan de communicatiedeskundige worden afgerekend op zijn handelen.

Wanneer we kijken naar het voorbeeld van Postbus 51, dan zien we dat het probleem betreffende de identificatieplicht een voorbeeld is van een onderzoek dat uitgevoerd wordt om achteraf verantwoording te kunnen afleggen (zie kader 7.6).

Postbus 51, identificatieplicht: concerncommunicatie	
In dit voorbeeld is duidelijk sprake van beleidsevaluerend onderzoek. De centrale vraag was namelijk wat het effect van de campagne is geweest. Ook de uitspraak van de minister: 'We kunnen wel jaar in jaar uit geld pompen in voorlichtingscampagnes, maar als het effect	nihil is, dan kunnen we misschien beter stoppen', is een duidelijke indicatie dat het onderzoek bedoeld is om achteraf verantwoording te kunnen afleggen van de gepleegde communicatie-inspanningen.

Kader 7.6

Mocht blijken dat er naar aanleiding van de campagne niets is verbeterd, dan kan dit gevolgen hebben voor het communicatiebudget. De minister kan dan bijvoorbeeld besluiten minder of zelfs helemaal geen geld meer uit te trekken voor dergelijke campagnes. Als communicatiedeskundige word je op deze manier dus achteraf afgerekend op de behaalde resultaten.

Het doel van onderzoeken zoals het onderzoek beschreven in kader 7.5, is dus vooral om achteraf verantwoording af te kunnen leggen van communicatie-inspanningen die al gepleegd zijn. Een organisatie die bijvoorbeeld een dure campagne ontwikkelt die erop gericht is om de kennis, houding en gedrag van mensen te veranderen, wil resultaten van deze campagne zien.

Nog even terug naar het voorbeeld. Postbus 51 formuleerde in 2004 de primaire doelstellingen gericht op kennis (vijftig procent) en houding (37 procent) en minder op gedrag (12 procent).[71]
Met betrekking tot de campagne identificatieplicht zou de doelstelling over kennis als volgt geformuleerd kunnen zijn:
– Na zes maanden is vijftig procent van de Nederlanders op de hoogte van de nieuwe wet op de identificatieplicht.

Om te achterhalen of deze doelstellingen gehaald zijn, is er vooraf en achteraf een onderzoek onder het Nederlandse publiek gehouden. Er werden vragen aan het Nederlandse publiek voorgelegd over de kennis, houding en gedrag van de Nederlanders op dit gebied. In figuur 7.1 is weergegeven wat de kennis van de Nederlanders was *voor* de campagne (± 76 procent). *Na* de campagne bleek de kennis ± 93 procent te zijn.

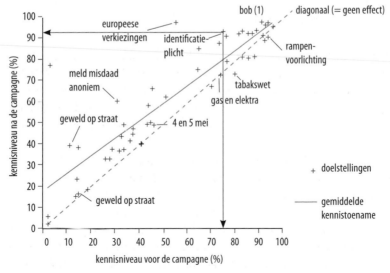

Figuur 7.1 Het kennisniveau voorafgaand aan de campagne vergeleken met het kennisniveau na afloop van de campagne (%)

Opvallend is in dit geval dat de streefpercentages (vijftig procent) al vooraf gehaald zijn, immers 76 procent was vooraf al op de hoogte van de wet. De kennis is met 13 procent toegenomen. De vraag is alleen hoe je aantoont wat de exacte bijdrage van de communicatie-inspanningen is geweest. Communicatie vindt namelijk niet plaats in een isolement, er zijn ook ontwikkelingen gaande in de organisatie, bij stakeholders en in de maatschappij die invloed kunnen hebben op het effect van de campagne. Als communicatiedeskundige dien je dan ook een uitgebreide analyse te maken waarin je dit soort zaken meeneemt. Je moet zien te achterhalen waarom een campagne wel of niet geslaagd is zodat je de volgende keer niet meer dezelfde fouten maakt.

Uit de aanleiding van het onderzoek zal blijken of een onderzoek wordt gehouden om achteraf verantwoording af te leggen of om vooraf input te krijgen voor het ontwikkelen van communicatiebeleid. Deze twee vormen van onderzoek kun je ook in elkaars verlengde plaatsen. Onderzoek dat wordt gehouden om verantwoording af te leggen voor de resultaten, kan tevens weer input geven voor het bijstellen en ontwikkelen van communicatiebeleid. Toch is er wel een verschil. Wanneer je onderzoek puur als doel heeft om verantwoording af te leggen voor het beleid, dan toets je alleen of de resultaten behaald zijn. Wanneer je onderzoek verricht met het doel om input te krijgen voor beleidsontwikkeling, kijk je met andere ogen naar het onderzoek. Je hebt dan ook hele andere onderzoeksvragen. Deze onderzoeksvragen kunnen dus wel voortkomen uit het beleidsevaluerende onderzoek.

7.3   Van onderzoek naar beleid

In paragraaf 7.2 zijn we ingegaan op de input die onderzoek kan leveren aan (het adviseren over) het opstellen of bijstellen van beleid. We hebben hier verschillende voorbeelden gegeven. Uit deze voorbeelden blijkt dat je als communicatiedeskundige verschillende stappen doorloopt om de stap van onderzoek naar (advies over) beleid te maken. In deze paragraaf van dit hoofdstuk zetten we deze stappen nog eens op een rij.
Er zijn veel boeken geschreven over de opbouw van een nota of een plan. Het is niet onze bedoeling een herhaling te geven van wat er in dergelijke boeken wordt gezegd, we gaan dan ook niet uitvoerig in op bijvoorbeeld alle stappen van een communicatieplan. Hiervoor verwijzen we naar de boeken die hier speciaal op gericht zijn.[72] Wat we wel doen is een overzicht geven van de stappen die je over het algemeen altijd neemt als je een onderzoeksrapport als input wilt gebruiken voor het opstellen van (een advies over) communicatiebeleid. We kijken dus

specifiek naar de bijdrage die het onderzoeksrapport kan leveren bij het schrijven van een adviesnota of een beleidsplan.

Stap 1: het interpreteren en plaatsen van de onderzoeksresultaten – Het onderzoek zul je niet altijd zelf uitvoeren, dit kan ook worden uitbesteed (zie hoofdstuk 8). Wel moet je altijd zelf de onderzoeksresultaten kunnen interpreteren. Vaak wordt in onderzoeksrapporten alleen maar een feitelijke weergave gegeven van de uitkomsten. Er is dan een beschrijving van de onderzoeksresultaten. Als communicatiedeskundige dien je je steeds af te vragen wat deze resultaten betekenen en wat je ermee kunt. In deze fase is het handig om de onderzoeksresultaten te relateren aan theoretische inzichten. Je kijkt dan in hoeverre de uitkomsten te verklaren zijn aan de hand van de inzichten die er op dit gebied al zijn. Mocht je tot de conclusie komen dat de uitkomsten wel heel erg verrassend zijn en dat ze in tegenspraak zijn met de inzichten die er tot nu toe waren, dan dien je je af te vragen waar dit aan ligt. Soms leidt dit ertoe dat je vervolgonderzoek uitvoert. Het interpreteren en het plaatsen van de onderzoeksresultaten is van belang voor stap 2, het opstellen van de situatie- en probleemanalyse voor je beleidsplan of advies.

Onderzoeksresultaten gebruiken in een advies

Stap 2: opstellen van een situatie- en probleemanalyse – Net als bij het onderzoek begin je bij het opstellen van het beleidsplan of advies met een situatie- en probleemanalyse. Tussen de probleemanalyse van het onderzoek en de probleemanalyse van het beleid zit echter een wezenlijk verschil. In de probleemanalyse van het onderzoek komt namelijk naar voren dat je niet weet hoe bepaalde zaken in elkaar steken. Het probleem is in feite dat je geen inzicht hebt in bepaalde aspecten en dat je een aantal vragen hebt dat je wilt kunnen beantwoorden. Het doel in het onderzoek is vervolgens dat je antwoord krijgt op deze vragen. Wanneer je beleid ontwikkelt heb je intussen door het onderzoek antwoord gekregen op een aantal vragen. Je hoeft je dus niet meer af te vragen wat bijvoorbeeld de reputatie van de organisatie is, hier heeft het onderzoek antwoord op gegeven. De onderzoeksresultaten laten zien op welke onderdelen de organisatie goed en slecht scoort, zodat duidelijk is wat de verbeterpunten zijn. Dit zet je dan centraal in de situatie- en probleemanalyse van je (advies over) beleidsplan.

In de situatie- en probleemanalyse kun je ook de theoretische inzichten waar in stap 1 over werd gesproken meenemen om het probleem duidelijk te maken en te kunnen plaatsen.

Stap 3: het formuleren van een doel of doelstellingen – Nadat duidelijk is wat het probleem is, kun je overgaan tot het formuleren van een doel of doelstellingen. Indien je de doelstellingen SMART wilt formuleren, is het van belang dat je de percentages mede baseert op de uitkomsten van het onderzoek. Als bijvoorbeeld uit je onderzoek blijkt dat 75 procent van de doelgroep de organisatie kent, dan dient je doelstelling in je plan hoger te liggen dan 75 procent, anders zou er een verslechtering van de situatie optreden. Ook in deze fase betrek je dus weer de onderzoeksresultaten. Verder is het ook in deze fase nuttig om theoretische inzichten erop na te slaan. Vaak kun je in de literatuur ook aanwijzingen vinden over wat reële percentages zijn.

Stap 4: bepalen van de strategie en/of de tactiek – In het onderzoeksrapport kun je vaak aanwijzingen vinden voor het bepalen van de strategie en/of de tactiek. Wanneer bijvoorbeeld uit het onderzoek blijkt dat jongeren niet of nauwelijks mailings lezen, dan betekent dit dat je andere middelen moet bedenken om deze doelgroep te bereiken. Ook de theorie kan je handvatten bieden voor het ontwikkelen van de strategie en/of de tactiek. Hierdoor kun je tot een beter doordacht en onderbouwd plan komen. Omdat het plan wel gericht moet zijn op het bieden van praktische oplossingen, is het van belang dat je maatwerk levert en er geen algemeen theoretisch verhaal van maakt. Dit betekent dat je altijd rekening moet blijven houden met de organisatie waarvoor je werkt en de omgeving waarin de organisatie zich bevindt. Je moet dus een vertaalslag kunnen maken van de onderzoeksresultaten en de theorie naar de situatie waarin de organisatie verkeert.

Stap 5: afronden met conclusies – Veel plannen en adviezen worden afgerond met conclusies. In de conclusies geef je alleen de belangrijkste zaken weer. Je bespreekt dus niet meer heel uitvoerig de onderzoeksresultaten. In een conclusie mogen geen nieuwe onderzoeksgegevens worden vermeld en er mogen ook geen nieuwe theoretische inzichten worden opgenomen.

Uit het bovenstaande blijkt dat de onderzoeksresultaten in de verschillende fases op verschillende manieren input kunnen bieden. Ook is het van belang dat je bij de verschillende stappen de theoretische inzichten gebruikt. Hierdoor kun je (het advies over) het beleidsplan goed onderbouwen. Op deze manier is de kans ook kleiner dat je voor onaangename verassingen komt te staan. Tot slot vergroot je door deze manier van werken ook de kans op draagvlak voor je plan.

8   Een complex onderzoek intern of extern kunnen uitbesteden en begeleiden

Onderzoek wordt in de alledaagse praktijk van de afgestudeerde bachelor of communications vaak uitbesteed. Je voert het onderzoek dan niet zelf uit, maar je bent opdrachtgever. Je kunt onderzoek extern uitbesteden; je laat het onderzoek bijvoorbeeld uitvoeren door een communicatiebureau of studenten. Je kunt het ook intern uitbesteden; je laat het onderzoek dan uitvoeren door medewerkers. Zowel intern als extern zul je het onderzoeksproces begeleiden, intern waarschijnlijk intensiever dan extern. In dit hoofdstuk gaan we in op de relatie tussen opdrachtgever en opdrachtnemer.

Eerst bespreken we de afspraken die gemaakt kunnen worden tussen opdrachtgever en opdrachtnemer. Opdrachtgever en opdrachtnemer kunnen een contract afsluiten waarin deze afspraken worden vastgelegd. We besteden kort aandacht aan het begeleidingsproces. Tot slot komen de criteria aan de orde waarop je als opdrachtgever een onderzoeksrapport kunt beoordelen.

Doelstellingen bij dit hoofdstuk:	
– afspraken kunnen maken tussen opdrachtgever en opdrachtnemer met betrekking tot het doen van onderzoek – weten welke aspecten bij het bege-	leiden van onderzoek aan de orde zijn – weten op welke aspecten een (extern) onderzoek kan worden beoordeeld.

Kader 8.1

8.1   Afspraken maken met opdrachtgevers en opdrachtnemers

Een belangrijk onderdeel van toegepast communicatieonderzoek is het maken van afspraken tussen de opdrachtgever en opdrachtnemer. Als je van tevoren geen heldere afspraken maakt, kun je later voor verassingen komen te staan. Kader 8.2 geeft hiervan twee voorbeelden.

PowerPoint

Een middelgrote gemeente in Nederland (± 100.000 inwoners) laat door een
gerenommeerd onderzoeksbureau een
onderzoek uitvoeren naar het imago
van haar ambtenarenapparaat. Het onderzoek is in 2002 uitgevoerd, de gemeente betaalt er ongeveer 30.000 euro
voor. Aan het eind van de opdracht ontvangt de opdrachtgever een ingebon-
den exemplaar van de geprinte sheets
van de PowerPoint-presentatie. Nergens
is in dit 'rapport' te lezen hoe de onderzoekers te werk zijn gegaan.

Hoewel misschien de uitkomsten voldoende zijn voor de opdrachtgever
wordt hiermee de 'controleerbaarheid'
(en daarmee de betrouwbaarheid) van
het onderzoek geweld aangedaan.

Rapportage

Een radio-omroep laat door een onderzoeksbureau een naamsbekendheidon-
derzoek uitvoeren. Aan het eind van de
opdracht levert het onderzoeksbureau
vier A4-tjes aan met de belangrijkste resultaten. De brongegevens (data in dit
geval ingevoerd in het computerprogramma SPSS) blijven in bezit van het bureau. Achteraf is er onduidelijkheid over
de cijfers. In de A4-tjes staat vermeld dat
van alle respondenten dertien procent
man is en zestien procent vrouw. Met
geen mogelijkheid is het geslacht van de
andere 71% te achterhalen. Het bureau
wil de data alleen geven als de radio-omroep meer geld wil betalen. In dit voorbeeld wordt de interpreteerbaarheid
van de onderzoeksgegevens door de
opdrachtgever onmogelijk.

Kader 8.2

In de voorbeelden in kader 8.2 is van tevoren niet duidelijk afgesproken wat het
'resultaat' is van de opdracht, oftewel wat het bureau op gaat leveren. Hieronder
worden enkele vragen gesteld waarop tussen een opdrachtgever en opdrachtnemer *vooraf* overeenstemming dient te worden bereikt. Of je deze afspraken mondeling maakt of vastlegt in een contract hangt van de situatie af. Het lastige van
mondelinge afspraken is dat na verloop van tijd niemand precies weet wat er
afgesproken was. Dus waar mogelijk wordt er een contractje opgesteld dat door
alle partijen wordt ondertekend. Wat je precies afspreekt hangt van de situatie af
en is een *keuze* van opdrachtgever en opdrachtnemer. In elk geval kun je over
deze zaken afspraken maken:

– Wat levert de opdrachtnemer af als eindproduct(en)?
– Wanneer kan de opdrachtgever de uitkomsten verwachten?
– Van wie zijn de originele onderzoeksgegevens?
– Wie mag over de onderzoeksresultaten publiceren?
– Welke kosten en baten zijn te verwachten en wie betaalt wat?
– Welke randvoorwaarden zijn er?
– Wie begeleidt het proces?

Als je in een groep werkt, dus met meer mensen gezamenlijk opdrachtnemer bent, kun je ook vastleggen wie binnen de groep aanspreekpunt is voor de opdrachtgever en op welke manier contact gemaakt wordt (namen, telefoonnummers, adressen, e-mailadressen enzovoort).

Wat levert de opdrachtnemer af als eindproduct(en)? – Het meest uitgebreide eindproduct is een volledig onderzoeksrapport met alle te verantwoorden keuzes en alle onderzoeksresultaten *en* een communicatieadvies. Onderzoek doen is immers geen doel op zich, maar onderdeel van het proces van advisering. Je onderzoekt bepaalde zaken omdat je de huidige situatie in kaart wilt brengen en je advies wilt onderbouwen. Daarnaast kan een mondelinge presentatie als eindproduct gezien worden. Zowel opdrachtgever als opdrachtnemer spreken bij aanvang van de opdracht af welke producten aan het eind door de opdrachtnemer worden afgeleverd.

Wanneer kan de opdrachtgever de uitkomsten verwachten? – Onderzoek is interessant, maar uitkomsten van een onderzoek van twee jaar geleden kunnen al snel worden afgedaan als verouderd. Opdrachtgever en opdrachtnemer maken afspraken over de planning. Bij een planning worden de volgende fasen in elk geval onderscheiden:
- onderzoeksopzet
- dataverzameling
- data-analyse
- rapportage onderzoeksgegevens
- schrijven advies
- mondelinge presentatie.

Per fase wordt vastgelegd hoeveel tijd daarvoor nodig is, wat de deadlines zijn en welke producten wanneer afgeleverd worden. Je kunt conceptversies in de planning meenemen.

Van wie zijn de originele onderzoeksgegevens? – Mondelinge interviews worden opgenomen op tape, van schriftelijke enquêtes kun je dozen vol vullen. Maar van wie zijn deze gegevens? Heel belangrijk bij het doen van onderzoek is de anonimiteit van de respondenten. Respondenten beantwoorden vragen over het bedrijf. Je onderzoek mag niet schadelijk zijn voor deze respondenten, vandaar dat uit het verslag niet op te maken valt wie wat heeft gezegd. Maar interviews zijn opgenomen, schriftelijke enquêtes bevatten misschien open vragen met geschreven antwoorden. Zeker bij een klein bedrijf kan zo gemakkelijk achterhaald worden wie wat heeft gezegd. Een algemene afspraak is dat de ruwe data (tapes, enquêtes) in het bezit van de onderzoeker blijven. Tenslotte waarborgt de onderzoeker daarmee de anonimiteit van de respondenten. Alleen als respondenten schriftelijk toestemming hebben gegeven, mogen gegevens aan de opdrachtgever verstrekt worden. Opdrachtgever en opdrachtnemer maken verder afspraken over uitgeschreven interviews, ingevoerde gegevens (databestand) in de computer en analyseschema's. Het is jammer als een organisatie veel geld heeft uitgegeven aan een onderzoeksbureau en dan later niet kan beschikken over het SPSS-bestand.

Wie mag over de onderzoeksresultaten publiceren? – Bij de meeste opdrachten wordt dit onderdeel niet benoemd. Maar van wie is de vergaarde kennis? Mag de opdrachtgever in alle vrijheid in alle media over de resultaten publiceren? Is de kennis het exclusieve eigendom van de onderzoeker? Dit 'eigendomsrecht' is een lastig punt waarover de meningen nog wel eens verdeeld zijn. Kennis is vaak eigendom van beide partijen, maar opdrachtgevers kunnen onderzoekers verbieden over de gegevens met naam en toenaam van de opdrachtgever te publiceren. Als het onderzoek extern is uitbesteed, dan is het aan te raden van tevoren vast te leggen wat er met de kennis mag gebeuren. Wordt het onderzoek intern uitgevoerd, dan gelden algemene bedrijfsafspraken hierover.

Welke kosten en baten zijn te verwachten en wie betaalt wat? – In de onderzoeksopzet is een budget opgenomen. De kosten van het onderzoek zijn mede afhankelijk van de keuzes die de uitvoerder van het onderzoek maakt. De volgende keuzes zijn van invloed op de kosten:
- Worden er veel respondenten benaderd of weinig?
- Wordt er voor schriftelijke, telefonische of mondelinge dataverzameling gekozen?
- Worden er veel vragen/onderwerpen behandeld of weinig?
- Zitten de respondenten op één plaats of moet de onderzoeker het hele land door?

Zet op papier wat de te verwachten kosten zijn. Je kunt denken aan telefoonkosten, portokosten, kopieerkosten enzovoort. Kosten hangen ook af van andere afspraken. De keuze voor het eindproduct (een samenvattend *of* een uitgebreid onderzoeksrapport) levert verschil op in te maken kosten (denk ook aan printerkosten, inbindkosten enzovoort). Soms kunnen opdrachtgevers zelfs de voorzieningen leveren (denk aan interviewruimtes, opnameapparatuur, een kopieermachine). Neem ook deze mogelijkheden mee in het kostenplaatje. Kosten worden vaak in één adem met baten genoemd. Het is raadzaam de mogelijke baten erbij te vermelden. Het onderzoek of het advies levert de opdrachtgever een en ander op. Als er een overzicht ligt van kosten *en* baten dan kan de opdrachtgever gemakkelijker beslissen of de te maken kosten opwegen tegen de baten. Ga er niet van uit dat de baten wel bekend zijn, maar maak ze expliciet.

Welke randvoorwaarden zijn er? – Tijd en geld zijn natuurlijk randvoorwaarden. Deze maak je inzichtelijk in de planning en de budgettering. Andere randvoorwaarden zijn juridische (denk bijvoorbeeld aan de privacywetgeving), maar ook randvoorwaarden met betrekking tot de uitvoerbaarheid. Als een bedrijf wil dat er onderzoek gedaan wordt onder haar medewerkers, wat doet het bedrijf dan om deze medewerkers te stimuleren mee te doen? Er kunnen ook beperkingen aangegeven worden. Zo kan de opdrachtgever aangeven dat hij niet wil dat een bepaalde groep medewerkers meedoet met het onderzoek. In hoeverre een opdrachtgever zich met inhoudelijke kwesties mag bezighouden heeft te maken met de ethische aspecten van het doen van onderzoek (zie ook kader 8.3).

Ethiek van de onderzoeker

Een onderzoeker die in het voormalige Oost-Duitsland (DDR) aan het werk geweest was, vertelde dat hij na de val van de muur tot de ontdekking was gekomen dat onafhankelijk onderzoek ook in het 'vrije' Westen een rekbaar begrip was. Hij werd door een West-Berlijnse woningbouwvereniging gevraagd onderzoek te doen naar de tevredenheid van de bewoners in een wijk die vergelijkbaar is met de Amsterdamse Bijlmer (veel hoge torenflats). Van tevoren werd hem echter te kennen gegeven dat hij het onderzoek alleen mocht doen als de uitkomst was dat de bewoners tevreden waren. Zelfs in de DDR-tijd had deze onderzoeker nog nooit meegemaakt dat hij zo expliciet beïnvloed werd. Hij heeft de opdracht niet aangenomen.

Het spanningsveld tussen opdrachtgever en opdrachtnemer zit in het te onderzoeken probleem en de eindconclusies. Zodra een opdrachtgever een weergave van zijn eigen mening wil in plaats van een objectief onderzoek, dan kun je als opdrachtnemer beter stoppen met het project. Immers, je zult dan gebruikt worden. Andersom kun je als opdrachtgever dus niet alles bepalen. Ook het soort onderzoek moet passen bij het probleem. Opdrachtgevers roepen wel eens: 'Ik wil een onderzoek dat representatief en kwalitatief is, met een schriftelijke enquête en het mag niet te lang duren. Graag wil ik de resultaten over een maand op mijn bureau.' Als opdrachtnemer vraag je eerst aan de opdrachtgever wat hij bedoelt met 'representatief'. Lang niet alle opdrachtgevers weten zelf precies wat ze daarmee bedoelen. Ook de term 'kwalitatief' wordt te pas en te onpas gebruikt en lang niet altijd in de context van een kwalitatief veldonderzoek. Dat er kwaliteit geleverd moet worden, is te verwachten (zie beoordelingscriteria). Welke vorm van dataverzameling je kiest, hangt af van de gekozen strategie, het soort onderzoek en vooral het type vraagstelling. In de onderzoeksopzet formuleer je daarom helder waar wat gedaan wordt. Deze

Kader 8.3

Vervolg

opzet is dus ook een controlemiddel. Aan de hand van de onderzoeksopzet kunnen opdrachtgever en opdrachtne-

mer checken of er overeenstemming is over de aanpak met betrekking tot het onderzoek.

Wie begeleidt het proces? – Afspraken over de begeleiding, wie (contactpersoon), de manier waarop (mondelinge bijeenkomsten, telefonisch, via mail enzovoort), de frequentie van de begeleiding (dagelijks, wekelijks, maandelijks) en de inhoud kunnen het beste van tevoren worden vastgelegd. Als het onderzoek extern wordt uitgevoerd zullen er afspraken gemaakt worden over het verkrijgen van de gegevens. Hoe komt de onderzoeker aan relevante gegevens? De opdrachtnemer die intern een onderzoek uitvoert kan waarschijnlijk sneller bij de relevante gegevens, maar ook hier geldt: waar moet hij voor welke gegevens zijn? Er bestaat qua frequentie van begeleiding veel verschil tussen verschillende opdrachtgevers. De ene opdrachtgever houdt het liefst regelmatig de vinger aan de pols, de andere opdrachtgever is alleen aan het begin, bij problemen en aan het eind in beeld. Veel hangt af van de manier waarop je kijkt naar het begeleidingsproces.

8.2 Het begeleidingsproces

Onderzoek wordt in meer of mindere mate begeleid. Studenten worden op school begeleid door tutoren of vakdocenten. Wat mag je eigenlijk aan begeleiding van een opdrachtgever verwachten? En wat zullen de onderzoekers van jou verwachten als jij de begeleider bent? Het soort begeleiding hangt af van de rol die je inneemt. Je kunt een meer procesbegeleidende rol aannemen. Als je zelf veel kennis van zaken hebt kun je inhoudelijk begeleiden. Kader 8.4 geeft weer welke afspraken over de verschillende begeleidingsrollen er zijn gemaakt op een hogeschool. Op jouw hogeschool kunnen de afspraken over de begeleiding afwijken van dit voorbeeld.

Voorbeeld van de verschillende rollen tussen studenten en een externe opdrachtgever

Rol van de tutor
De tutor heeft bij deze hogeschool naast een procesbegeleidende taak een beoordelende taak.

Procesbegeleidende taak
Omdat het de bedoeling is dat je het project zo zelfstandig mogelijk uitvoert, is het belangrijk te weten dat een tutor alleen in hoeft te gaan op vragen van jouw

Kader 8.4

Vervolg

kant. Vaak zal de tutor de vraag met een wedervraag beantwoorden: het is immers de bedoeling dat je het zelf uitzoekt, er zelf achter komt. De tutor kan je met wedervragen op het goede spoor zetten. Als een tutor ook inhoudelijk zaken uitlegt is dat mooi meegenomen, maar dat is niet noodzakelijkerwijs de taak van de tutor. Als je (na raadplegen van de boeken en het volgen van de colleges) iets niet begrijpt over de inhoudelijke theorie dan kun je een consult aanvragen bij de vakdocenten die de ondersteunende colleges verzorgen.

Beoordelende taak
De tutor bepaalt (in overleg met de opdrachtgever en de vakdocenten) het cijfer voor de verschillende onderdelen. De tutor geeft (na goedkeuring van de opdrachtgever) definitieve goedkeuring voor het projectcontract (go/no go). De tutor geeft goedkeuring voor de onderzoeksopzet (go/no go). De tutor geeft het uiteindelijke cijfer voor het onderzoeksrapport, het marketingcommunicatieplan en de presentatie of verdediging van de einddocumenten. De tutor geeft een beoordeling (voldoende/onvoldoende) voor de reflectieverslagen en het dossier.

De tutor ontvangt minimaal 48 uur van tevoren de vragen die de groep wil stellen tijdens de tutorbespreking.

Rol van de vakdocenten (aanvragen consult)
De vakdocenten geven colleges ter ondersteuning van het project. Als je steeds aanwezig geweest bent, de boeken hebt geraadpleegd en er niet uit komt, kun je als groep een consult bij de vakdocenten aanvragen. De vakdocent ontvangt minimaal *48 uur* van tevoren de vragen die de groep wil stellen tijdens het consult. De vakdocent geeft alleen inhoudelijke uitleg. Je bepaalt zelf als groep wat je met deze informatie doet.

Rol van de opdrachtgever
De opdrachtgever bepaalt in overleg met de projectvoorzitter het probleem. Tijdens de *briefing* (week 1) wordt de opdracht door de opdrachtgever mondeling toegelicht. Studenten kunnen dan vragen stellen ter toelichting van de opdracht. De opdrachtgever geeft door middel van een handtekening een 'go' voor het projectcontract. De opdrachtgever beantwoordt waar mogelijk de vragen die de groep stelt. De opdrachtgever stelt bij de eindpresentatie vragen en geeft een mening over de praktische toepasbaarheid van de producten (onderzoeksrapport en communicatieplan). Daarnaast geeft de opdrachtgever een mening over de beroepshouding van de studenten.

Spanningsveld verschillende rollen tutor, vakdocent en opdrachtgever
Het verschil in rol tussen tutor, vakdo-

Vervolg

cent en opdrachtgever kan spanningen opleveren. Er leiden immers verschillende wegen naar Rome en het is soms moeilijk de 'enige juiste' weg aan te wijzen. Indien de groep van mening is dat er verschil is tussen de mening van de vakdocent en de mening van de tutor of de opdrachtgever, dan is het aan de groep zelf een eigen (onderbouwde) keuze te maken. Primair gaat het erom dat de keuzes logische gevolgtrekkingen zijn uit eerdere keuzes, dat zij passen bij het probleem en dat zij waar mogelijk onderbouwd kunnen worden door de theorie (uit voorgaande jaren). Bij het maken van die keuzes kan het raadzaam zijn goed door te vragen wat de verschillende partijen precies bedoelen. Vaak blijken ogenschijnlijk grote verschillen minder verschillend te zijn dan verwacht. In essentie staan de vak-

docenten en tutoren op één lijn. Bij onoverkomelijke verschillen waarbij de groep het gevoel heeft geen eigen keuze te kunnen maken kan de projectvoorzitter bemiddelen. De groep organiseert dan een bijeenkomst met *alle* betrokken partijen.

Rol van de projectvoorzitter
De projectvoorzitter bepaalt welke opdrachtgevers geschikt zijn voor het project. De projectvoorzitter zorgt voor de randvoorwaarden van het project (rooster, groepsindeling, tutortoewijzing en zovoort). De projectvoorzitter kan bemiddelen bij onoverkomelijke verschillen tussen groep, tutor, vakdocent en/of opdrachtgever. De projectvoorzitter draagt zorg voor de uiteindelijke cijferverwerking.

Als je opdrachtgever bent, kun je ervoor kiezen zelf de inhoudelijke begeleiding op je te nemen. Je kunt ook iemand anders in het bedrijf aanwijzen die deze inhoudelijke begeleiding op zich neemt. Als het onderzoek extern wordt uitbesteed dan mag je verwachten dat het bureau kwaliteit aflevert en zelf de inhoudelijke begeleiding doet. In dat geval zul je alleen aan het begin (verstrekken opdracht) en aan het eind (eindproducten ontvangen) in beeld zijn. Om zeker te weten dat er kwaliteit afgeleverd wordt is het belangrijk beoordelingscriteria te formuleren.

briefing

De opdrachtgever geeft aan het begin een *briefing*. Tijdens deze briefing geeft de opdrachtgever aan wat hij verwacht van de opdrachtnemer. Deze

'Is mijn verhaal zo duidelijk?!' De briefing van de opdrachtgever

briefing geeft informatie voor de probleemanalyse in de onderzoeksopzet. De opdrachtgever vult zijn verhaal waar mogelijk aan met schriftelijke bronnen. De opdrachtnemer kan tijdens de briefing vragen stellen. Als er van tevoren een schriftelijke case-omschrijving is uitgedeeld, kan de opdrachtnemer zich op de briefing voorbereiden. Van de opdrachtgever mag verwacht worden dat hij een helder verhaal houdt over de te verwachten activiteiten en producten.

8.3   Enkele beoordelingscriteria

Je kunt achteraf mopperen dat een onderzoek niet aan de verwachtingen voldoet, maar wat zijn die verwachtingen eigenlijk? Wanneer is een onderzoek 'uitstekend'? Als je van tevoren geen criteria formuleert is het achteraf lastig corrigeren. In kader 8.5 geven we een voorbeeld.

Het ontbreken van beoordelingscriteria

Weergeven onderzoeksgegevens
In het rapport dat de opdrachtgever ontvangt, blijken alle gegevens in aantallen weergegeven te zijn. Hierdoor is het niet mogelijk om uit de kruistabellen conclusies te trekken. Er hebben bijvoorbeeld veel meer vrouwen dan mannen meegedaan aan het onderzoek. In de kruistabellen waarbij op geslacht is vergeleken lijkt het soms alsof vrouwen veel tevredener zijn dan mannen, maar het zijn er ook veel meer. De opdrachtgever vindt de rapportage onvoldoende, de opdrachtnemer zegt dat er van tevoren niets over de manier van rapportage is afgesproken.

Onderzoeksgegevens voor een ander probleem
De opdrachtgever gaf aan dat er een probleem was met betrekking tot de interne communicatie. Volgens hem zijn medewerkers ontevreden. Hij wil graag weten wat er aan de hand is. De uitvoerder is er in de loop van het proces echter achter gekomen dat de manier waarop de medewerkers met klanten omgaan niet goed verloopt. In het onderzoek zijn vervolgens de klanten centraal komen te staan. Het advies gaat over de manier waarop de medewerkers met klanten horen te communiceren. De opdrachtgever blijft vervolgens met het originele probleem zitten: de ontevredenheid van de medewerkers zelf. Hij weet nog steeds niet hoe de interne communicatie verbeterd kan worden.

Kader 8.5

In het eerste voorbeeld in kader 8.4 (weergeven onderzoeksgegevens) was niet duidelijk wat je mocht verwachten met betrekking tot de kwaliteit van de rapportage. In het tweede voorbeeld (onderzoeksgegevens voor een ander probleem) is halverwege het proces iets mis gegaan. Je kunt beoordelingscriteria splitsen in criteria met betrekking tot het proces en criteria met betrekking tot de producten.

8.3.1   *Criteria met betrekking tot het proces*

De opdrachtgever mag eisen stellen ten aanzien van het proces. Hier volgen enkele criteria die je kunt stellen aan de opdrachtnemer. De uitvoerder van het onderzoek:
- kan bij de uitvoering van het onderzoek de uitgangspunten van de onderzoeksopzet als leidraad nemen
- kan een meetbare probleemstelling bepalen
- heeft inzicht in verschillende analysetechnieken
- kan functioneren als gesprekpartner
- kan onderzoeksresultaten interpreteren en hanteren voor beleidsontwikkeling
- kan beperkingen van het onderzoek aangeven.

Daarnaast is van belang dat de opdrachtnemer zich houdt aan afspraken van planning en budgettering. Je kunt als opdrachtgever bijvoorbeeld beoordelen of het onderzoek is afgerond in de daarvoor gestelde tijd en binnen het budget.

8.3.2   *Criteria met betrekking tot producten*

De opdrachtgever kan ook eisen stellen met betrekking tot de producten. Hier volgen enkele criteria die aan de producten zelf gesteld kunnen worden. De producten bevatten:
- een onderbouwde onderzoeksopzet (de stappen en gemaakte keuzes met betrekking tot onderzoek, de planning, een overzicht van de te maken kosten en te verwachten baten)
- een heldere en overzichtelijke rapportage van de onderzoeksresultaten
- een verantwoording met betrekking tot deugdelijkheid van het onderzoek (validiteit, betrouwbaarheid en representativiteit)
- een antwoord op de probleemstelling zoals deze is geformuleerd in de onderzoeksopzet
- een verantwoorde analyse van de onderzoeksgegevens (volgens de vereisten die horen bij de betreffende methode van onderzoek)
- een overzicht van de belangrijkste conclusies van dit onderzoek
- aanbevelingen voor vervolgonderzoek.

Je kunt bij de beoordeling de volgende vragen stellen:
- Bereikt het onderzoek het doel?
- Wordt in het onderzoek gemeten wat de onderzoekers willen meten?
- Passen de gekozen onderzoekssoort en strategieën bij de probleemstelling?
- Zijn de regels voor wetenschappelijk onderzoek gehanteerd?

Bereikt het onderzoek het doel? – Om te beginnen beoordeel je of de probleemstelling past bij het probleem en of de doelstelling hierbij aansluit. Hier kunnen verschillende zaken mis gaan. Zo kan de doelstelling ontbreken: een onderzoek kan wel vraagstellingen hebben, zonder dat geformuleerd is wat het doel is *van* het onderzoek. Daarnaast kan de doelstelling onvolledig zijn: in de doelstelling wordt niet afgebakend over wie het gaat, over welke tijd enzovoort. Verder kan de doelstelling niet passen bij het probleem: de geformuleerde doelstelling levert niet de kennis op die noodzakelijk is voor de oplossing van het probleem (zie voorbeeld in kader 8.4). Zo kan de gekozen communicatie-invalshoek de verkeerde keuze zijn (bijvoorbeeld een theorie over imago en identiteit terwijl je naamsbekendheid wilt meten). Vervolgens controleer je of de gestelde vraagstellingen aansluiten bij de doelstelling. Ook vraagstellingen kunnen ontbreken. Als een onderzoek wel een doelstelling maar geen vraagstellingen heeft, dan ontbreekt het doel *in* het onderzoek. Verder kunnen de vraagstellingen onvolledig zijn: een onderzoek kan wel vraagstellingen hebben, maar de opdrachtgever vindt dat gezien de aard van het probleem belangrijke vraagstellingen missen. Ten slotte kunnen de vraagstellingen niet passen bij het probleem: de geformuleerde vraagstellingen leveren niet de kennis op die noodzakelijk is voor de oplossing van het probleem. Ook hier geldt weer: past de gebruikte communicatietheorie bij de vraagstelling?

Wordt in het onderzoek gemeten wat de opdrachtnemers willen meten? – Als het in het onderzoek gemeten is wat de opdrachtnemer van plan was te meten dan worden de vraagstellingen beantwoord door middel van het uitgevoerde onderzoek. Bekijk ook de onderzochte gegevens, de variabelen. Vind je het onderzoek met betrekking tot de begripsvaliditeit voldoende? Je gaat na hoe begrippen geoperationaliseerd zijn en of er gebruikgemaakt is van passende theorieën. Je beoordeelt of vage begrippen helder zijn uitgelegd en of de dataverzameling past. Je beoordeelt of de enquêtevragen of topics bij de vraagstellingen passen. Is in het verslag duidelijk welke vooronderstellingen ten grondslag liggen van het onderzoek? Kortom, controleer de operationalisatie op logica. Ga na of de gegevens passen bij de probleemstelling en inzichten uit de theorie met betrekking tot het probleem.

Passen de gekozen onderzoekssoort en strategieën bij de probleemstelling? – De gekozen onderzoekssoort hangt af van het soort vraagstellingen. Bekijk of hier wat jou betreft de meest voor de hand liggende keuze gemaakt is. Als dat niet het geval is, beoordeel dan of de argumenten voor een ander soort onderzoek logisch opgebouwd zijn. Dit geldt ook voor de strategieën. Je kunt beoordelen of de gekozen strategie(en) logisch onderbouwd zijn. Zijn dit in jouw ogen ook de meest logische keuzes? Verder beoordeel je of de concrete uitvoering van de gekozen strategie voldoende is (wie, wat waar, hoe).

Zijn de regels voor wetenschappelijk onderzoek gehanteerd? – Je kunt een onderzoek beoordelen aan de hand van de regels voor wetenschappelijk onderzoek. Je wilt weten of de onderzoeksresultaten onafhankelijk van de onderzoeker tot stand gekomen zijn. Vervolgens beoordeel je of de betrouwbaarheid en de validiteit van het onderzoek zo hoog mogelijk gehouden zijn en of deze voldoende zijn onderbouwd. Denk daarbij ook aan de oplossingen die zijn gekozen om eventuele nadelen zo klein mogelijk te houden. Wanneer alle stappen in het onderzoeksproces verantwoord zijn, kun je aangeven in welke mate het onderzoek controleerbaar is.

De subcompetentie *'een complex onderzoek intern of extern kunnen uitbesteden en begeleiden'* is een competentie waar de bachelor of communications regelmatig mee in aanraking zal komen. Je zult onderzoeksrapporten van anderen onder ogen krijgen en dan is het handig dat je deze op waarde weet te schatten. Om alle keuzes in het onderzoek te begrijpen is kennis van zaken nodig. Om te weten hoe je onderzoeksresultaten moet interpreteren en kunt gebruiken voor advisering, moet je in kunnen schatten of de gevonden conclusies terecht zijn. Daarom wordt van de bachelor of communications verwacht dat hij: *naar aanleiding van een communicatievraagstuk een toegepast communicatieonderzoek kan ontwerpen, uitvoeren, analyseren en rapporteren zodat hij deze onderzoeksresultaten kan hanteren als input voor beleidsaanpassingen (doel en strategie) op het strategische planningsniveau van geïntegreerde communicatie.*

Bijlage I

Vragen per hoofdstuk

Vragen bij hoofdstuk 1

Werk per probleem de volgende vragen uit. Tenzij anders aangegeven hebben de vragen betrekking op de vier cases die in hoofdstuk 1 gegeven zijn.

1   Wat is de aanleiding van het probleem (stap 1)?

2   Omschrijf het krachtenveld waarbinnen het probleem zich afspeelt (stap 2).

3   Geef aan in het schema (typologie van problemen en probleemoplossingen) op **bladzijde 00** in welke cel volgens jou het probleem zit.

4   Zit er nog een verborgen agenda in het probleem? Oftewel, vind je de redenen om onderzoek te gaan doen gerechtvaardigd of oneigenlijk? Motiveer je antwoord.

5   Geef aan binnen welke hoofdvorm van de communicatie dit probleem zich afspeelt (stap 3, deel 1).

6   Binnen elke vorm zijn voorbeelden genoemd van terreinen waarop je onderzoek kan doen. Geef aan waarover je specifiek onderzoek zou kunnen doen bij deze case (stap 3, deel 2).

7   Geef aan voor welk deel van het probleem je een oplossing gaat zoeken (stap 3, deel 3).

8   Geef aan wat je nog moet onderzoeken om een mogelijke oplossing aan te kunnen bieden (stap 4).

9   Maak de probleemanalyse (mede gebaseerd op de vorige stappen) af, oftewel maak er een lopend, logisch opgebouwd verhaal van (maximaal drie A4-tjes).

10 Verwerk de probleemanalyse in de onderzoeksopzet (zie hoofdstuk 6 voor de manier van verslaglegging).

Vragen bij hoofdstuk 2

Tenzij anders aangegeven hebben de vragen betrekking op de vier cases die in hoofdstuk 1 gegeven zijn.

1 Bedenk per probleem een probleemstelling (doelstelling + vraagstellingen). Maak hierbij gebruik van de specifieke communicatietheorie. Geef bij elke vraagstelling aan wat voor soort vraagstelling het is (beschrijvend of verklarend). Beargumenteer je keuze.

2 Operationaliseer per probleem, per vraagstelling de begrippen uit de probleemstelling met behulp van de specifieke communicatietheorie.

3 Geef per probleem aan welk soort vraagstelling in je onderzoek centraal staat: de beschrijvende vraagstelling of de verklarende vraagstelling.

4 Geef per probleem aan wat voor soort onderzoek je gaat doen (beschrijvend, evaluatief, exploratief of toetsend onderzoek). Beargumenteer je keuze.

5 Geef per probleem aan welke strategie(en) je vermoedelijk wilt gaan gebruiken (bureauonderzoek, survey, kwalitatief (veld)onderzoek en/of experiment). Beargumenteer je keuze.

6 Verwerk bovenstaande vragen in de onderzoeksopzet (zie hoofdstuk 6 voor de manier van verslaglegging).

Vragen over krantenartikelen

Krantenartikel 1

'Ze willen weten of we doorgewinterde kankeraars zijn of tolerante, weldenkende mensen'

Schiphol-klager de hemd van het lijf gevraagd

'Hoe denkt u over het homohuwelijk?' En: 'Dragen immigranten bij aan de Nederlandse cultuur?' Het zijn maar twee vragen uit de enquête die de Commissie Regionaal Overleg luchthaven Schiphol (Cros) vorige maand naar de ongeveer 11.000 mensen heeft gestuurd die in 2004 een klacht hebben ingediend over vliegtuigherrie. Kampioen klager Han Wouters uit Velsen-Zuid, die vorig jaar alleen al honderdduizend klachten indiende, heeft zich verbaasd over de brief, die ook bij hem op de mat viel. 'Ze willen natuurlijk weten wat voor types die klagers zijn. Of we doorgewinterde kankeraars zijn of tolerante, weldenkende mensen.'

Wouters, die zelf ooit marketingmanager was, vindt het een verkeerde aanpak. 'Er werd ook gevraagd naar je politieke voorkeur.' Volgens hem zou de commissie beter te rade kunnen gaan bij de drie procent klagers die voor tachtig procent van de klachten zorgt. 'Ik heb vorig jaar 150.000 vliegtuigen over me heen gehad.' Het bureau Motivaction stelde de enquête op, die volgens Jurjen Kuyk van Cros bedoeld is om een

beter inzicht in de groep klagers te krijgen. Kuyk: 'Begin dit jaar hebben we een onderzoek naar het imago en de naamsbekendheid van Cros laten doen. Die is niet erg groot. Onze belangrijkste doelgroep zijn de klagers, dus zijn we met hen begonnen.'

Het mentaliteitsonderzoek is volgens Kuyk een bekend instrument om een groep in beeld te brengen. 'Wanneer je weet hoe die groep er uit ziet, kun je je communicatie daarop aansluiten. Mensen uit de traditionele groep kun je beter benaderen per brief dan per e-mail. Bij jongeren is het andersom.' Volgens Kuyk hebben iets meer dan honderd mensen kwaad gereageerd. Het onderzoek leidde tot vragen van de Socialistische Partij aan het provinciebestuur. Kuyk: 'Men vraagt zich af wat het homohuwelijk met Schiphol heeft te maken. Toch hebben we al vierduizend enquêtes binnen.'

De Cros is in 2003 in de plaats gekomen voor de Commissie Geluidhinder Schiphol, een adviesorgaan van de minister van Verkeer en Waterstaat. De Cros is een overlegorgaan voor overheid, luchtvaartsector, gemeentes en omwonenden in de regio.

Bron: Het Parool, 18 oktober 2005

Krantenartikel 2

Gelre goed in riskante operaties

Gelre ziekenhuizen in Apeldoorn en Zutphen voeren veel risicovolle operaties uit, zoals ingrepen bij borstkanker en maagkanker, in vergelijking met andere ziekenhuizen. Dat is positief omdat Gelre zich daarmee tot de meer ervaren ziekenhuizen in Nederland mag rekenen.

Dat blijkt uit het gisteren gepubliceerde rapport van de Consumentenbond dat erop is gericht om patiënten beter te informeren. De bond vindt dat ziekenhuizen met weinig ervaring eerlijk moeten zijn en patiënten doorverwijzen naar collega-ziekenhuizen of artsen met meer routine.

Top drie
In de twee locaties van het Gelre Ziekenhuis werden in 2003 255 patiënten met borstkanker geopereerd tegenover gemiddeld landelijk 132 operaties per ziekenhuis. Hiermee schaart Gelre zich bij de top drie van ziekenhuizen met de meeste ervaring. Bij maagkanker voert Gelre de lijst aan met twintig chirurgische ingrepen terwijl de collega's overal in het land maar acht patiënten per jaar behandelden. In het onderzoek van de Consumentenbond kwamen in totaal acht soorten operaties aan bod waarvan statisch is bewezen dat er een relatie bestaat tussen ervaring en de kans op complicaties of zelfs op overlijden. Het overzicht is overigens niet volledig want

ruim de helft van alle Nederlandse ziekenhuizen wilde de gegevens niet openbaar maken. Volgens de belangenorganisatie Nederlandse Vereniging van Ziekenhuizen is de informatie niet bedoeld voor patiënten en het zegt niets over de kwaliteit van een ziekenhuis. De operaties kunnen, zegt de belangenorganisatie, door meerdere specialisten uitgevoerd worden of een specialist kan in verschillende ziekenhuizen werkzaam zijn.

Gelre ziekenhuizen had geen moeite om openheid van zaken geven. 'We kunnen ons voorstellen dat patiënten graag willen weten of een ziekenhuis ervaring heeft bij deze complexe ingrepen', aldus hoofd communicatie Margreet Arendsen. Tegelijk geeft ze ook de belangenorganisatie een beetje gelijk: 'Er moeten niet te veel conclusies aan het onderzoek van de Consumentenbond worden verbonden want is het toch appels met peren vergelijken.' De informatie van Gelre is niet uitgesplitst naar locatie. Vooral bij minder voorkomende ingrepen met veel risico's is een grote mate van samenwerking tussen de maatschappen van medisch specialisten in Apeldoorn en Zutphen.

Dichtbij
'Heel netjes', noemt woordvoerder van de Consumentenbond, Sicco Louw het lijstje van Gelre ziekenhuizen. 'Patiënten met een ernstige aandoening hoeven dus niet buiten de regio te zoeken

Vervolg

naar een ziekenhuis met meer ervaring.' De bond hoopt door de publicatie van het onderzoek de zorg te verbeteren. Ziekenhuizen moeten bij risicovolle behandelingen eerst een keuze maken: of meer routine opbouwen of een patiënt doorverwijzen naar een meer ervaren collega.

Bron: Apeldoornse Courant, 6 augustus 2005

Krantenartikel 3

Veel meer jongeren met gehoorschade

Het aantal jongeren met gehoorschade is beduidend groter dan wordt verondersteld. Dat zegt Jan de Laat, hoofd van het audiologisch centrum van het Leids Universitair Medisch Centrum.

De Laat baseert zich op een gehoortest op internet van de Nationale Hoorstichting. Uit die test, waaraan 80.000 jongeren meededen, blijkt dat 9 procent een slecht gehoor heeft. Tot nog toe wordt uitgegaan van CBS-gegevens die het erop houden dat 2 procent van de jongeren tot 20 jaar slecht horen. De Laat: 'Die 9 procent is niet helemaal representatief voor alle jongeren in het land, omdat het een test op het internet betreft. Maar ik durf toch te stellen, dat zo'n vijf tot zeven procent van de Nederlandse jongeren een slecht gehoor heeft.'

De Laat noemt het verontrustend dat elf- en twaalfjarigen even slecht scoren als twintigers. 'Blijkbaar wordt er al op zeer jeugdige leeftijd naar veel te luide muziek geluisterd.' Volgens De Laat wordt muziek in disco's steeds luider.

Bron: Dagblad van het Noorden, 29 oktober 2004

7   Geef aan of in bovenstaande krantenartikelen sprake is van fundamenteel of toegepast onderzoek.

8   Zoek zelf in de krant een voorbeeld van een fundamenteel onderzoek.

9   Zoek zelf in de krant een voorbeeld van toegepast onderzoek.

10 Zoek zelf in de krant een voorbeeld van een communicatieonderzoek. Is er in je voorbeeld sprake van een fundamenteel communicatieonderzoek of een toegepast communicatieonderzoek?

11 Geef per krantenartikel aan wat volgens jou de doelstelling is van het onderzoek (ook van je eigen krantenartikel).

12 Wat zijn volgens jou per krantenartikel de vraagstellingen van elk onderzoek
(ook van je eigen krantenartikel)?

13 Typeer per krantenartikel het onderzoek op basis van de vraagstellingen als
typisch beschrijvend of typisch verklarend (ook van je eigen krantenartikel).

14 Typeer per krantenartikel het soort onderzoek (beschrijvend, evaluatief, exploratief of toetsend) (ook van je eigen krantenartikel).

15 Bedenk welke strategie er per krantenartikel vermoedelijk is uitgevoerd (bureauonderzoek, survey, kwalitatief (veld)onderzoek, experiment (ook van je
eigen krantenartikel).

Vragen bij hoofdstuk 3

*Tenzij anders aangegeven hebben de vragen betrekking op de vier cases die in
hoofdstuk 1 gegeven zijn.*

1 Bedenk per probleemstelling (gemaakt bij hoofdstuk 2) op basis van de kennis uit hoofdstuk 3 welke strategieën je kunt gaan uitvoeren. Geef per strategie concreet aan wie, wat, waar en hoe (dus niet 'grote groepen', maar concreet:
studenten van hogeschool X).

2 Geef aan hoe groot je steekproef moet zijn om te mogen generaliseren van
steekproef naar populatie. Als je een survey gekozen hebt, bereken de formule.

3 Geef aan hoe je de steekproef concreet gaat trekken, oftewel welk soort steekproef ga je doen?

4 Geef per strategie aan welke aspecten van betrouwbaarheid een rol spelen en
hoe je van plan bent de betrouwbaarheid zo hoog mogelijk te houden (oftewel:
hoe los je de nadelen op).

5 Geef per strategie ook aan hoe het zit met de andere criteria, oftewel geef een

wetenschappelijke verantwoording voor de gemaakte keuzes.

6   Verwerk bovenstaande vragen in de onderzoeksopzet (zie hoofdstuk 6 voor de manier van verslaglegging).

7   In welke situatie kies je voor bureauonderzoek? Beargumenteer in welke situaties bureauonderzoek de meest passende strategie is.

8   In welke situatie kies je voor survey? Beargumenteer in welke situaties survey de meest passende strategie is.

9   In welke situatie kies je voor kwalitatief (veld)onderzoek? Beargumenteer in welke situaties kwalitatief (veld)onderzoek de meest passende strategie is.

10 In welke situatie kies je voor experiment? Beargumenteer in welke situaties experiment de meest passende strategie is.

11 Wat betekent een causaal verband?

12 Zoek een (communicatie)onderzoek over een experiment waarbij een causaal verband onderzocht is. Geef schematisch weer welk verband onderzocht is.

13 Is in dit onderzoek (vraag 12) volgens jou voldaan aan de drie voorwaarden? Beargumenteer per voorwaarde op welke manier dit wel of niet gebeurd is.

14 Kun je op basis van het gevonden krantenartikel (vraag 12) aangeven welk van de zeven types experiment toegepast is?

15 Zoek een (communicatie)onderzoek waarbij op een andere manier (dan experiment) een causaal verband onderzocht is. Geef schematisch weer welk verband onderzocht is.

16 Is in dit onderzoek volgens jou voldaan aan de drie voorwaarden? Beargumenteer per voorwaarde op welke manier dit wel of niet gebeurd is.

17 Ga op zoek naar een recent nieuwsitem op het terrein van de communicatie. Verzamel zo veel mogelijk verschillende bronnen van informatie (denk aan kranten, internet, boeken, tijdschriften, tv, radio enzovoort). Vergelijk de berichtgeving op betrouwbaarheidsaspecten voor bureauonderzoek (met name de statistiekkenmerken, de informatiekenmerken en de mediumken-

merken). Denk hierbij ook aan geldigheid, actualiteit, accuraatheid, status, volledigheid, dekking. Stel een lijst op van meest naar minst betrouwbare bron. Verrast deze lijst je of had je dit van tevoren al gedacht?

Vragen bij hoofdstuk 4

Tenzij anders aangegeven hebben de vragen betrekking op de vier cases die in hoofdstuk 1 gegeven zijn.

1 Bedenk bij één van de probleemstellingen (gemaakt bij hoofdstuk 2) welke gegevens je voor welk probleem met behulp van literatuuronderzoek kunt verzamelen.

2 Bedenk bij één van de probleemstellingen (gemaakt bij hoofdstuk 2) welke gegevens je voor welk probleem met behulp van databases kunt verzamelen.

3 Bedenk bij één van de probleemstellingen (gemaakt bij hoofdstuk 2) welke gegevens je voor welk probleem met behulp van inhoudsanalyse kunt verzamelen.

4 Maak een zoekplan voor de te verzamelen gegevens.

5 Bedenk bij één van de probleemstellingen (gemaakt bij hoofdstuk 2) enquêtevragen met gesloten vragen.

6 Bedenk bij één van de probleemstellingen (gemaakt bij hoofdstuk 2) gesloten vragen met een Osgood-schaal.

7 Bedenk bij één van de probleemstellingen (gemaakt bij hoofdstuk 2) gesloten vragen met rapportcijfers als antwoordmogelijkheden.

8 Bedenk hoe je enquête gaat afnemen (per post, via internet of e-mail). Bedenk een begeleidend schrijven voor bij je enquête.

9 Kun je de bedachte vragen ook gebruiken voor een telefonische enquête of een enquête afgenomen op straat? Haal vragen weg die volgens jou niet passen en voeg enkele open vragen toe.

10 Bedenk een introductie en een afsluiting voor een telefonische enquête of een enquête op straat.

11 Test de enquête. Evalueer de enquête op betrouwbaarheid. Pas waar nodig vragen aan.

13 Bedenk bij één van de probleemstellingen (gemaakt bij hoofdstuk 2) enkele open vragen.

14 Bedenk bij één van de probleemstellingen (gemaakt bij hoofdstuk 2) een topiclijst.

15 Bedenk bij één van de probleemstellingen (gemaakt bij hoofdstuk 2) op welke zaken je gaat letten als je gaat observeren.

16 Bedenk een introductie en een afsluiting voor een mondeling interview.

17 Test het interview. Bedenk van tevoren valkuilen waar je last van kunt hebben tijdens het interviewen (denk bijvoorbeeld aan objectiviteit). Evalueer het interview op betrouwbaarheid. Pas waar nodig vragen aan.

18 Verwerk bovenstaande vragen in de onderzoeksopzet (zie hoofdstuk 6 voor de manier van verslaglegging).

19 Maak een gegevensbestand in SPSS van de enquête.

20 Voer fictieve antwoorden in voor minimaal 250 respondenten.

21 Neem tien mondelinge interviews af. Schrijf deze interviews helemaal uit.

22 In de bijlage is een enquête opgenomen van Communicatieonderzoek Gemeente Welzijnshuizen. Bekijk de vragen kritisch. Welke vragen zou je zelf anders stellen? Welke antwoordmogelijkheden zou je aanpassen? Beargumenteer je antwoord.

Vragen bij hoofdstuk 5

1 *Een gevensbestand in SPSS*
Open het bestand DataWelzijn.sav. Je ziet het hieronder weergegeven scherm. Zorg met behulp van klikken met je muis dat onderaan het tabblad *Data View* wit is.

23 : resp | 23

	resp	gesl	leeft	opl	wijk	info1	gkd	gb	gij	gs
23	23	man	leeftijd 36	hoger onde	Centrum	ruim voldoe	nee	ja	ja	ja
24	24	vrouw	29	middelbaar	Greente	matig	ja	ja	nee	nee
25	25	vrouw	80	lager onder	Hagenbroe	geen menin	ja	ja	nee	ja
26	26	vrouw	27	middelbaar	Centrum	.	nee	ja	nee	nee
27	27	man	46	middelbaar	De Maten	voldoende	nee	ja	nee	nee
28	28	vrouw	65	middelbaar	Zuid Boven	voldoende	ja	ja	nee	nee
29	29	vrouw	51	middelbaar	Cellesbroe	voldoende	ja	ja	ja	ja

Figuur 1 Scherm Data View.

Wat zie je in het scherm:

1a Wat staat er in elke kolom? Tip: ga met de muis boven op het grijze vlak van
    de kolom staan. Wat zie je?

1b Wat staat er in iedere rij?

1c Wat staat er in 1 cel?

1d Tip: klik ook eens op het knopje boven in de werkbalk, wat gebeurt er?

1e Welk geslacht heeft respondentnummer 10?

2 *Een frequentietabel*
   In het onderzoek onder de inwoners van de gemeente Welzijnshuizen is de
   respondenten een stelling voorgelegd betreffende de noodzaak om te werken
   naast de studie.

---

19 Hoe tevreden bent u over de manier waarop de gemeente Welzijnshuizen uw problemen
    en/of vragen in het algemeen afhandelt?

1 zeer tevreden   2 tevreden   3 neutraal   4 ontevreden
5 zeer ontevreden   9 geen oordeel

Figuur 2 geeft de frequentietabel van deze vraag weer.

		Frequency	Percent	Valid Percent	Cumulative Percent
Valid	zeer tevreden	31	11,0	13,1	13,1
	tevreden	116	41,3	49,2	62,3
	neutraal	49	17,4	20,8	83,1
	ontevreden	10	3,6	4,2	87,3
	zeer ontevreden	30	10,7	12,7	100,0
	Total	236	84,0	100,0	
Missing	geen oordeel	3	1,1		
	System	42	14,9		
	Total	45	16,0		
Total		281	100,0		

Figuur 2   Oordeel afhandeling vragen/problemen (n=...)

Beantwoord de volgende vragen in verslagvorm (je maakt dus een verhaaltje, je geeft in hele zinnen antwoord, deze *antwoorden* moet je in Word typen. Je typt dus *niet*: 1a, is 100, maar maakt een geheel van alle antwoorden met toepasselijke kopjes en alinea-indeling).

2a Hoeveel respondenten hebben aan het onderzoek meegedaan? Wat moet er dus achter de n= in de titel staan?

2b Hoeveel studenten hebben het antwoord 'tevreden' gegeven?

2c Achter de term *Missing* wordt een onderscheid gemaakt tussen 'geen oordeel' en '*System*'. Leg uit wat het verschil is tussen deze twee vormen van missende waarden.

2d Wat is het verschil tussen de kolom '*Percent*' en de kolom '*Valid Percent*'?

2e Welke kolom zou je gebruiken in het onderzoeksrapport? Waarom?

2f Hoeveel procent van de respondenten is tevreden over de afhandeling van vragen en/of problemen?

2g Uit welke kolom heb je deze informatie gehaald?

2h Open Excel en typ de gegevens uit de kolom '*Percent*' in de cellen en maak een grafiek. Controleer je grafiek op volledigheid van de informatie (zie grafiek-eisen). Pas zo nodig de grafiek aan.

2i Open Excel en typ de gegevens uit de kolom '*Valid Percent*' in de cellen en maak weer een grafiek die voldoet aan de grafiekeisen.

2j Kijk naar de verschillen tussen de grafiek die je van de '*Percent*' gemaakt hebt en de grafiek die je van de '*Valid Percent*' gemaakt hebt. Welke grafiek geeft volgens jou het meest overtuigend antwoord op de enquêtevraag?

Verander het scherm. Zorg met behulp van klikken met je muis dat onderaan het tabblad *Variable View* wit is.

	Name	Type	Width	Decimals	Label	Values	Missing
1	resp	Numeric ...	4	0		None	None
2	gesl	Numeric	1	0	geslacht	{1, man}...	None
3	leeft	Numeric	2	0	leeftijd	None	None
4	opl	Numeric	1	0	opleiding	{1, lager onder	None
5	wijk	Numeric	2	0	welke wijk	{1, Brunnepe-	None

Figuur 3   Scherm Variable View.

2k Wat staat er nu in elke rij? Tip: kijk ook eens naar de bijlage Enquête Communicatieonderzoek Gemeente Welzijnshuizen.

2l Wat staat er onder de kolom '*Label*' in de cel van rij 14? Wat is dus een label?

2m Wat staat in die zelfde rij 14 in de cel onder de kolom '*Values*'? klik eens in die cel en dan op het zojuist verschenen grijze knopje. Wat zie je?   {1, ja}...

2n Wat is een variabele? Kijk ook naar de enquête Communicatieonderzoek Gemeente Welzijnshuizen. Geef twee voorbeelden van variabelen uit dit onderzoek.

2o Wat zijn waarden van een variabele? Kijk ook naar de enquête Communicatieonderzoek Gemeente Welzijnshuizen. Geef twee voorbeelden van variabelen met bijbehorende waarden uit dit onderzoek.

3 *Complexe enquêtevragen*
De gemeente Welzijnshuizen heeft verschillende bronnen gebruikt om de burgers te informeren (Bijlage Enquête Communicatieonderzoek Gemeente Welzijnshuizen). Bekijk eerst hoe vraag 6 omgezet is in verschillende variabelen in de spss-datamatrix.

3a Leg uit welke bijbehorende variabelen in de datamatrix zijn opgenomen en waarom.

3b Bepaal de frequentieverdelingen voor deze afzonderlijke variabelen.

3c Geef per bron aan hoeveel procent van de burgers het betreffende middel als bron van informatie gebruikt. Maak op basis van deze gegevens vervolgens één tabel in Excel waarin de gegevens gecombineerd worden weergegeven (dus alleen de percentages van de mensen die de bronnen gebruiken). Maak tevens een grafiek op basis van deze nieuwe tabel.

3d Kopieer de via Excel verkregen tabel en grafiek naar Word. Geef vervolgens een verduidelijkende uitleg van de tabel plus bijbehorende grafiek. Geef ook een korte interpretatie van de aldus verkregen onderzoeksgegevens(toelichting en uitspraak).

4 *Frequentietabellen en grafieken.*
4a Welke opleiding hebben de meeste respondenten genoten? Maak een frequentietabel en kopieer deze naar Word (*copy objects*). Maak een grafiek (kopieer de gegevens opnieuw uit spss, echter nu met *copy* naar Excel) volgens de richtlijnen en doe verslag van je bevindingen.

5 Bekijk nogmaals de enquête Communicatieonderzoek Gemeente Welzijnshuizen. Kies twee vragen die je interessant lijken. Maak van beide vragen een frequentietabel en een grafiek en doe verslag van je bevindingen in Word.

5 *Kruistabellen*
5a Wat is een causaal verband?

5b Welke drie causaliteitsvoorwaarden zijn er?

5c Welke van de drie voorwaarden kun je onderbouwen met statistiek (1)?

5d Met een kruistabel kunnen we zien of er een verband tussen twee variabelen bestaat. Maak een kruistabel van de variabelen 'opleiding' en 'geslacht'. Kopieer de kruistabel naar Word.

5e Als we alleen naar de count (werkelijke aantallen) kijken kun je dan al een uitspraak doen? Zo niet, wat is het probleem?

5f   Wat moet er gebeuren om wel een uitspraak te kunnen doen?

5g   Maak een kruistabel (*crosstabs*) voor de variabele 'opleiding' en de variabele 'gebruik internetsite', maak zelf een keuze welke variabele in de kolom komt.

5h   Geef via de optie *cells* de volgende vijf celwaarden: *observed, expected, row, column* en *total*. Klik op OK en kopieer de kruistabel naar Word.

5i   Leg in Word in normaal Nederlands uit wat de betekenis is van deze vijf celwaarden. Leg in dit kader uit wat percenteren betekent.

5j   Formuleer in Word tevens een vijftal *uitspraken* waaruit blijkt dat je de betekenis van deze vijf waarden begrepen hebt. Doe de uitspraken aan de hand van de in de tabel weergegeven cijfers.

5k   Bedenk welke van de vijf uitspraken volgens jou het beste weergeeft wat je wilt zeggen. Misschien heb je verschillende 'beste' opties, motiveer je antwoord.

5l   Maak duidelijk hoe de 'expected'-waarde 33,2 voor de cel 'laag-geen internetgebruik' berekend is. Geef de berekening die achter deze expected waarde zit stap voor stap weer en leg uit wat bedoeld wordt met deze term.

5m Kun je op basis van de verwachte waarden al een uitspraak doen of er een verband is tussen geslacht en woonsituatie? Zo ja, wat is die uitspraak?

6   *Hercoderen*
     Als je kijkt naar de frequentietabel van de variabele leeftijd dan zie je dat deze erg lang is. Met de opdracht *Recode* binnen SPSS kunnen we meerdere groepen = klassen maken. Bedenk van tevoren zelf hoe je de leeftijden van de respondenten het best in vijf klassen kunt indelen, welke leeftijdscategorieën ga je maken? Elke klasse heeft een beginleeftijd (ondergrens) en een eindleeftijd (bovengrens).

6a   Hercodeer leeftijd in de nieuwe variabele 'leefklas' in vijf verschillende klassen.

6b   Zorg ervoor dat de labels van de nieuwe variabele 'leefklas' ingevoerd zijn.

6c Maak een frequentietabel van deze nieuwe variabele 'leefklas'.

6d Maak een kruistabel van de nieuwe variabele 'leefklas' en de variabele opleiding. Maak in Excel een grafiek van de percentages. Kopieer de tabel en de grafiek naar Word. Geef een toelichting en doe een uitspraak.

7 *Chi²-toets*

7a Leg uit wat via een Chi²-toets kan worden vastgesteld.

7b Maak duidelijk wat in het algemeen bedoeld wordt met de term 'statistisch significant'.

7c Leg uit wanneer een uitkomst voor een Chi²-toets statistisch significant is. Geef aan wat in dit verband bedoeld wordt met de term 'overschrijdingskans'. Geef tevens een andere veelgebruikte term voor 'overschrijdingskans' en leg uit wat binnen SPSS met de p-waarde wordt aangegeven.

7d Bepaal nu de Chi²-toets via de optie *Statistics* binnen crosstabs voor de kruistabel met de variabelen 'geslacht' en 'internetgebruik'. Kopieer de output Chi-Square Tests naar Word. We krijgen nu de Pearson Chi²-toets. De Pearson Chi²-toets is ,552 en de p-waarde blijkt ,759 te zijn (ga dit na). Geef een interpretatie van deze uitkomst.

7e Voldoet de Chi²-toets aan de twee voorwaarden die aan een kruistabel gesteld worden voor een Chi²-toets? Leg uit welke voorwaarden hier bedoeld worden en hoe de toets wel of niet voldoet.

8 *Analyse: op zoek naar mogelijk verbanden*

8a Bekijk de vragen uit enquête Communicatieonderzoek Gemeente Welzijnshuizen nogmaals. Bedenk zelf welke twee vragen een mogelijk verband met elkaar kunnen hebben.

8b Geef op basis van je eigen idee een voorspelling voor het verband tussen twee zelfgekozen vragen. Geef het verband weer in een schema. Onderzoek het verband aan de hand van de tot nu toe geleerde stappen. Schrijf een verslag van je bevindingen.

8c Bekijk de Chi²-toets en die je gemaakt hebt, voldoet ze aan de voorwaarden?

8d Leg in Word kort uit onder welke omstandigheden er mogelijk niet voldaan zal worden aan deze twee eisen.

8e Leg in Word uit waarom we bij het maken van een kruistabel vaak eerst een hercodering voor de oorspronkelijke variabelen doorvoeren.

8f Leg in Word uit wat 'statistische onafhankelijkheid' is.

8g Leg in Word kort uit wat associatiematen zijn en geef kort aan wat het verschil is tussen de Chi^2-toetsen andere types associatiematen.

9   *Representativiteit*
9a Leg het begrip representativiteit uit.

9b Verricht een onderzoek naar de representativiteit van de steekproef. Welzijns-huizen bestaat niet echt. Pak een willekeurige gemeente in Nederland (bij-voorbeeld de gemeente waar je geboren bent). Controleer of de steekproef in het onderzoek van de gemeente Welzijnshuizen op bepaalde kenmerken over-eenkomt met de gekozen gemeente. Bedenk zelf welke vergelijkingen je kunt maken. Misschien moet je nog gegevens hercoderen. Dit hangt af van de beschikbare gegevens van je eigen gemeente.

10 Gebruik de verschillende analysetechnieken voor het databestand dat je in hoofdstuk 4 gemaakt hebt. Trek tussentijdse conclusies.

11 *Kwalitatieve gegevens*
11a Maak een herstructureringsschema voor de diepte-interviews.

11b Categoriseer de antwoorden.

11c Trek tussentijdse conclusies.

Vragen bij hoofdstuk 6

Tenzij anders aangegeven hebben de vragen betrekking op de vier cases die in hoofdstuk 1 gegeven zijn.

1   Maak per probleem een onderzoeksopzet. Gebruik hiervoor de antwoorden van de in de vorige hoofdstukken gemaakte vragen.

2   Schrijf op basis van de onderzoeksopzet een rapport waarbij je de uitkomsten verzint. Zie hiervoor ook het materiaal dat je bij hoofdstuk 5 gemaakt hebt.

Vragen bij hoofdstuk 7

1   Bedenk welke gegevens uit je onderzoek kunnen worden gebruikt in een communicatieadvies voor basisschool Roosje.

2   Maak een marketingplan voor probleem dameskledingzaak For You, waarbij gegevens uit een fictief onderzoek gebruikt worden.

3   Schrijf een advies voor Postbus 51 waarbij resultaten uit de evaluatie van een campagne gebruikt worden (zie hiervoor onder meer www.postbus51.nl).

4   Kies een bedrijf uit je omgeving. Doe een onderzoek naar de reputatie van dit bedrijf en schrijf een reputatieadvies voor dit bedrijf.

Vragen bij hoofdstuk 8

1   Werk in duo's. Eén van jullie is opdrachtgever, de andere is de opdrachtnemer. Leef je in één van de problemen in en maak afspraken met elkaar als opdrachtnemer en opdrachtgever.

2   Als je een onderzoek moet begeleiden, waar kun je dan op letten?

3   Maak een beoordelingsschema voor een onderzoeksrapport.

Algemene vragen

1   Maak een begrippenlijst van volgens jou de belangrijkste begrippen uit het boek.

2   Leg bij elk begrip uit wat de betekenis is.

3   Geef bij elk begrip een concreet voorbeeld.

Bijlage II

Het berekenen van de benodigde steekproefgrootte

De algemene formule

Formule (algemeen): $n = (\frac{z}{b})^2 * p(1-p)$

Uitleg letters:

- de *n* is de omvang van de steekproef, deze gaan we berekenen

- de *z-score* is een keuze van de onderzoeker, is afhankelijk van de gewenste zekerheid:
- 99% zekerheid => z = 2,576
- 95% zekerheid => z = 1,96
- 90% zekerheid => z = 1,645

- de *b* is de **b**etrouwbaarheidsinterval en hangt af van het gekozen percentage met betrekking tot de nauwkeurigheid van de uitspraak.
- 1% -> b = 0,01
- 2% -> b = 0,02
- 3% -> b = 0,03
- 4% -> b = 0,04
- 5% -> b = 0,05

- de score *p* is de probability, de fractie in de steekproef. Zoals gezegd is dit in de praktijk meestal *p* = 0,5.

Een rekenvoorbeeld met de algemene formule

stap 1:
Je kiest voor een p van 0,05. Nu kun je het laatste deel van de formule berekenen: $p(1-p) = 0,5(1-0,5) = 0,25$

De formule na berekening van stap 1: $n = (\frac{z}{b})^2 * 0,25$

stap 2:
Je kiest bijvoorbeeld voor een nauwkeurigheid van 3% $(b = 0,03)$

De formule na berekening van stap 2 $n = (\frac{z}{0,03})^2 * 0,25$

stap 3:
Je gaat uit van 95% zekerheid, dus z = 1,96

De formule na berekening van stap 3: $n = (\frac{1,96}{0,03})^2 * 0,25$

stap 4:
Je berekent de formule. Eerst bereken je het deel tussen haakjes en daarna vermenigvuldig je de uitkomst met 0,25:

De formule na berekening van stap 4: $n = (65,33)2 * 0,25 = 1067$

Conclusie
Uitgaande van 95% zekerheid, een nauwkeurigheid van 3% en p = 0,5 is de steekproefgrootte minimaal 1067 (n = 1067). Is je netto steekproef (= uiteindelijke respons!) minstens zo groot, dan mag je alle gevonden uitspraken in het onderzoek met een marge van 3% (-3%, +3%) generaliseren.

Uitspraak generaliseren
Als uit je onderzoek blijkt dat 38% van de respondenten voor de doodstraf is, dan mag je bij een steekproefgrootte van 1067 zeggen: met een zekerheid van 95% is 35% (38-3) tot 41% (38+3) van de populatie voor de doodstraf.

Rapportage
In het verslag kun je in je onderzoeksverantwoording eenmalig vertellen dat bij elke uitspraak 3% opgeteld en afgetrokken dient te worden om te generaliseren naar de hele populatie. Je geeft dus aan dat je werkt met een marge van 3%. Vervolgens noem je in het verslag zelf steeds de gevonden percentages.

In deze formule wordt er *niet* gecorrigeerd voor de omvang van de populatie. Hoe groot de populatie is, doet er in deze formule dus niet toe. Maar daarmee heb je wel een probleem. Bij kleine populaties kun je deze formule niet toepassen. Daarvoor gebruik je de aangepaste formule voor relatief kleine populaties:

De aangepaste formule voor relatief kleine populaties

Formule voor relatief kleine populaties: $n = \dfrac{z^{2*}\, p(1-p)}{(z^2 * (p(1-p)/N)) + b^2}$

Of, wanneer we p(1-p) weer vervangen door 0,25:

$$n = \dfrac{z^{2*}\, 0{,}25}{(z^2 * (0{,}25/N)) + b^2)}$$

Uitleg letters:
– De N = de grootte van de populatie. Alle andere letters zijn bij de vorige formule uitgelegd.

Een rekenvoorbeeld met de aangepaste formule

Stel, je kiest weer voor een p = 0,5, de b = 0,03 en de z-score = 1,96. De populatie (N) bestaat in ons voorbeeld uit 1000 mensen

$$\dfrac{1{,}96^2 * 0{,}25}{1{,}96^2 * (0{,}25/1000)) + 0{,}03^2} = \dfrac{0{,}9604}{(3{,}8416 * 0{,}00025) + 0{,}0009}$$

$$= \dfrac{0{,}9604}{0{,}0018604} = 516{,}23306$$

Conclusie
Uitgaande van 95% zekerheid, een nauwkeurigheid van 3%, een p=0,5 en een populatie van 1.000 moet de netto steekproef groter dan of gelijk aan 517 zijn (n = 517).

Uitspraak generaliseren
Als uit je onderzoek blijkt dat 38% van de respondenten voor de doodstraf is, dan mag je bij een populatie van 1.000 en een steekproefgrootte van 517 zeggen: met een zekerheid van 95% is 35% (38-3) tot 41% (38+3) van de populatie voor de doodstraf.

Rapportage

Je kunt ook hier in je onderzoeksverantwoording éénmalig vertellen dat je uitgaat van 95% zekerheid en dat je marge 3% is, oftewel dat bij elke uitspraak 3% opgeteld en afgetrokken dient te worden om te generaliseren naar de hele populatie. Vervolgens noem je in het verslag zelf steeds de gevonden percentages.

De benodigde grootte van een steekproef is de uiteindelijke respons, de netto steekproef. Dit geldt voor beide voorgaande formules. Alleen als de uiteindelijke respons groot genoeg is mag je uitspraken nauwkeurig generaliseren van steekproef naar populatie (ook hier weer, uitgaande van één steekproef en alleen generaliseren op basis van percentages en gemiddelden). Wil je bijvoorbeeld vergelijkingen maken tussen verschillende steekproeven van verschillende groottes, dan wordt de formule veel complexer en komen er bovendien andere zaken bij kijken. Ook als je wilt generaliseren naar soortgelijke situaties, dan zijn de hierboven beschreven formules niet afdoende. Gebruik voor verdergaande generalisaties de benodigde statistische literatuur.

Bijlage III

Communicatieonderzoek Gemeente Welzijnshuizen 2006

Introductie

De gemeente Welzijnshuizen doet een onderzoek naar de tevredenheid van haar burgers. We vragen u deze enquête in te vullen en terug te sturen met de gratis antwoordenveloppe. De gemeente wil graag uw mening horen om waar mogelijk de communicatie met u als burger van de gemeente Welzijnshuizen te verbeteren. Alle gegevens zullen anoniem verwerkt worden. We vragen u de vragen te beantwoorden middels een **kruisje in het hokje** van uw antwoord. Als u een vergissing maakt wilt u dan een cirkel zetten om het juiste antwoord? Wij bedanken u voor uw medewerking.

Algemeen:

1 Bent u een man of een vrouw?

   1 ☐ man   2 ☐ vrouw

2 Wat is uw leeftijd?   _____ jaar

3 Wat is uw hoogst genoten opleiding?   *hoogst*
   1 ☐ lager (beroeps)onderwijs (lbo, lts, huishoudschool enzovoort)
   2 ☐ middelbaar (beroeps)onderwijs (havo, mavo, mts, meao enzovoort)
   3 ☐ hoger (beroeps)onderwijs (vwo, hbo, universiteit enzovoort)

4 In welke wijk woont u?

1 ☐ Oranjewijk	8 ☐ Binnenwijk
2 ☐ Groenwijk	9 ☐ Noordwijk
3 ☐ Hanzewijk	10 ☐ Zuidwijk
4 ☐ Schilderswijk	11 ☐ Centrum
5 ☐ Buitenwijk	12 ☐ Oostwijk
6 ☐ Tussenwijk	13 ☐ Welzijnshuizer eiland
7 ☐ Middenwetering	14 ☐ anders, namelijk _____

Deel A: Algemene informatievoorziening

5   Vindt u dat de gemeente Welzijnshuizen u voldoende of onvoldoende informeert over zaken die
    voor u van belang zijn?

Ruim voldoende	Voldoende	Matig	Onvoldoende	Geen mening
1 ☐	2 ☐	3 ☐	4 ☐	9 ☐

6   De gemeente heeft verschillende bronnen om u te informeren. Welke gebruikt u? (Meerdere ant-
    woorden mogelijk.)

1 ☐ Nieuw Welzijnshuizer Dagblad	6 ☐ TV Zuid
2 ☐ De Brug	7 ☐ Welzijnshuizer Almanak
3 ☐ Regio Oost	8 ☐ bijwonen van openbare vergaderingen
4 ☐ Kabelkrant	9 ☐ internetpagina: www.Welzijnshuizen.nl
5 ☐ Radio Zuid	10 ☐ anders, namelijk_____

7   Wilt u door middel van een rapportcijfer (1-10) aangeven hoe tevreden u bent over de u bekende
    media die de gemeente Welzijnshuizen gebruikt?

	Cijfer	Geen mening
1 Nieuw Welzijnshuizer Dagblad		☐
2 De Brug		☐
6 Kabelkrant		☐
8 Radio Zuid		☐
9 TV Zuid		☐
10 Welzijnshuizer Almanak		☐
11 bijwonen van openbare vergaderingen		☐
12 internetpagina: www.Welzijnshuizen.nl		☐
14 anders, namelijk_____		☐

www.Wel-
zijnshuizen.
nl

8   Indien u gebruikmaakt van de *Welzijnshuizer Almanak*, hoe vaak heeft u deze het afgelopen half
    jaar geraadpleegd voor informatie over de gemeente?

geen enkele keer (ga door naar vraag 10)	1-5 keer	meer dan 5 keer	weet ik niet
1 ☐	2 ☐	3 ☐	9 ☐

9   In hoeverre bent u het eens met de volgende stelling:
    Stelling 1:   *'De Welzijnshuizer Almanak geeft mij de benodigde informatie over de gemeente Welzijns-*
                  huizen.'

mee eens	mee oneens	geen mening
1 ☐	2 ☐	9 ☐

Ga door naar vraag 11.

10 Indien u geen gebruikmaakt van de *Welzijnshuizer Almanak*, wat is de reden daarvoor?

_____

11 Hoe vaak heeft u het afgelopen jaar de informatiepagina's van de gemeente Welzijnshuizen in het weekblad *De Brug* geraadpleegd?

geen enkele keer (**ga door naar vraag 13**)   1-5 keer   meer dan 5 keer   weet ik niet

   1 ☐   2 ☐   3 ☐   9 ☐

12 In hoeverre bent u het eens met de volgende uitspraken over de informatiepagina's van de gemeente Welzijnshuizen in het weekblad *De Brug*.

Stelling 2: *'Ik vind dat de informatiepagina's van de gemeente voldoende opvallen.'*

mee eens   mee oneens   geen mening
   1 ☐   2 ☐   9 ☐

Stelling 3: *'Ik vind de informatiepagina's van de gemeente nuttig.'*

mee eens   mee oneens   geen mening
   1 ☐   2 ☐   9 ☐

Stelling 4: *'Ik vind dat de informatiepagina's van de gemeente goed te begrijpen zijn.'*

mee eens   mee oneens   geen mening
   1 ☐   2 ☐   9 ☐

13a Over welke onderwerpen zou u meer informatie willen hebben van de gemeente?

1 ☐ openbare orde en veiligheid
2 ☐ economie (industrie, midden- en kleinbedrijf, land- en tuinbouw)
3 ☐ werkgelegenheid
4 ☐ onderwijs
5 ☐ cultuur
6 ☐ ruimtelijke ordening, volkshuisvesting, stadsvernieuwing / monumentenzorg
7 ☐ verkeer en vervoer
8 ☐ groenvoorziening
9 ☐ sport en welzijn
10 ☐ ouderen- en gehandicaptenbeleid en gezondheidszorg
11 ☐ jongerenbeleid
12 ☐ woonwagenbeleid
13 ☐ sociale zaken (minimabeleid)
14 ☐ sociale vernieuwing / minderheden / achterstandbeleid
15 ☐ toerisme en recreatie
16 ☐ gemeentelijke belastingen en heffingen
17 ☐ anders, namelijk _____

13b Indien van toepassing, kunt u een specifiek voorbeeld geven van uw belangrijkste onderwerp?

_____

14 Wilt u door middel van een rapportcijfer (1-10) aangeven in welke mate u tevreden bent over hoe de gemeente Welzijnshuizen u **in het algemeen** informeert?

Het cijfer: 1 ☐   2 ☐   3 ☐   4 ☐   5 ☐   6 ☐   7 ☐   8 ☐   9 ☐   10 ☐

Deel B: Gemeentelijke dienstverlening

15 Hoe vaak heeft u het afgelopen jaar contact gehad met de gemeente?

geen enkele keer (ga door naar vraag 21)	1-5 keer	meer dan 5 keer	weet ik niet
1 ☐	2 ☐	3 ☐	9 ☐

16 Op welke manier heeft u de gemeente meestal benaderd?

☐ telefonisch   ☐ schriftelijk
☐ aan het loket   ☐ persoonlijk gesprek _____
☐ anders, namelijk _____

17 Geef een beoordeling over de manier waarop u in het algemeen wordt behandeld door de medewerkers van de gemeente (omcirkel het door u gekozen cijfer).

onvriendelijk   1 2 3 4 5 6 7 8 9 10   vriendelijk

onpersoonlijk   1 2 3 4 5 6 7 8 9 10   persoonlijk

langzaam   1 2 3 4 5 6 7 8 9 10   snel

18 Zijn er zaken die de gemeente kan verbeteren voor wat betreft uw persoonlijke contacten met de gemeente:

☐ nee _____

☐ ja, namelijk _____

19 Hoe tevreden bent u over de manier waarop de gemeente Welzijnshuizen uw problemen en/of vragen in het algemeen afhandelt?

zeer tevreden	tevreden	neutraal	ontevreden	zeer ontevreden
1 ☐	2 ☐	3 ☐	4 ☐	5 ☐

20 Wilt u door middel van een rapportcijfer (1-10) aangeven in welke mate u tevreden bent over uw **persoonlijke contacten** met de gemeente Welzijnshuizen?

Het cijfer: 1 ☐   2 ☐   3 ☐   4 ☐   5 ☐   6 ☐   7 ☐   8 ☐   9 ☐   10 ☐

21 Bent u tevreden over de gemeentelijke voorzieningen?

Algemene voorzieningen

	zeer tevreden	tevreden	ontevreden	zeer ontevreden	geen mening
speelgelegenheden voor kinderen	☐	☐	☐	☐	☐
onderwijsvoorzieningen voor jongeren	☐	☐	☐	☐	☐
voorzieningen voor ouderen	☐	☐	☐	☐	☐
voorzieningen voor gehandicapten	☐	☐	☐	☐	☐
sportmogelijkheden	☐	☐	☐	☐	☐
winkelvoorzieningen	☐	☐	☐	☐	☐
groenvoorzieningen	☐	☐	☐	☐	☐
vuilophaaldienst en stadsreiniging	☐	☐	☐	☐	☐

Veiligheidsvoorzieningen

	zeer tevreden	tevreden	ontevreden	zeer ontevreden	geen mening
a onderhoud wegen	☐	☐	☐	☐	☐
b parkeergelegenheid	☐	☐	☐	☐	☐
c verkeersveiligheid	☐	☐	☐	☐	☐
d openbaar vervoer	☐	☐	☐	☐	☐

Veiligheidsvoorzieningen

	zeer tevreden	tevreden	ontevreden	zeer ontevreden	geen mening
a op straat	☐	☐	☐	☐	☐
b verlichting in de binnenstad	☐	☐	☐	☐	☐
c aanpak criminaliteit en vandalisme	☐	☐	☐	☐	☐

22 Zijn er specifieke voorzieningen die u mist in de gemeente?

☐ nee _____

☐ ja, namelijk _____

23 Wilt u door middel van een rapportcijfer (1 – 10) aangeven hoe tevreden u bent over de **gemeen-telijke voorzieningen** in uw woonwijk?

Het cijfer: 1 ☐   2 ☐   3 ☐   4 ☐   5 ☐   6 ☐   7 ☐   8 ☐   9 ☐   10 ☐

Deel C: Beleidsvorming

24 In welke mate bent u geïnteresseerd in de gemeentelijke politiek?

zeer geïnteresseerd	geïnteresseerd	matig geïnteresseerd	niet geïnteresseerd	geen mening
1 ☐	2 ☐	3 ☐	4 ☐	9 ☐

25 In hoeverre bent u het eens met de volgende stelling:

Stelling 5: *'Het gemeentebestuur is goed op de hoogte van hoe de Welzijnshuizenaar denkt over de problemen in de stad.'*

zeer mee eens	mee eens	mee oneens	zeer mee oneens	geen mening
1 ☐	2 ☐	3 ☐	4 ☐	9 ☐

26 Wat is volgens u het belangrijkste probleem in de gemeente?

_____

27. Wordt er door het gemeentebestuur genoeg gedaan om het naar uw mening belangrijkste probleem op te lossen?

ja	nee	geen mening
1 ☐	2 ☐	9 ☐

28 Wilt u door middel van een rapportcijfer (1-10) aangeven hoe tevreden u bent over de wijze waarop de burgers bij het gemeentelijke **beleid** worden betrokken?

Het cijfer: 1 ☐   2 ☐   3 ☐   4 ☐   5 ☐   6 ☐   7 ☐   8 ☐   9 ☐   10 ☐

Hierbij bent u aan het einde gekomen van de vragenlijst. Wij danken u voor het invullen. U kunt de enquête nu per post versturen met de antwoordenveloppe.

P.S. U hoeft geen postzegel te plakken op de retourenveloppe.

Noten

[1] Zie Beroepsniveauprofielen Communicatiemanagement, 2002.

[2] Zie BNP-A, moet de BNP-B al kunnen, vandaar dat dit leerdoel hier is toegevoegd.

[3] In het beroepsniveauprofiel wordt specifiek gesproken van monitoring en positioneringonderzoek, maar deze tweedeling komt in dit boek niet aan de orde, vandaar dat het hier is weggelaten.

[4] De competenties voor de junior adviseur zijn ook relevant voor de senior adviseur en *alle* competenties zijn relevant voor de manager.

[5] Van den Brink, 2003, blz. 4.

[6] Van den Brink, 2003, blz. 10.

[7] Koeleman, 2003, blz. 157.

[8] Floor en Van Raaij ,2002, blz. 43.

[9] Fombrun en Van Riel, 2004.

[10] Fombrun en Van Riel, 2004, blz. 200.

[11] Bewerking van Keuning, 1996, blz. 1.

[12] Swanborn, 2002, blz. 76.

[13] Hogendoorn, 2003, blz. 36.

[14] Olsthoorn, 2002, blz. 51.

[15] Verschuren, 1999, blz. 33.

[16] Das, 2001.

[17] Van Riel, 2003, blz. 235.

[18] Rotterdamse Organisatie-Identificatie Test (Van Riel, 2003, blz. 66).

[19] Zie Olsthoorn en Van der Velden, 2000.

[20] http://www.postbus51.nl/index.cfm?vID=51026A50-F096-7DC1-C1BD83D85927718C   (november 2005).

[21] Postbus 51, 2005.

[22] Fombrun en Van Riel, 2004.

[23] Koeleman, 2005, blz. 18.

[24] Fombrun, 2004, blz. 4.

[25] Slotboom, 2001, blz. 297.

[26] Floor & Van Raaij, 2002, blz. 241.

[27] Swanborn, 2002, blz. 25.

[28] Fombrun en Van Riel, 2004, blz. 4.

[29] Das, 2001.

[30] Cooper, 2003, blz.231.

[31] Wijngaarden, A. van (17 april 2005). *Dagblad van het Noorden.*

[32] Heuvelman, 2005, blz. 25.

[33] www.cbs.nl, april 2005.

[34] Zie bijvoorbeeld Dasselaar, 2004.

[35] Buijzen, 2001, blz. 150-167.

[36] www.cbs.nl/nl/standaarden/begrippen/bevolking/begrippenlijst.htm, april 2004.

[37] Stoop, 2000-7, blz. 30.

[38] Denk aan het bevolkingsregister. De opbouw van een gemeente op verschillende kenmerken kun je via de gemeente zelf of via het cbs achterhalen.

[39] Swanborn, 2002, blz. 151.

[40] www.tijdsbesteding.nl (september 2005).

[41] Zie onder meer Koeleman, 1999.

[42] De Ruyter, 2001, blz. 29.

[43] Zie Swanborn, 2002, blz. 197.

[44] Zie onder meer Pels, 1997.

[45] Pels, 1997.

[46] *NRC Handelsblad*, 2 februari 2005.

[47] *Dagblad van het Noorden*, 3 juni 2002.

[48] Swanborn, 2002, blz. 24.

[49] *Dagblad Rivierenland*, 15 maart 2003.

[50] *Dagblad van het Noorden*, 15 juni 2004.

[51] Van Raaij, 2004.

[52] www.cbs.nl, november 2005.

[53] Buijzen, 2001, blz. 150-167.

[54] www.foksuk.nl, maart 2006).

[55] Zie Hogendoorn, 2003, blz. 119.

[56] Statistical Package for the Social Sciences: www.spss.com (september 2005).

[57] Slotboom, 2001, blz. 297.

[58] Als vrouw waarde 1 en man waarde 2 heeft.

[59] Bij de uitleg is ervan uitgegaan dat de student de basishandelingen in Excel beheerst.

[60] De Ruyter, 2001.

[61] Meulenberg, 2001, blz. 31

[62] Zie Pels, 1997.

[63] Basistekens in Excel zijn: + = optellen, - = aftrekken, : = bereik (van ..t/m..), * = vermenigvuldigen, / = delen.

[64] Vermijd zo veel mogelijk zelf typen, dan kun je meer fouten maken dan wanneer je de cellen zelf aanklikt. Daar komt bij dat als er achteraf iets wijzigt in de cellen zelf, de formule dit eenvoudig overneemt.

[65] *Dagblad van het Noorden*, 22 november 2005).

[66] Jumelet & Wassenaar, 2003.

[67] Van Ruler, 2003.

[68] Van Riel en Fombrun zijn beiden directeur van het Reputation Institute, een instelling die onderzoek doet naar bedrijfsreputaties. Zie het boek *Reputatiemanagement* (Van Riel en Fombrun,

2004) voor een uitgebreide toelichting op onderzoek naar reputaties.

[69] Van Riel, 2005.

[70] Vahl, 2005.

[71]http://www.publiekencommunicatie.nl/jaarevaluatie2004/data/soorten_doelstellingen.html
  (maart 2006).

[72] Zie bijvoorbeeld Vos, 2002.

Bronnen

Literatuur

Braam, A., Rietberg-van den Broeke, A. & Nauta, M. (2005). *De blauwdruk*. Zwolle: Christelijke Hogeschool Windesheim.

Brink, K. van den (2003). *Communicatiemanagement*. Schoonhoven: Academic Service.

Cooper, D.R., Schindler, P.S. (2003). *Business Research Methods*. New York: Mc Graw Hill.

Damoiseaux, V.M.G., Ruler, A.A. van & Weisink, A. (1998). *Effectiviteit in communicatiemanagement Zoektocht voor criteria voor professioneel succes*. Deventer/Diegem: Samsom.

Das, E.H.H.J. (2001). *How fear appeals work*. Utrecht: Thela Thesis Academic Publishing Services.

Dasselaar, A. (2004). *Handboek Internetresearch*. Eck en Wiel: Van Duuren,.

Fombrun, Ch.J. & Riel, C.B.M. van (2004). *Reputatiemanagement*. Amsterdam: Pearson Education Benelux.

Floor, J.M.G. & Raaij, W.F. van (2002, vierde druk). *Marketingcommunicatiestrategie*. Groningen: Stenfert Kroese.

Grinten, J. van der (2004). *Mind the GAP. Stappenplan identiteit en imago*. Amsterdam: Boom Onderwijs.

Hart, H. 't, Dijk, J. van, Goede, M. de, Jansen, W. & Teunissen, J. (1998). *Onderzoeksmethoden*. Amsterdam: Boom Onderwijs.

Hemming, B. (2004). *Communicatie managen*. Amsterdam: Boom Onderwijs.

Heuvelman, A. & Fennis, B. (2005). *Mediapsychologie*. Amsterdam: Boom Onderwijs.

Hogendoorn, M. (2003, vierde druk). *Communicatieonderzoek*. Bussum: Coutinho.

Hogeweg, R. (2002, vierde druk). *Een goed rapport*. Utrecht: ThiemeMeulenhoff.

Jumelet, L. & Wassenaar, I. (2003). *Overheidscommunicatie*. Utrecht/Zutphen: ThiemeMeulenhoff.

Keuning, D. (1996, vierde druk). *Organiseren en leiding geven*. Leiden: Stenfert Kroese.

Koeleman, H. (1999). *Interne communicatie als marketinginstrument : strategieën, middelen en achtergronden*. Houten : Bohn Stafleu Van Loghum.

Meulenberg, M. (2001, derde druk). *Van vragen tot verslagen, handleiding voor interviewers*. Bussum: Coutinho.

Nederstigt, A.T.A.M. & Poiesz, Th.B.C. (2003). *Consumentengedrag*. Groningen: Stenfert Kroese.

Riel, C.B.M. van (2003). *Identiteit en imago: Recente inzichten in corporate communication – theorie en praktijk*. Schoonhoven: Academic Service.

Ruyter, K. de (2001). *Kwalitatief marktonderzoek, theorie en praktijkcases*. Utrecht: Lemma.

Slotboom, A. (2001). *Statistiek in woorden*. Groningen: Wolters Noordhoff.

Swanborn, P.G. (2002). *Basisboek sociaal onderzoek*. Amsterdam: Boom Onderwijs.

Swanborn, P.G. (1987). *Methoden van sociaal-wetenschappelijk onderzoek*. Amsterdam: Boom.

Verschuren, P.J.M. (1999). *De probleemstelling voor een onderzoek*. Utrecht: Het Spectrum.

Vos, M.F., Otte, J. & Linders, P. (2002). *Communicatie & planning*. Utrecht: ThiemeMeulenhoff.

Artikelen

Buizen, M., Valkenburg P.M. & Bie, M. de (2001). Humor in commercials gericht op kinderen, tieners en volwassenen. *Tijdschrift voor Communicatiewetenschap, 29, nr. 3*, 150-167.

Mannen houden van auto's, vrouwen van verzorgen (22 november 2005). *Dagblad van het Noorden*.

Mensen worden dikker door invloed tv (3 juni 2002). *Dagblad van het Noorden*.

Minder tolerant door aanslagen (2 februari 2005). *NRC handelsblad*.

Mooij, R (2005). WcQ = ic^2. *Communicatie, vakblad voor communicatieprofessionals, 11, nr. 5*, 25-27.

Moppen maken blondjes dommer (15 juni 2004). *Dagblad van het Noorden*.

Patiënt geneest na nep-operatie (15 maart 2003). *Dagblad Rivierenland*.

Raaij, B. van & Calmthout, M. van (15 mei 2004). Wreedheid in het lab. *de Volkskrant*.

Ruler, van B. (2003). Communicatiemanagement: van kwantiteit naar kwaliteit. *Tijdschrift voor Communicatiewetenschap, 31, nr.3*, 245-261.

Stoop, I. & Louwen, F. (2000). Interviewen is mensenwerk. *Facta, sociaal-wetenschappelijk magazine, nr. 7*, 30-31.

Vahl, R. (2005). Meten is meetellen. *Communicatie, vakblad voor communicatieprofessionals, 11, nr. 9*, 13-16.

Wijngaarden, A. (17 april 2005). Een op de drie kinderen onnodig op dieet. *Dagblad van het Noorden*.

Rapporten

Beroepsniveauprofielen Communicatiemanagement (2002, derde druk). Beroepsvereniging voor Communicatie (Den Haag) en Vereniging voor Overheidscommunicatie (Apeldoorn). Ingezien op 24 april 2004 via www.communicatie.com

Samenvatting Evaluatie Postbus 51-campagnes 2004 (2005). Dienst Publiek en Communicatie, Postbus 51.

Video

Pels, T. (1996). *Opvoeden in Nederland*. Utrecht: TELEAC/NOT (video).

Internet

Beroepsvereniging voor Communicatie: www.communicatie.com

Centraal Bureau voor Statistiek: www.cbs.nl

Cijfers over Europa: http://europa.eu.int/comm/eurostat

Humor: www.foksuk.nl

Intomart: www.intomart.nl

KNAW: http://www.onderzoekinformatie.nl/nl/oi

Nederlands Instituut voor de Publieke Opinie en het Marktonderzoek: www.nipo.nl

Mediacentrum Windesheim (alleen voor studenten en personeel): http://mediacentrum.windes-heim.nl

Postbus 51: www.postbus51.nl

Sociaal Cultureel Planbureau www.scp.nl

Software voor studenten (bijvoorbeeld SPSS): www.surfspot.nl

SPSS: www.spss.com

STER http://info.omroep.nl/ster klik vervolgens op reclamelinks.

Tabellen samenstellen: www.cbs.nl/nl/cijfers/statline/index.htm

Tabellen samenstellen: www.tijdsbesteding.nl

Uitgeverij: www.boom.nl

Van Dale woordenboek: www.vandale.nl

Vereniging voor Overheidscommunicatie: www.vvonet.nl

Voorbeelden beleidsonderzoek: http://beleidsonderzoek.pagina.nl

Voorbeelden marktonderzoek: http://marktonderzoek.pagina.nl

Databanken, toegankelijk via het mediacentrum van de hogeschool

Academic Search Elite

LexisNexis NewsPortal

Nederlandse Onderzoeksdatabank

Picarta

Register